PEÇA-ME
o que
QUISER

MEGAN MAXWELL

PEÇA-ME
o que
QUISER

Tradução
Tamara Sender

Copyright © 2012 by Megan Maxwell

Grafia atualizada segundo o Acordo Ortográfico da Língua Portuguesa de 1990, que entrou em vigor no Brasil em 2009.

Título original
Pídeme lo que quieras

Capa
Marcela Perroni sobre arte original da edição espanhola

Imagens de capa
© Eugene Sergeev / Shutterstock

Revisão
Ana Kronemberger
Ana Grillo

cip-Brasil. Catalogação na fonte
Sindicato Nacional dos Editores de Livros, rj

M419p
    Maxwell, Megan
        Peça-me o que quiser / Megan Maxwell; tradução Tamara Sender. – 1ª ed. – Rio de Janeiro: Paralela, 2013.

        Tradução de: Pídeme lo que quieras.
        isbn 978-85-8105-178-9

        1. Romance espanhol. I. Sender, Tamara. II. Título.

13-03108
                              cdd: 863
                              cdu: 821.134.2-3

23ª reimpressão

Todos os direitos desta edição reservados à
editora schwarcz s.a.
Rua Bandeira Paulista, 702, cj. 32
04532-002 —São Paulo — sp
Telefone: (11) 3707-3500
editoraparalela.com.br
atendimentoaoleitor@editoraparalela.com.br
facebook.com/editoraparalela
instagram.com/editoraparalela
twitter.com/editoraparalela

*Para todas as pessoas a quem a paixão
enamora e o amor apaixona*

1

Que mala é minha chefe.

Sinceramente, no fim das contas vou ter que pensar igual à metade da empresa: que ela e Miguel, meu colega que se acha o máximo, têm um caso. Mas não. Não quero ser maliciosa e entrar na onda de todo mundo. O disse me disse das fofocas.

Desde janeiro eu trabalho na Müller, uma companhia farmacêutica alemã. Sou a secretária da chefe das sucursais e, embora eu goste do meu emprego, muitas vezes me sinto explorada. Sério... só falta minha chefe me amarrar na cadeira e enfiar um pedaço de pão na minha boca em vez de me deixar almoçar.

Quando por fim termino a pilha de trabalho que minha querida chefe me encarregou de concluir até o dia seguinte, deixo os relatórios na mesa dela e volto à minha. Pego minha bolsa e vou embora sem olhar para trás. Preciso sair do escritório ou acabarei em todos os jornais como assassina em série de chefes que se acham o centro do mundo.

São 23h20... Tarde pra caramba!

Na rua cai um dilúvio. Perfeito! Tempestade de verão. Chego à porta e, depois de tomar coragem, corro até o estacionamento, onde me espera meu amado León. Entro ensopada na garagem e, após apertar o botão de comando, Leonzinho pisca suas luzes me dando as boas-vindas. É tão fofo...!

Logo me enfio no carro. Não sou medrosa, mas não gosto de estacionamentos, e menos ainda quando ficam assim tão desertos a uma hora dessas. Automaticamente, começo a me lembrar de filmes de terror em que uma mulher caminha por um desses estacionamentos e um desalmado vestido de preto aparece e a apunhala até a morte. Caraca, que situação!

Entro no carro, aciono as travas, abro a bolsa, tiro um lenço de papel e enxugo o rosto. Estou encharcada! Mas, justo quando vou enfiar as chaves na ignição... putz!, elas caem. Solto um palavrão no escuro e me abaixo para procurá-las.

Passo a mão pelo assoalho. À direita elas não estão. À esquerda também não. Droga... encontro o pacote de chiclete que fiquei dias procurando. Ótimo!

Continuo tateando o chão do carro e por fim encontro as chaves. Então ouço umas risadas próximas e olho ao redor com cuidado para que não me vejam.

Ai, meu Deus!

Entre risadas e carícias vejo se aproximarem minha chefe e Miguel. Parecem entretidos. Isso me irrita. Eu me matando de trabalhar até as onze e tanto e eles na farra. Que injustiça! Logo minha chefe e Miguel se apoiam na coluna lateral e se beijam.

Olha isso...!

Não acredito!

Semiagachada no interior do meu carro pra que não me vejam, contendo a respiração. Por favor... por favor! Se eles descobrirem que estou aqui, vou morrer de vergonha. Não, isso não pode acontecer. De repente, minha chefe larga a bolsa e sem a menor cerimônia toca com determinação no meio das pernas de Miguel. Está tocando ele!!!

Minha nossa! Mas o que é que estou vendo?

Meu Deus! Agora é Miguel quem enfia a mão por baixo da saia dela. Ele levanta minha chefe, a empurra para cima contra a coluna e começa a se esfregar nela. Uau!

Ai, meu Deus! Que é que eu faço?

Quero dar o fora. Não quero ver o que estão fazendo, mas também não posso ir embora daqui. Se eu arrancar, eles vão saber que eu estava espiando. Então, agachada e sem me mexer, não posso deixar de ver o que eles fazem. Logo Miguel a obriga a virar de costas. Ele a coloca sobre o capô do carro, abaixa a calcinha, primeiro com a boca e em seguida com as mãos. Caraca, estou vendo a bunda da minha chefe! Que horror! E nesse momento escuto Miguel perguntando:

— Diz, o que você quer que eu faça contigo?

Minha chefe, como uma gata no cio, murmura completamente entregue:

— O que você quiser... o que você quiser.

Uau, que isso, meu Deus, que isso! E eu na primeira fila. Só falta a pipoca.

Miguel volta a empurrá-la sobre o capô. Abre suas pernas e chupa ela. Ai, minha nossa! Mas do que estou sendo testemunha? Minha chefe, dona Maníaca, solta um gemido e eu tapo os olhos. Mas a curiosidade, a atração pelo proibido, ou seja lá como isso se chame, me domina e eu os destapo. Sem piscar vejo como ele, após se deliciar, se afasta dela uns centímetros e lhe enfia um dedo, logo dois, e, levantando-se, agarra sua cabeleira escura e a puxa para si, enquanto mexe seus dedos a um ritmo que, por que negar?, faria qualquer uma suspirar.

— Siiiiiiiiiiim! — escuto minha chefe gemer.

Respiro com dificuldade.

Vou ter um troço.

Que calor!

Goste ou não, ver tudo isso está me dando um frenesi, e não é porque eu tenho andado nervosa. Minha vida sexual é supermorna, beirando o previsível, então essa cena ao vivo e em cores está me excitando.

Miguel abre a braguilha de sua calça cinza. Põe para fora um pênis mais que aceitável. Ai, Miguel! E fico boquiaberta quando vejo que ele mete tudo de uma vez só. Assim eu morro! Mas de prazer... E justo pelo que faz minha chefe gemer.

Meus mamilos estão duros, e logo me dou conta de que estou tocando neles. Mas em que momento enfiei a mão por dentro da blusa? Depressa eu tiro a mão dali, mas meus mamilos e o meu desejo protestam. Eles querem mais! Mas não. Assim não pode ser. Não faço essas coisas. Minutos depois, após vários gemidos e sacolejos, Miguel e minha chefe se recompõem. Uau! Já terminaram! Eles entram no carro e partem. Respiro aliviada.

Quando por fim volto a ficar sozinha no estacionamento, saio do meu esconderijo e me ajeito no banco do carro. Minhas mãos tremem. Os joelhos também. E percebo que minha respiração está acelerada. Excitada pelo que acabo de presenciar, fecho os olhos enquanto vou me acalmando e penso em como seria fazer sexo nessa intensidade. *Caliente!*

Dez minutos depois, arranco com o carro e deixo o estacionamento. Vou beber cerveja com meus amigos. Preciso me refrescar e refrescar minha... febre.

2

No dia seguinte, quando chego ao escritório, todos parecem felizes. Cruzo com Miguel e não posso deixar de sorrir. Ele e a chefe. Se eles soubessem que os vi... Mas, como não quero pensar nisso, vou até minha mesa e, enquanto ligo o computador, vejo que ele vem vindo.

— Bom dia, Judith.
— Bom dia.

Miguel, além de ser meu colega, é um sujeito muito simpático. Desde meu primeiro dia no escritório, ele tem sido um amor comigo e nos damos muito bem. Quase todas no trabalho babam por ele, mas, não sei por quê, em mim ele não surte o mesmo efeito. Será que não gosto dos caras meiguinhos e sorridentes? Mas, claro, agora, sabendo o que sei e tendo visto como é bem-dotado, não posso deixar de olhá-lo de outra forma enquanto tento não gritar: "Garanhão!"

— Está sabendo que hoje à tarde tem reunião geral?
— Aham.

Como era de se esperar, ele sorri, segura meu braço e diz:

— Vem, vamos tomar um café. Sei que você adora um cafezinho e uma torrada da cafeteria.

Sorrio também. Como me conhece, esse desgraçado... Além de simpático e gato, o cara não deixa passar uma. Isso, somado a seu sorriso constante, é o grande atrativo de Miguel. Sempre gentil. É assim que ele enrola todas na conversa.

Quando chegamos à cafeteria do nono andar, vamos ao balcão, fazemos os pedidos e nos dirigimos à nossa mesa. Digo "nossa mesa" porque sempre sentamos ali. Paco e Raul se juntam a nós. Um casalzinho gay com o qual me dou muito bem. Como sempre, me dão um beijinho no pescoço e me fazem rir. Começamos a conversar e eu logo me lembro do que vi na noite anterior no estacionamento. Miguel e a chefe! Que trepada insana, e bem na minha frente. Que menino-prodígio, esse meu colega!

— O que houve? Você parece distraída — pergunta Miguel.

Sua abordagem me desperta. Olho para ele e respondo, tentando esquecer as imagens que surgiam na minha mente:

— Estou meio fora do ar, eu sei. Meu gato está cada dia mais fraquinho e...

— Que pena, o Trampinho — murmura Paco, e Raul faz uma cara compreensiva.

— Ah, sinto muito, querida — responde Miguel, enquanto segura minha mão.

Por alguns instantes conversamos sobre meu gato e isso me deixa ainda mais triste. Adoro o Trampo e, inevitavelmente, a cada dia que passa, cada hora, cada minuto, seu tempo de vida diminui. É algo que aprendi a admitir desde que o veterinário me alertou, mas ainda assim me dói. Me dói muito.

Logo minha chefe chega, rodeada por vários homens, como sempre. É uma galinha! Miguel a vê e sorri. Eu fico quieta. Minha chefe é uma mulher muito atraente. Cá entre nós, uma cinquentona poderosa, uma morena cheia de si, solteira mas não solitária, e que dizem ter vários casos na empresa. Cuida-se como ninguém e vai todo dia à academia. Ou seja, ela gosta... que gostem dela.

— Judith — me interrompe Miguel. — Falta muito?

Volto a mim e deixo de olhar minha chefe para olhar meu café da manhã. Bebo um gole de café e respondo:

— Terminei!

Nós quatro nos levantamos e saímos da cafeteria. Temos de começar a trabalhar.

Uma hora mais tarde, após tirar umas cópias e finalizar um documento, me dirijo à sala da minha chefe. Bato na porta e entro.

— Aqui está o contrato pronto para a sucursal de Albacete.

— Obrigada — responde secamente enquanto passa os olhos pelo documento.

Como de hábito, fico parada diante dela à espera de suas ordens. O cabelo da minha chefe é lindo, tão ondulado, tão cuidado. Nada a ver com meu cabelo castanho e liso que costumo prender num coque no alto da cabeça. O telefone toca e antes que ela me olhe eu atendo.

— Sala da senhora Mónica Sánchez. Quem fala é a secretária, senhorita Flores. Em que posso ajudá-lo?

— Bom dia, senhorita Flores — responde uma voz profunda de homem com leve sotaque estrangeiro. — Aqui é Eric Zimmerman. Eu gostaria de falar com sua chefe.

Ao reconhecer aquele nome, reajo depressa.

— Um momento, senhor Zimmerman.

Minha chefe, ao escutar aquele sobrenome, larga os papéis que até então segurava e, após literalmente arrancar o telefone das minhas mãos, diz com um sorriso encantador nos lábios:

— Eric... que bom você ter ligado! — Depois de um breve silêncio, continua: — Claro, claro. Ah! Mas você já chegou a Madri?... — Então solta uma gargalhada superfalsa e sussurra: — Claro, Eric. Te espero às duas na recepção pra almoçar.

E, após dizer isso, desliga e olha para mim.

— Marque um horário pra mim no cabeleireiro para dentro de meia hora. Depois, uma reserva pra dois no restaurante da Gemma.

Dito e feito. Cinco minutos mais tarde, ela sai voando do escritório e volta uma hora e meia depois com seu cabelo mais brilhante e bonito e com a maquiagem retocada. Às 13h45, vejo Miguel batendo na sua porta e entrando. Olha isso! Não quero nem pensar no que estarão fazendo. Passados cinco minutos, ouço gargalhadas. Às 13h55, a porta se abre, os dois saem e minha chefe vem falar comigo.

— Judith, você já pode ir almoçar. E lembre-se: estarei com o senhor Zimmerman. Se às cinco eu não tiver voltado e você precisar de qualquer coisa, ligue pro meu celular.

Quando a bruxa má e Miguel vão embora, eu enfim respiro aliviada. Solto o cabelo e tiro os óculos. Depois pego minhas coisas e caminho até o elevador. Meu escritório fica no 17º andar. O elevador para em vários andares para pegar outros funcionários, e com isso ele sempre demora a chegar ao térreo. De repente, entre o quinto e o sexto andar, o elevador dá um tranco e para completamente. As luzes de emergência se acendem, e Manuela, do almoxarifado, começa a gritar.

— Ai, minha Nossa Senhora! O que está acontecendo?

— Fique calma — respondo. — Acabou a luz, mas com certeza vai voltar daqui a pouco.

— E vai demorar quanto?

— Não sei, Manuela. Mas, se você ficar nervosa, vai se sentir mal aqui dentro e esse tempo vai parecer uma eternidade. Então respire fundo e você vai ver como a luz volta num piscar de olhos.

Mas, vinte minutos depois, a luz ainda não tinha voltado, e Manuela, com várias meninas da contabilidade, entra em pânico. Percebo que tenho de fazer alguma coisa.

Vejamos. Não gosto nada de estar presa num elevador. Fico agoniada e começo a suar. Se eu entrar em pânico, vai ser pior, então decido buscar soluções. Primeiro, junto o cabelo na nuca e prendo com uma caneta. Depois passo minha garrafinha d'água para Manuela beber e tento brincar com as meninas da contabilidade enquanto distribuo chicletes de morango. Mas meu calor vai aumentando, então tiro um leque da minha bolsa e começo a me abanar. Que calor!

Nesse momento, um dos homens que estavam apoiados num canto do elevador fica mais perto de mim e me segura pelo cotovelo.

— Você está bem?

Sem olhar para ele e sem deixar de me abanar, respondo:

— Uf! Quer que eu minta ou diga a verdade?

— Prefiro a verdade.

Achando graça, me viro em sua direção e, de repente, meu nariz roça contra um casaco cinza. Cheira muito bem. Perfume caro.

Mas o que ele faz tão perto de mim?

Imediatamente dou um passo pra trás e fixo o olhar nele pra ver quem é. Devo logo dizer que é alto — eu chego apenas à altura do nó da gravata. Também tem cabelo castanho, beirando o louro, é jovem e de olhos claros. Não me lembra ninguém, e, ao perceber que ele me observa à espera de uma resposta, eu cochicho para que só ele possa ouvir:

— Cá entre nós, jamais gostei de elevadores e, se as portas não se abrirem logo, vou ter um troço e...

— Um troço?

— Aham.

— O que é "ter um troço"?

— Isso, na minha língua, significa perder a compostura e ficar louca — respondo, sem parar de me abanar. — Pode acreditar. Você não ia gostar de me ver nessa situação. Inclusive, se eu não tomo cuidado, solto espuma pela boca e minha cabeça gira como a da menina de *O exorcista*. É um espetáculo e tanto! — Meu nervosismo aumenta e eu lhe pergunto, numa tentativa de me acalmar: — Quer um chiclete de morango?

— Obrigado — responde ele e pega um.

Mas o engraçado é que ele abre e coloca o chiclete na minha boca. Aceito, surpresa, e, sem saber por quê, abro outro chiclete e faço a operação inversa. Ele, divertindo-se, também aceita.

Olho para Manuela e para as outras. Continuam histéricas, suadas e pálidas. Então, decidida a não deixar minha própria histeria aumentar, tento puxar conversa com o desconhecido.

— Você é da empresa?

— Não.

O elevador se move e todas começam a gritar. Eu não fico atrás. Seguro no braço do homem e torço a manga de sua camisa. Quando volto a mim, eu o solto em seguida.

— Perdão... perdão — me desculpo.

— Fique calma, não foi nada.

Mas não consigo ficar calma. Como vou ficar calma presa num elevador? De repente sinto uma coceira no pescoço. Abro minha bolsa e tiro um espelhinho da nécessaire. Me observo nele e começo a xingar.

— Merda, merda! Estou me enchendo de brotoejas!

Percebo que o homem me olha com espanto. Afasto o cabelo do pescoço e mostro a ele.

— Quando fico nervosa, minha pele se enche de brotoejas, está vendo?

Ele faz que sim e eu me coço.

— Não — diz, segurando minha mão. — Se você fizer isso, vai piorar.

E sem pensar duas vezes se inclina e sopra meu pescoço. Ai, Deus! Como ele é cheiroso e como é gostoso sentir esse ventinho! Dois segundos mais tarde, me vejo caindo no ridículo ao soltar um pequeno gemido.

O que estou fazendo?

Tapo o pescoço e tento desviar o assunto.

— Tenho duas horas para almoçar e, como ainda estamos aqui, hoje não almoço!

— Suponho que seu chefe entenderá a situação e te deixará chegar um pouco mais tarde.

Isso me faz sorrir. Ele não conhece minha chefe.

— Acho que você supõe demais. — Cheia de curiosidade, digo: — Pelo sotaque você é...

— Alemão.

Não me espanta. Minha empresa é alemã, e gringos como aquele aparecem todos os dias por aqui. Mas, sem conseguir evitar, eu o olho com um sorrisinho malicioso.

— Boa sorte na Eurocopa!

Com expressão séria, ele dá de ombros.

— Não me interesso por futebol.

— Não?

— Não.

Surpresa com o fato de um cara, um alemão, não gostar de futebol, me encho de orgulho ao pensar na nossa seleção e sussurro para mim mesma:

— Pois você não sabe o que está perdendo.

Calmamente ele parece ler meus pensamentos e se aproxima de novo de minha orelha, provocando-me arrepios.

— De qualquer forma, ganhando ou perdendo, aceitaremos o resultado — ele me sussurra.

Ao dizer isso, dá um passo atrás e volta a seu lugar.

Será que meu comentário o irritou?

Eu o imito e viro pro lado para não ter de vê-lo. Olho no relógio: 14h15. Merda! Já perdi 45 minutos do meu almoço e não dá mais tempo de chegar ao Vips. Com a vontade que eu tinha de comer um Vips Club... Enfim! Vou parar no bar de Almudena e engolir um sanduíche. Não tenho tempo para mais nada.

Logo as luzes se acendem, o elevador retoma seu movimento e todos nós aplaudimos.

E eu sou a primeira!

Movida pela curiosidade, volto a olhar para o desconhecido que se preocupou comigo e vejo que ele continua me observando. Uau, com as luzes acesas ele é ainda mais alto e mais sexy!

Quando o elevador chega ao térreo e as portas se abrem, Manuela e as moças da contabilidade saem como cavalos desenfreados entre gritinhos e gestos de histeria. Como me alegro por não ser assim. A verdade é que sou meio moleca. Meu pai me criou desse jeito. Porém, quando saio, me vejo diante da minha chefe.

— Eric, pelo amor de Deus! — eu a ouço dizer. — Quando desci para te encontrar e irmos almoçar e recebi seu Whatsapp avisando que você estava preso no elevador, quase morri! Que angústia! Você está bem?

— Estou ótimo — responde a voz do homem que falou comigo apenas uns momentos antes.

Na hora minha cabeça rebobina. Eric. Almoço. Chefe. Eric Zimmerman, o chefão, foi a ele que eu disse que sou como a menina de *O exorcista* e em quem enfiei um chiclete de morango na boca? Fico vermelha como um tomate e me recuso a olhá-lo na cara.

Meu Deus! Como sou ridícula!

Gostaria de escapar daqui o quanto antes, mas então sinto que alguém me segura pelo cotovelo.

— Obrigado pelo chiclete... senhorita?

— Judith — responde minha chefe. — Ela é minha secretária.

O agora identificado como senhor Eric Zimmerman faz que sim com a cabeça e, sem se importar com a expressão no rosto da minha chefe, porque não olha para ela mas para mim, diz:

— Então é a senhorita Judith Flores, certo?

— Sim — respondo como uma boba. Como uma idiota completa!

Minha chefe, que fica entediada quando não é a protagonista do momento, o agarra possessivamente pelo braço, puxando-o.

— Que tal irmos almoçar, Eric? Já está supertarde!

Sentindo que eles vão embora, levanto a cabeça e sorrio. Instantes depois, aquele homem incrível de olhos claros se afasta, embora, antes de passar pela porta, se vire e me olhe. Quando por fim desaparece, suspiro e penso: "Por que não fiquei quietinha no elevador?"

3

Na manhã seguinte, quando chego ao escritório, a primeira pessoa que encontro ao entrar na cafeteria é o senhor Zimmerman. Noto que ele ergue o olhar e me observa, mas eu me faço de sonsa. Não estou a fim de cumprimentá-lo.

Agora já sei quem ele é, e sempre acreditei que os chefões, quanto mais longe estiverem, melhor. Sem-vergonha, safado... Mas a verdade é que esse homem me deixa nervosa. Do seu lugar e escondido atrás de um jornal, intuo que está me observando, que está me estudando. Levanto os olhos e... não é que tenho razão? Bebo rapidamente o café e vou embora. Preciso trabalhar.

Durante o dia volto a esbarrar com ele em vários lugares. Mas, quando assume a antiga sala de seu pai, que fica bem em frente à minha e ligada pelo arquivo à da minha chefe, quero morrer! Em nenhum momento se dirige a mim, mas posso sentir seu olhar onde quer que eu esteja. Tento me esconder atrás da tela do computador, mas é impossível. Ele sempre arruma um jeito de cruzar o olhar com o meu.

Quando saio do escritório, vou direto para a academia. Uma aula de spinning e um tempinho na jacuzzi me tiram todo o estresse acumulado, e chego em casa super-relaxada, pronta pra dormir.

Nos dias seguintes, mais do mesmo. O senhor Zimmerman, esse chefão gato com quem comecei a sonhar e que o escritório inteiro venera e puxa o saco, aparece por todos os lados aonde quer que eu vá, e isso está me deixando nervosa.

É um cara sério, antipático, e se limita a sorrir. Mas percebo que me procura com o olhar, e isso me desconcerta.

Os dias vão passando e, finalmente, uma manhã a gente se esbarra e troca sorrisinhos. Mas o que estou fazendo? Nesse dia ele já não fecha a porta de sua sala, e seu ângulo de visão é ainda melhor. Consegue me ter totalmente sob controle. Que agonia, meu Deus!

Como se não bastasse, a cada dia que cruzo com ele na cafeteria, ele me observa... me observa... e me observa. Se bem que, quando me vê com Miguel ou os outros caras, vai embora depressa. Que coisa!

Hoje estou atoladíssima com as pilhas de papel que a maníaca da minha chefe me pediu. Como sempre, parece esquecer que Miguel, embora seja o secretário do senhor Zimmerman, é quem deve se ocupar de cinquenta por cento da papelada que gerenciamos.

Na hora do almoço aparece no escritório o objeto dos meus sonhos úmidos e, após cravar seu olhar insistente sobre mim, entra na sala da minha chefe sem bater na porta, e dois segundos depois eles saem juntos e vão almoçar.

Quando fico sozinha, me sinto enfim aliviada. Não sei o que acontece, mas a presença desse homem me dá calor e faz meu sangue ferver. Depois de arrumar um pouco a minha mesa, decido fazer o mesmo que eles e ir comer. Mas é tamanha a confusão de papéis que me esperam que, em vez de usar minhas duas horinhas para o almoço, saio apenas por uma hora e volto em seguida.

Ao chegar, enfio minha bolsa no gaveteiro, pego meu iPod e coloco os fones de ouvido. Se há algo de que gosto nesta vida, é música. Minha mãe ensinou a meu pai, minha irmã e a mim que quem canta seus males espanta. Este é, entre outros tantos, um de seus legados, e talvez por isso adoro ouvir música e passo o dia cantarolando. Após ligar meu iPod, começo a cantar enquanto me ocupo dos papéis. Minha vida se reduz à papelada!

Entro carregada de pastas na sala da maníaca da minha chefe e abro uma espécie de aparador que usamos como arquivo. Esse aparador se comunica com a sala do senhor Zimmerman, mas, como sei que ele não está, relaxo e começo a arquivar enquanto cantarolo:

> *Te regalo mi amor, te regalo mi vida,*
> *a pesar del dolor, eres tú quien me inspira.*
> *No somos perfectos, somos polos opuestos.*
> *Te amo con fuerza, te odio a momentos.*
> *Te regalo mi amor, te regalo mi vida,*
> *te regalaré el Sol siempre que me lo pidas.*
> *No somos perfectos, sólo polos opuestos.*
> *Mientras que sea junto a ti, siempre lo intentaría*
> *¿Qué no daría...?*

— Senhorita Flores, a senhorita canta muito mal.

Essa voz. Esse sotaque.

Assustada, derrubo no chão a pasta que eu segurava. Me abaixo para pegá-la e, putz!, dou uma topada nele. No senhor Zimmerman. Com a angústia que tenho estampada na cara pela quantidade de gafes que estou cometendo com esse superchefão alemão...! Olho para ele e tiro os fones do ouvido.

— Me desculpe, senhor Zimmerman — murmuro.

— Não tem problema. — Toca meu rosto e pergunta com familiaridade: — Você está bem?

Como um bonequinho, desses instalados na parte traseira de alguns carros, faço que sim com a cabeça. Outra vez me pergunta se estou bem. Que fofo! Sem poder evitar, meus olhos e todo o meu ser o examinam em profundidade: alto, cabelo castanho com mechas louras, trinta e poucos anos, musculoso, olhos azuis, voz profunda e sensual... Convenhamos, um espetáculo.

— Lamento tê-la assustado — acrescenta. — Não era minha intenção.

Volto a mover a cabeça como um boneco. Como sou boba! Levanto com a pasta nas mãos e pergunto:

— A senhora Sánchez veio com o senhor?

— Veio.

Surpresa com a informação, já que não a vi entrar em sua sala, começo a tentar sair do arquivo, quando o alemão agarra meu braço.

— O que você estava cantando?

Aquela pergunta me pega tão de surpresa que estou prestes a soltar: "E o que você tem com isso?" Mas, felizmente, contenho o impulso.

— Uma música.

Ele sorri. Meu Deus! Que sorriso!

— Eu sei... Gostei da letra. Que música é essa?

— *Blanco y negro*, de Malú, senhor.

Mas parece que está achando engraçado. Será que está rindo de mim?

— Agora que você sabe quem eu sou, me chama de senhor?

— Desculpe, senhor Zimmerman — esclareço com profissionalismo. — No elevador eu não o reconheci. Mas, agora que já sei quem é, devo tratá-lo como merece.

Ele dá um passo na minha direção e eu dou outro para trás. O que está fazendo?

Ele dá mais um passo e eu, ao tentar fazer o mesmo, me grudo ao aparador. Não tenho saída. O senhor Zimmerman, esse cara sexy em cuja boca enfiei há alguns dias um chiclete de morango, está quase em cima de mim e se agacha para ficar da minha altura.

— Eu gostava mais quando você não sabia quem eu era — murmura.

— Senhor, eu...

— Eric. Meu nome é Eric.

19

Confusa e descontrolada pela excitação que esse cara imenso está me despertando, engulo a enxurrada de sensações que formigam por todo o meu corpo.

— Me desculpe, senhor. Mas isso não me parece correto.

E, sem me pedir permissão, tira a caneta que prendia meu coque, e meu cabelo liso e escuro cai sobre meus ombros. Eu o encaro. Ele me encara também. E nossos olhares são seguidos por um silêncio mais que significativo, durante o qual nós dois ficamos com a respiração entrecortada.

— O gato mordeu sua língua? — me pergunta, rompendo o silêncio.

— Não, senhor — respondo, à beira de um colapso.

— Então onde escondeu a garota brilhante do elevador?

Quando vou responder, ouço as vozes de minha chefe e Miguel, que entram na sala. Zimmerman cola seu corpo ao meu e me manda ficar quieta. Sem saber muito bem por quê, obedeço.

— Onde está Judith? — ouço minha chefe perguntar.

— Deve estar na cafeteria. Foi tomar uma Coca. Vai demorar — responde Miguel e fecha a porta da sala da minha chefe.

— Tem certeza?

— Tenho — insiste Miguel. — Vamos, vem cá e deixa eu ver o que você está usando hoje debaixo da saia.

Meu Deus! Isso não pode estar acontecendo!

O senhor Zimmerman não deveria ver o que eu acho que esses dois estão prestes a fazer. Penso. Penso em como distraí-lo ou despistá-lo, mas nada me ocorre. Aquele homem está quase em cima de mim, sem parar de me olhar.

— Tudo bem, senhorita Flores. Vamos deixar que eles se divirtam — me sussurra.

Quero morrer!

Que vergonha!!

Instantes depois, não se ouve nada exceto o som das bocas e línguas deles dois se encontrando. Assustada com aquele silêncio incômodo, espio pela abertura da porta do arquivo e tapo a boca ao ver minha chefe sentada sobre sua mesa e Miguel acariciando-a. Minha respiração se acelera e Zimmerman sorri. Passa a mão pela minha cintura e me puxa ainda mais para si.

— Excitada? — pergunta.

Olho para ele e não digo nada. Não pretendo responder essa pergunta. Estou envergonhada pelo que estamos presenciando juntos. Mas seus olhos curiosos se cravam em mim e ele aproxima sua boca da minha.

— O futebol a deixa mais excitada do que isso? — insiste.

Ai, Deus! Ele é que me deixa excitada. Ele, ele e ele.

Como não ficar excitada com um homem como esse em cima de mim e diante de uma situação como essa? Que se dane o futebol! No fim, volto a fazer que sim com a cabeça como um bonequinho. Que sem-vergonha eu sou.

Zimmerman, ao me ver tão alterada, também move a cabeça. Espia pela fresta e me arrasta até ficarmos os dois diante do vão da porta. O que vejo me deixa sem palavras. Minha chefe está de pernas abertas sobre a mesa, enquanto Miguel passeia sua boca com vontade no meio das coxas dela. Fecho os olhos. Não quero ver isso. Que vergonha! Instantes depois, o alemão, que continua me segurando com força, me empurra de novo contra o arquivo e me pergunta ao pé do ouvido:

— Está assustada com o que vê?

— Não... — Ele sorri e eu acrescento, cochichando: — Mas não acho certo a gente ficar espiando, senhor Zimmerman. Acho que...

— Espiá-los não vai nos fazer mal e, além do mais, é excitante.

— É minha chefe.

Faz um gesto afirmativo e, enquanto passa sua boca por minha orelha, sussurra:

— Eu daria tudo para que fosse você que estivesse em cima da mesa. Passearia minha boca por suas coxas, para depois enfiar minha língua dentro de você e te possuir.

Boquiaberta.

Perplexa.

Alucinada.

Mas... o que foi que esse homem disse?

Impressionada e absurdamente excitada, me preparo para dar uma resposta atrevida quando, de repente, todo meu corpo reage e eu sinto meu ventre se contraindo. O que esse homem acaba de dizer está mexendo comigo e eu não consigo disfarçar, por mais grosseiro que tenha sido o comentário dele. Então, o percurso de seus lábios se detém diante da minha boca. Sem tirar os olhos de mim, põe para fora sua língua molhada, passa por meu lábio superior, depois pelo inferior e, finalmente, me dá uma leve e doce mordidinha no lábio.

Não me mexo. Não consigo nem respirar!

Ao ver que estou ofegante, volta a esticar a língua e, sem pensar, eu abro a boca. Quero mais. Suas pupilas se dilatam. Confiante, enfia a língua na minha boca e, com uma habilidade que me deixa atordoada, começa a movê-la até me fazer perder os sentidos.

Esquecendo tudo, correspondo a suas exigências e em seguida sinto que sou eu quem se aperta contra seu peito musculoso em busca de algo mais. Me deixo levar pelo meu desejo. Durante alguns segundos, nos beijamos apaixonadamente no mais absoluto silêncio, enquanto escutamos os gemidos da minha chefe. Meu corpo treme ao contato de seu corpo. Sinto suas mãos agarrando minha bunda e tenho vontade de gritar... mas de prazer! Logo retira sua língua da minha boca e, sem tirar de mim seus olhos azuis, pergunta:

— Janta comigo?

Volto a balançar a cabeça, mas desta vez para negar. Não pretendo jantar com ele. É o chefão, o dono da empresa. Mas minha resposta não parece agradar, e ele afirma:

— Sim. Você vai jantar comigo.
— Não.
— Gosta de me contrariar?
— Não, senhor.
— Então?
— Não janto com chefes.
— Comigo sim.

Sua proximidade é irresistível, e o novo ataque à minha boca é arrebatador. Se antes houve faíscas, agora é puro fogo. Ardor... Calor... E, quando consegue me ter derretida em suas mãos, tira novamente a língua da minha boca e insinua um sorriso. Adoro essas insinuações!

Sem fala e perturbada, eu o encaro. Que merda estou fazendo? Sem se mexer um milímetro sequer, pega do bolso um Blackberry preto e começa a digitar. Minutos depois, ouço baterem na porta da minha chefe, ao mesmo tempo que ele me pede silêncio. Miguel e ela se recompõem rapidamente e eu não consigo deixar de me surpreender com sua capacidade de reação. Segundos mais tarde, Miguel abre.

— Desculpe, senhora Sánchez — diz uma voz que não reconheço. — O senhor Zimmerman quer tomar um café com a senhora. Está esperando na cafeteria do nono andar.

Através da porta entreaberta e ainda com o alemão em cima de mim, vejo Miguel indo embora e minha chefe tirando uma nécessaire de uma das gavetas de sua mesa. Retoca o batom rapidamente e, depois de ajeitar o cabelo e a roupa, sai da sala. Nesse momento, sinto que a pressão desse homem sobre mim diminui, e ele me solta.

— Ouça, senhor Zimmerman...

Mas ele não me deixa falar. Volta a pôr um dedo na minha boca. Sinto vontade de mordê-lo, mas me contenho. E, após abrir as portas do arquivo, me olha e diz:

— Tudo bem. Não nos trataremos por "você". — Caminha até a porta e acrescenta com uma segurança esmagadora: — Passo na sua casa às nove. Esteja linda, senhorita Flores.

E eu fico olhando para a porta como uma idiota.

Mas qual é a desse cara?

Quero gritar "não!", mas, se eu fizer isso, o escritório inteiro vai me ouvir. Cheia de calor e agitada, saio do arquivo e, enquanto caminho até minha mesa, meu celular apita. Uma mensagem. Abro e fico espantada quando leio: "Sou seu chefe e sei onde a senhorita mora. Nem pense em não estar pronta às nove em ponto."

4

Chego em casa às sete e meia. Dou oi para o meu gato Trampo, que vem bem devagar me receber. Largo a bolsa no sofá cor de berinjela, vou até a cozinha, pego seu remédio, abro a boca de Trampo e lhe dou umas gotas. O coitadinho nem se perturba mais.

Após dar sua cota diária de carinho, abro a geladeira para pegar uma Coca-Cola. Sou viciada em Coca-Cola... é desesperador! Sem pensar em mais nada, vejo a pilha de roupas para passar que estão em cima da cadeira. Embora viver sozinha e ser independente tenha lá suas vantagens, se eu estivesse morando com meu pai essa roupa toda com certeza estaria passadinha e pendurada no armário.

Depois de terminar a lata de Coca, corro para o banho. Antes, ponho um CD do Guns'n'Roses. Adoro essa banda. E Axl, o vocalista, com esse cabelo e essa cara de gringo, e com seu jeito de mexer os quadris. Fico louca! Entro no banheiro. Tiro a roupa enquanto cantarolo *Sweet Child O'Mine*:

> *She's got a smile that it seems to me,*
> *Reminds me of childhood memories*
> *Where everything was as fresh as the bright blue sky.*

Que maravilha! Que voz esse homem tem! Instantes depois, suspiro ao sentir a água quente caindo sobre minha pele. Faz com que eu me sinta limpa. Mas, de repente, o senhor Zimmerman e seu jeito de falar comigo surgem em minha mente, e minhas mãos, escorregadias por causa do sabonete, descem pelo meu corpo. Abro as pernas e me toco. Ah, sim, Zimmerman!

Pensar em sua boca, em como percorreu meus lábios com sua língua, me excita. Lembrar de seus olhos e dele todo me deixa a mil. Calor de novo! Minhas mãos deslizam sobre mim, e uma delas se detém no meu seio direito, enquanto a voz penetrante do vocalista do Guns'n'Roses continua a ecoar. Toco o mamilo direito com o polegar, fazendo-o ficar duro. Mais calor!

Fecho os olhos e imagino que é Zimmerman quem o toca, quem o endurece. Não o conheço. Não sei nada sobre ele. Mas sei, sim, que sua proximidade me enche de tesão. Solto um gemido bem no instante em que ouço o toque do meu telefone. Deixo tocar. Não quero interromper esse momento. Mas no sexto toque abro os olhos, saio da minha bolha de prazer, pego a toalha e corro até o quarto para atender.

— Por que demorou tanto pra atender?

É minha irmã. Como sempre, na hora errada e fazendo mil perguntas.

— Eu estava no banho, Raquel. Algum problema?

Sua risadinha me faz rir também.

— Como está o Trampo?

Dou de ombros e suspiro.

— Igual a ontem. Sem muita novidade.

— Maninha, você tem que estar preparada. Lembra o que o veterinário disse.

— Eu sei, eu sei.

— O Fernando te ligou? — me pergunta após um breve silêncio.

— Não.

— E você vai ligar pra ele?

— Não.

Minha irmã não se contenta com minha resposta e insiste:

— Judith, esse cara é ideal pra você. Tem um trabalho estável, é bonito, gentil e...

— Então fica você com ele.

— Judith! — protesta minha irmã.

Fernando é o típico amigo da vida toda. Nós dois somos de Jerez. Meu pai e o pai dele vivem nessa cidade linda e a gente se conhece desde pequenos. Na adolescência começamos um rolo que continuou quando já éramos adultos. Ele mora em Valência, e eu em Madri. É inspetor de polícia, e nos vemos nas férias de verão e inverno quando nós dois vamos a Jerez ou em viagenzinhas relâmpago que ele faz a Madri com qualquer pretexto para me ver.

É alto, moreno e divertido. Com ele eu consigo passar horas rindo, porque tem um humor e um encanto irresistíveis. O problema é que não estou tão envolvida por ele quanto eu sei que ele está por mim. Gosto dele. É meu casinho de verão e trocamos fluidos quando vem me ver. Nada além disso. Não quero mais nada, embora vez ou outra minha irmã, meu pai e todos os nossos amigos de Jerez se empenhem em fazer a gente ficar juntos.

— Escuta, Judith, não seja idiota. Liga pra ele. Disse que iria te ver antes de ir a Jerez e com certeza vai fazer isso.

— Ai, Raquel, como você é chata!

Minha irmã sempre faz a mesma coisa: me enche o saco e, quando percebe que vou falar alguma besteira, muda de assunto.

— Quer vir jantar aqui?
— Não, tenho um encontro.

Ouço-a bufar.

— E posso saber com quem? — pergunta.
— Com um amigo — minto. Do jeito que ela é puritana, se eu disser que é com meu chefe ela vai desmaiar. — E agora, irmãzinha, chega de perguntas.
— Tá bom, você sabe o que faz. Mas continuo achando que está enrolando o Fernando e ele vai acabar se cansando de você. Espera só!
— Raquel!
— Tá bom, tá bom, maninha, não digo mais nada. Aliás, hoje voltei a receber flores do José. O que você acha disso?
— Caraca, Raquel, o que você quer que eu ache? — respondo irritada. — É um gesto carinhoso da parte dele.
— Sim. Mas ele nunca tinha me dado dois buquês de flores num intervalo de três semanas. Aí tem. Alguma coisa tá rolando, eu sei. Eu o conheço e sei que ele não é tão gentil assim.

Olho o relógio digital sobre a mesinha: são oito e cinco. Mas, disposta a aguentar as paranoias da minha irmã, levo o telefone pro banheiro, deixo-a esperando na linha e enrolo o cabelo numa toalha.

— Vamos lá, o que houve?

Como já está virando rotina, Raquel me conta a última briga com o marido. Estão casados há dez anos, e a vida deles deixou de ser emocionante quando nasceu Luz, minha sobrinha. Suas contínuas crises conjugais são o assunto preferido dela, mas me cansam.

— A gente já não sai juntos. Não anda de mãos dadas. Ele nunca me convida pra jantar. E agora, do nada, me manda dois buquês de flores. Não acha que ele está se sentindo culpado por alguma coisa?

Minha cabeça quer gritar: "Sim! Acho que seu marido está te traindo!" Mas minha irmã é uma sofredora nata, então respondo rapidamente:

— Não acho. Talvez ele tenha visto as flores e se lembrou de você. Qual é o problema?

Após meia hora de papo com ela, finalmente consigo desligar o telefone sem falar do meu estranho encontro com o senhor Zimmerman. Gostaria de contar a ela, mas minha irmã logo me diria: "Você está louca? É seu chefe?" Ou quem sabe: "E se for um assassino de mulheres?" Então prefiro ficar quieta. Não quero pensar que ela pode ter razão.

Às 20h40, fico histérica ao revirar meu armário.

Não sei o que vestir.

Quero estar linda como ele me pediu, mas a questão é que minhas roupas são bem básicas e funcionais. Terninhos para o trabalho e jeans para sair com os amigos. Acabo escolhendo um vestido verde que tem um corte bonito e se ajusta às minhas curvas, e resolvo estrear um par bem provocante de sapatos altos. Minha última extravagância.

Volto a consultar o relógio, nervosa. Já são 20h50.

Sem tempo a perder, ligo o secador e seco meu cabelo mecha por mecha. Para meu espanto, o resultado me agrada. Como não sou de me maquiar muito, passo delineador, rímel e batom. Odeio usar muita maquiagem; isso eu deixo para minha chefe.

Toca o interfone. Olho as horas. Nove em ponto. Pontualidade alemã. Atendo nervosa e, antes de abrir a boca, ouço uma voz:

— Senhorita Flores, estou esperando aqui embaixo. Desça.

Após balbuciar um tímido "Estou indo", desligo. Em seguida pego minha bolsa, beijo a cabeça de Trampo e me despeço dele. Dois minutos depois, ao passar pela portaria, vejo-o apoiado num impressionante BMW cor de vinho. Porém o mais impressionante é ele próprio, em seu terno escuro. Ao me ver, Zimmerman vem e me dá um beijo educado na bochecha.

— A senhorita está muito bonita — observa.

Tenho duas opções: sorrir e agradecer ou ficar quieta. Opto pela segunda. Estou tão nervosa e desconcertada que, se eu disser algo, nem sei o que pode sair da minha boca.

Ele abre a porta de trás do carro, e eu me surpreendo ao ver que temos um motorista.

Uau, que luxo!

Eu o cumprimento. Ele retribui.

— Tomás, tenho reserva no Moroccio — diz Zimmerman assim que entra no carro.

Dito isso, aperta um botão e um vidro opaco se interpõe entre nós e o motorista.

Olha para mim e eu não sei o que dizer. Minhas mãos suam e eu sinto que meu coração vai pular do meu peito.

— Está tudo bem?

— Sim.

— Então por que está tão calada?

Olho para ele e encolho os ombros sem saber o que responder.

— Nunca tive um encontro como este, senhor Zimmerman — consigo dizer. — Em geral, quando saio para jantar com um homem, eu...

Sem me deixar terminar a frase, me encara com seus penetrantes olhos azuis.

— Sai para jantar com muitos homens?

Aquela pergunta me surpreende. Por acaso esse cara se acha o último macho do planeta? Respiro fundo e me contenho para não responder com alguma grosseria.

— Sempre que tenho vontade — esclareço.

Levanto o queixo com orgulho e, quando penso que não vou dizer mais nada, eu solto:

— O que eu não entendo é o que faço aqui, em seu carro, com o senhor e indo jantar. Isso é algo que ainda não consigo entender.

Ele não responde. Apenas me olha... me olha... me olha e me deixa perturbada com seu olhar.

— O senhor vai falar alguma coisa ou pretende passar todo o tempo me olhando?

— Olhar a senhorita é muito agradável.

Xingo e suspiro. Em que furada eu fui me meter? Mas, como não consigo ficar quieta, pergunto:

— Qual é o motivo desse jantar?

— Sua companhia me agrada.

— E por que perguntou se saio com muitos homens?

— Só por curiosidade.

— Curiosidade? — repito, coçando o pescoço, desconfiada. — Por acaso um homem como o senhor leva uma vida solitária?

— Não, senhorita.

— Fico feliz em saber, porque eu também não.

— Pare de coçar o pescoço, senhorita Flores — ele sussurra, curvando os lábios. — As brotoejas...

Cansada de tanta formalidade e levando em conta tudo o que já foi dito, eu protesto. Vamos parar com isso logo de uma vez!

— Por favor... Pode me chamar de Judith ou Jud. Deixemos a formalidade para o horário do expediente. Tudo bem, o senhor é meu chefe e eu lhe devo respeito, mas me incomoda jantar com alguém que fica me chamando pelo meu sobrenome.

Ele faz que sim. Parece ter ficado satisfeito com minhas palavras. Seus lábios me lançam um sorriso, e seu rosto se aproxima do meu.

— Acho ótimo, desde que a senhorita me chame de Eric — sussurra. — É desagradável e muito impessoal jantar com uma mulher que se dirige a mim pelo meu sobrenome.

Após suspirar novamente, aceito e lhe estendo a mão.

— Combinado, Eric, prazer em te conhecer.

Ele pega minha mão e, para minha surpresa, dá um beijo nela.

— Digo o mesmo, Jud — acrescenta numa voz dócil.

Nesse instante, o carro para e, já do lado de fora, Tomás abre a porta para nós. O senhor Zimmerman... digo, Eric desce e me oferece sua mão para sair. Quando já estamos os dois na rua, o motorista entra de novo no BMW e vai embora. Então Eric me segura pela cintura e eu leio um letreiro que diz "Moroccio".

Entrar naquele restaurante bonito e iluminado me deixa de bom humor. Sempre quis ir ali. Além disso, estou faminta; quase não comi nada na hora do almoço e estou com uma fome absurda. Ao entrarmos, observo as mesas do lugar e, em especial, os pratos que os garçons servem. "Meu Deus, esses pratos estão com uma cara maravilhosa!" Ao avistar Eric, o maître sorri e se dirige a nós.

— Acompanhem-me — ele diz após nos cumprimentar.

Eric me segura pela mão e eu me deixo levar. Vejo algumas mulheres olhando para ele, o que me enche de orgulho por ser eu quem está a seu lado, e não elas. Ao atravessar o salão onde as pessoas estão jantando, chegamos a um espaço reservado com divisórias em tecido de cetim dourado. Não consigo esconder a surpresa, e, quando o maître abre uma dessas cortinas e nos convida a entrar, quase pulo de felicidade.

É um lugar luxuoso e iluminado por velas. Num canto há uma poltrona que parece confortável e, no centro, uma mesa redonda e arrumada para dois. Eric sorri do meu espanto, e percebo que ele dirige um olhar ao maître para nos deixar a sós. Chega perto de mim e, num gesto de cavalheirismo, puxa uma das cadeiras para eu me sentar.

— Gostou?

— Gostei...

Enquanto me acomodo na cadeira, ele dá a volta na mesa e senta na minha frente.

— Nunca jantou aqui?

— Já passei mil vezes pela porta, mas nunca tinha entrado. Só de olhar do lado de fora, já dá pra saber que os preços são proibitivos para uma assalariada modesta como eu.

Em resposta ao que digo, Eric torce o nariz e estende sua mão sobre a mesa até alcançar a minha. Começa a acariciar meu pulso, desenhando com o dedo suaves movimentos circulares.

— Para você, poucas coisas são proibitivas — murmura.

Isso me faz rir.

— Mais do que você imagina.

— Duvido, pequena. Tenho certeza de que é você quem impõe os limites.

Seu olhar, sua voz rouca e seu jeito de me chamar de "pequena" me cativam. Meu corpo inteiro fica arrepiado. Ele. O senhor Zimmerman, meu chefe, me fascina a cada segundo que passa.

Aperta um botão verde que fica na lateral da mesa e, após alguns segundos, aparece um garçom com uma garrafa de vinho. Enquanto serve a bebida, leio no rótulo "Flor de Pingus. Ribera del Duero". Cara, eu detesto vinho! E estou doida por uma Coca-Cola bem gelada. Eric pega a taça que o garçom serviu, chacoalha um pouco, aproxima do nariz e toma um pequeno gole.

— Excelente.

O garçom enche o restante da taça e depois dá a volta na mesa e me serve também. E agora? Instantes depois, ele se retira, nos deixando a sós.

— Prova o vinho, Jud. É maravilhoso.

Pego a taça e faço cara de séria. Mas, quando vou levá-la à minha boca, sinto a mão dele sobre a minha.

— O que houve? — ele pergunta.

— Nada.

Zimmerman inclina a cabeça.

— Jud, eu te conheço pouco, mas já estou vendo as brotoejas aparecendo no seu pescoço — diz, surpreendendo-me. — Você mesma me falou sobre isso. O que aconteceu?

Sem conseguir me conter, abro um sorriso. Esse senhor Zimmerman não perde uma.

— Quer saber a verdade?

— Sempre — insiste.

— Não gosto de vinho e estou morrendo de vontade de tomar uma Coca geladinha.

Chocado e irônico, olha para mim como se eu tivesse dito que os Teletubbies são meu seriado favorito e que Bob Esponja é meu namorado.

— Você vai gostar desse vinho cor de rubi escuro — murmura com uma voz rouca porém gentil. — Faça isso por mim e prove. Se não gostar, é claro que eu peço uma Coca pra você.

Sem dizer nada, eu tomo um gole depressa.

— Que tal? — pergunta sem tirar de mim seus olhos penetrantes.
— Uma delícia. Melhor do que eu imaginava.
— Quer que eu peça a Coca?

Sorrio e digo que não com a cabeça. Instantes depois, a cortina se abre de novo e surgem dois garçons com vários pratos.

— Tomei a liberdade de fazer o pedido para nós dois. Tudo bem?

Faço que sim. Não me resta alternativa. E pouco depois saboreio um delicioso coquetel de camarões, uma sofisticada pasta de berinjela e, em seguida, um ótimo salmão ao molho de laranja. Enquanto isso, nós dois conversamos. Eric Zimmerman se tornou de repente um homem com grande senso de humor, e isso me atrai muito.

Então me dou conta de que uma luz alaranjada se acende no canto direito da sala.

— O que é isso?

Sem precisar olhar, Eric sabe a que me refiro.

— Talvez depois da sobremesa eu te mostre.

Isso me faz sorrir e eu tomo um gole do vinho que, por sinal, acho cada vez mais saboroso.

— Por que só depois da sobremesa?

Minha pergunta parece diverti-lo. Ele me encara e se recosta em sua cadeira.

— Porque primeiro eu quero jantar.

Não pergunto mais e, quando termino o salmão, os garçons entram para recolher os pratos. Segundos depois, entra outro garçom e deixa à minha frente uma fatia de torta de chocolate acompanhada de uma bola cor-de-rosa.

— Hummmm, que delícia. — E, ao ver que não lhe servem, pergunto: — Você não vai comer sobremesa?

Não me responde. Limita-se a levantar, pegar sua cadeira e se acomodar a meu lado. Fico meio nervosa. É tão sexy que é impossível não pensar em mil safadezas nesse momento. Pega a colherzinha, parte um pedaço da torta, coloca um pouco de sorvete e diz:

— Abre a boca.

Pisco os olhos, surpresa.

— Quê?

Não repete o que disse. Me aponta a colher e, automaticamente, abro a boca. Me sinto extasiada. Enfia a colher devagar na minha boca e eu logo fecho os lábios. Me olha. Fico excitada e sorrio com timidez. Após engolir essa iguaria, tento dizer alguma coisa, mas ele me interrompe:

— Está gostoso?

Com meu paladar ainda adocicado pelo chocolate e o sorvete de morango, faço que sim com a cabeça. Ele chega mais pra perto:

— Posso provar?

Digo que sim, e minha surpresa é enorme quando o que ele prova na verdade são os meus lábios. Minha boca. Encosta seus lábios suculentos nos meus e os saboreia. Como fez de manhã no arquivo, primeiro põe a língua para fora, lambe meu lábio superior, em seguida o inferior, depois dá uma mordidinha e, por fim, sua língua sensual me invade e eu fecho os olhos esperando mais. Quando sinto sua mão sobre meu joelho, minha respiração se acelera, mas eu não me mexo. Quero mais. Lentamente ele vai subindo com a mão até chegar à parte interna das minhas coxas, e fica massageando. Sua mão sobe até minha calcinha e eu sinto seu dedo ali. Mas, de repente, ele se afasta de mim e volta à sua posição na cadeira.

Minhas bochechas estão pegando fogo. Ardem, assim como meu corpo inteiro está ardendo. Aquele contato íntimo me deixou a mil. O que está havendo comigo? Um beijo e um simples roçar de sua mão quase me levaram ao orgasmo, e isso acelera minhas pulsações. Eric me observa. Vejo seus olhos ardendo de desejo.

— Eu tiraria sua roupa todinha aqui mesmo — murmura.

Estou tremendo. Meu Deus! Vou ter um troço!

Quero mais e desta vez sou eu que começo a beijá-lo. Ele aceita meus lábios mas, quando vou agarrá-lo pelo pescoço, segura minhas mãos e se afasta um pouco de mim.

— Até onde está disposta a ir? — pergunta, bem perto dos meus lábios.

Essa frase me tira dos eixos. Ele está se referindo a quê? Mas o desejo que sinto por ele agora é tão forte e tão safado que respondo completamente enfeitiçada:

— Até onde a gente for.

— Tem certeza?

— Bem — murmuro, extasiada. — Só não aceito sado.

Eric sorri. Passa as mãos por baixo das minhas pernas e por minha cintura e me senta sobre seu colo. Vou explodir. Estou no colo do meu chefe! Esfrega seu nariz no meu pescoço e eu o ouço aspirar meu cheiro. Meu perfume. *Aire de Loewe*. Fecho os olhos e, quando os abro, vejo que está me olhando.

— Quer mesmo saber o que significa essa luz laranja?

Desloco meu olhar em direção à luz, que continua acesa, e faço que sim com a cabeça. Eric mexe a mão e aperta um dos botões que ficam na lateral da mesa. As cortinas de cetim que estão sob a luz laranja se abrem e um vidro escuro aparece. O que é isso? Eric me observa. Instantes depois, o vidro se ilumina e vejo com toda a nitidez duas mulheres em cima de uma mesa fazendo sexo oral.

Alucinada, desconcertada e incrédula, assisto ao espetáculo que aquelas desconhecidas nos oferecem quando, de repente, Eric aperta outro botão e os gemidos das mulheres ecoam em nosso ambiente privativo. Não sei o que fazer. Nem sei para onde olhar.

— Está preparada para isso? — me pergunta.

Minha pele arde enquanto sinto seus dedos fortes acariciando minha cintura. Eu o encaro, confusa.

— Por que estamos vendo isso?

— Gosto de assistir. Isso não te excita?

Não respondo. Não consigo. Estou tão paralisada que nem mesmo sei se continuo respirando.

— Todo mundo tem seu lado *voyeur*. Ver algo supostamente proibido, bizarro ou excitante nos atrai, nos estimula e nos faz querer mais.

Volto a dirigir meu olhar ao vidro enquanto a respiração das duas mulheres ressoa pela sala, e então vejo Eric apertando outro botão e as cortinas do lado esquerdo se abrindo. Ali havia uma luz verde. Segundos depois, o vidro se ilumina e vejo dois homens e uma mulher. Ela está deitada num divã. Um homem a penetra e o outro chupa seus seios enquanto ela, deliciada, curte o momento.

— Cenas como essa merecem ser vistas — prossegue Eric. — As expressões da mulher enquanto permite que desfrutem de seu corpo e de sua feminilidade são enlouquecedoras. Olha como ela está excitada... Hummmm.... Está adorando o que fazem com ela. Entrega-se extasiada a eles, não acha?

— Não... sei.

— As mulheres são uma contínua fonte de excitação para mim. Vocês são deliciosas.

Com o coração a mil, pego a taça de vinho e bebo tudo de um gole só. Estou sedenta quando o ouço dizer:

— Fique calma. Eles não podem nos ver. Mas se deixam ser observados. A luz laranja permite ver, e a luz verde convida a participar. Você gostaria?

— De quê?

— De participar.

— Não — balbucio, supernervosa.

— Por quê?

Meu coração quase sai pela boca, e tudo o que consigo responder é:
— Eu... Eu não faço coisas desse tipo.
Ele franze as sobrancelhas e pergunta:
— Você é virgem?
— Nããããããooo! — respondo com extrema efusividade. — Mas eu...
— Tá bom. Entendo. Você faz sexo tradicional, né?
Como uma idiota, balanço a cabeça afirmativamente e ele segura meu queixo para que eu veja o trio, que continua com sua brincadeira voluptuosa.
— Eles também fazem sexo tradicional — acrescenta. — Mas às vezes brincam e experimentam algo diferente. É sério que isso não te atrai?
Sem conseguir tirar os olhos, eu os observo e um gemido acaba saindo instintivamente de dentro de mim quando vejo o tesão daquela mulher. Estou excitada.
— Não... eu... — respondo.
— Te incomoda falar de sexo?
Eu o encaro surpresa. Aonde ele quer chegar com essa pergunta?
— Seus olhos mostram que está nervosa, mas sua boca denuncia seu desejo — insiste. — Você não pode negar que o que está vendo te deixa excitada e muito, certo?
Não respondo. Me recuso. E ele, no controle da situação, murmura perto do meu ouvido:
— Você se sairia muito bem. Muito bem, Jud. Eu iria te proporcionar todo o prazer que você quisesse. É só me pedir e eu te darei.
Como uma boba, faço que sim. Nunca pude imaginar algo assim na minha vida. Não sei para onde olhar. Estou tão excitada que sinto até vergonha de admitir. O lugar, o momento e o homem que está a meu lado não me deixam continuar pensando.
— Nessas salinhas privativas, quem quiser pode assistir a uma cena deliciosa e algo mais. Apenas um seleto grupo de pessoas pode entrar aqui. E, se depois de assistir à cena você quiser participar, é só apertar esse botão e os vidros desaparecerão.
De repente fico histérica. Muito nervosa. Não quero nada do que ele está me oferecendo. Tento me levantar, mas Eric me segura. Não permite que eu me mexa, e, com a respiração superacelerada, eu sussurro:
— Quero ir embora.
— Ainda são onze horas.
— Não importa... quero sair daqui.
— Por quê, Jud? — Ao ver que não respondo, acrescenta: — Pelo que eu me lembre, você disse que estava disposta a tudo.

— Não me referia a isto. Eu... eu não faço essas coisas.

Segurando-me com mais força, Eric me obriga a olhar para ele e, após cravar seus olhos claros em mim, murmura perto da minha boca:

— Você se surpreenderia se experimentasse.

— Eric, eu não...

— Jud, sexo é um jogo muito divertido. Só precisa ter coragem de experimentar.

Nego com a cabeça, desconcertada. Não quero experimentar. O sexo normal, que conheço, é mais que suficiente e me satisfaz. Após alguns segundos que me parecem uma eternidade, Eric aperta os botões, e os gemidos somem. Instantes depois, os vidros se tornam escuros e as cortinas se fecham.

— Obrigada — consigo balbuciar.

Me levanta de seu colo e me olha com expressão séria.

— Vamos, Jud. Vou te levar pra casa.

Meia hora mais tarde e após um estranho mas não incômodo silêncio, rompido apenas por sua conversa ao telefone com uma mulher, chegamos à minha rua. Ele desce do carro comigo e me acompanha. Sua atitude volta a ser fria e distante. Tomamos o elevador. Quando estamos diante da minha porta, quero convidá-lo a entrar, mas ele me interrompe:

— Foi um jantar muito agradável, senhorita Flores. Obrigado por sua companhia.

Dito isso, beija minha mão e vai embora. Estou excitada e sem palavras às onze e meia da noite. Voltei a ser a senhorita Flores?

5

No dia seguinte, quando chego ao escritório e entro na sala da minha chefe para buscar uns arquivos, suspiro ao me lembrar do que aconteceu ali na véspera. Quase não dormi. Não paro de pensar no senhor Zimmerman e no que houve entre nós. Na noite anterior, ao chegar em casa, vi na televisão a reprise do jogo Alemanha-Itália. Que jogaço da Itália! Quero esfregar na cara desse sujeito pedante a eliminação de seu país.

Miguel aparece e vamos juntos tomar café da manhã. Paco e Raul se juntam a nós e conversamos animados, enquanto observo a entrada na expectativa de que Eric, o chefão, o homem que me convidou para jantar e me deixou superexcitada, passe por aquela porta. Mas isso não acontece. E eu fico decepcionada. Então, depois que acabamos o café, voltamos a nossas respectivas salas.

Ao retornarmos, Miguel vai ao departamento administrativo. Precisa resolver algo que o senhor Zimmerman lhe pediu no dia anterior.

Disposta a enfrentar um novo dia, ligo meu computador e em seguida meu telefone toca. É da recepção para avisar que um jovem com um buquê de flores está perguntando por mim. Flores? Nervosa, me levanto da cadeira. Nunca ninguém me mandou flores e tenho certeza de quem foi: Zimmerman.

Com o coração disparado, vejo as portas do elevador se abrirem, e um jovem com um boné vermelho e um lindo buquê confere a numeração das salas. Mas, ao se dar conta de que estou olhando para ele, aperta o passo.

— Por acaso você é a senhorita Flores? — pergunta ao chegar perto de mim.

Quero gritar: "Sim! Meu Deeeeeeus!"

O buquê é espetacular. Lindas rosas amarelas. Amei!

O jovem do boné vermelho me olha e, por fim, respondo "sim" à sua pergunta.

— Assine aqui e, por favor, entregue esse buquê à senhora Mónica Sánchez. Minha boca abre e não fecha mais.

É pra minha chefe?

Um balde de água fria. Meus breves segundos de felicidade por me considerar alguém especial se desfazem num piscar de olhos. Mas, sem querer deixar minha decepção transparecer, pego o buquê, olho para ele e quase choro. Seria tão bom se fosse para mim...

Deixo o buquê sobre minha mesa e assino o papel que o rapaz estende na minha direção. Depois que ele vai embora, levo as lindas flores à sala da minha chefe. Coloco-as em cima da sua mesa e me viro para sair. Mas então sou dominada pela curiosidade, daí me viro de volta e procuro o cartão entre as flores. Eu o abro e leio: "Mónica, repetimos na próxima vez? Eric Zimmerman."

Ler isso me deixa nervosa. Como assim "repetimos"?

Fala sério! Parece propaganda de chocolate. "Repetimos?"

Rapidamente deixo o cartão no seu devido lugar e saio da sala. Meu humor agora está péssimo. Espero que ninguém me encha nas próximas horas ou vai pagar muito caro. Eu me conheço e sei que sou bem perversa quando fico chateada.

Sem conseguir tirar da cabeça esse "repetimos?", começo a digitar um relatório no computador, até que minha chefe aparece.

— Bom dia, Judith. Entre na minha sala — diz sem olhar para mim.

Não! Agora não. Mas me levanto e a sigo.

Quando entro e fecho a porta, ela vê o buquê de flores e o pega. Tira o cartão e eu a vejo sorrir. Que idiota! Meu pescoço está coçando! Malditas brotoejas.

— Falei com Roberto, do RH — me diz.

Ai, minha nossa! Vai me demitir?

— Vai haver umas mudanças na empresa. Ontem tive uma reunião muito interessante com o senhor Zimmerman, e algumas coisas vão mudar em muitas das sucursais espanholas.

Escutar que ela teve uma reunião interessante é algo que me incomoda. Mas logo o telefone toca e eu atendo imediatamente.

— Bom dia. Sala da senhora Mónica Sánchez. Sou a secretária, a senhorita Flores. Em que posso ajudá-lo?

— Bom dia, senhorita Flores. — É Zimmerman! — Poderia me passar para sua chefe?

Com o coração acelerado, consigo balbuciar:

— Um momento, por favor.

Nem preciso dizer que minha chefe, quando informo que é ele, aplaude — não apenas com as mãos — e pede que eu me retire da sala. Mas antes de sair eu a ouço dizer:

— Oieeee. Chegou bem ao hotel ontem à noite?

Ontem à noite? Ontem à noite? Como assim "ontem à noite"?

Fecho a porta.

Mas ontem à noite ele estava comigo!

Então minha mente fantasiosa logo começa a imaginar o que aconteceu. Ela era a mulher com quem ele falava ao telefone no carro. Me deixou em casa e foi encontrá-la. Será que voltou ao Moroccio?

A cada segundo que passa, fico com mais raiva. Mas por quê? O senhor Zimmerman e eu não temos nada. Apenas jantamos, ele colocou a mão em mim por cima da roupa e assistimos juntos a um espetáculo sexual. Isso me dá o direito de ficar com raiva?

Volto à minha cadeira e continuo a digitar. Tenho que trabalhar. Não quero pensar. Em algumas ocasiões pensar não é bom, e esta é uma dessas ocasiões. A uma da tarde, minha chefe sai da sala e, após dirigir o olhar para Miguel, ele se levanta e eles vão embora juntos. Sei o que vão fazer. Treparão como coelhos durante as duas horas de almoço, e sabe-se lá onde.

Trabalho, trabalho e mais trabalho. Me concentro no meu trabalho.

Estou tão mal-humorada que ataco minhas tarefas com muita energia e me livro de uma pilha de papéis. Por volta de duas e meia, chega Óscar, um dos seguranças que ficam na portaria.

— O motorista do senhor Zimmerman deixou isto aqui pra você — diz, me entregando um envelope.

Boquiaberta, olho para o envelope fechado com meu nome escrito. Agradeço a Óscar, e ele se retira. Fico um tempo observando a embalagem e, sem saber por quê, abro uma gaveta e o guardo ali. Não pretendo abrir até segunda-feira. Hoje é sexta. Dia de trabalhar direto até as três, sem pausa para o almoço.

O telefone toca. Atendo e, após dizer as palavras de sempre, escuto do outro lado:

— Abriu o pacote que te mandei?

Zimmerman! Não respondo e ele acrescenta:

— Estou ouvindo sua respiração. Responda.

Mil respostas passam pela minha cabeça. A primeira: "Mandão!" A segunda é pior.

— Senhor Zimmerman, o pacote acabou de chegar e resolvi esperar até segunda-feira — respondo finalmente.

— É um presente para você.

— Não quero nenhum presente seu — murmuro com um fio de voz, surpresa com suas palavras.

— Por quê?

— Porque não.

— Ah! Senhorita Flores, essa resposta não me serve. Abra o pacote, por favor.

— Não — insisto.

Eu o ouço bufar... Estou irritando esse cara.

— Por favor, abra.

— E por que eu deveria abrir?

— Jud, porque é um presente que comprei pensando em você.

Ah tá... Então voltei a ser Jud?

E, como sou uma fraca, uma idiota e ainda por cima uma curiosa incorrigível, acabo abrindo a gaveta, pego o envelope, rasgo, olho dentro dele.

— O que é isso?

Escuto sua risada.

— Você disse que estava disposta a tudo.

— Bem... eu...

— Você vai gostar, pequena, te garanto — me interrompe. — Um é para casa e o outro é pra você levar na bolsa e usar em qualquer lugar e a qualquer hora.

Ao ouvir o tom de sua voz quando diz "a qualquer hora", sinto falta de ar. Meu Deus, cá estamos nós outra vez!

— Passo na sua casa às seis — afirma antes que eu possa responder. — Vou te ensinar a usar.

— Não estarei lá. Vou à academia.

— Às seis.

A ligação cai e eu fico com cara de idiota.

Enquanto ouço o telefone apitar do outro lado da linha, sinto vontade de soltar um monte de palavrões. Mas só eu escutaria. Ele já foi embora.

Irritada, desligo. Olho de novo dentro do envelope e leio "Vibrador Fairy. Sucesso no Japão". Nesse momento, meu corpo reage e eu suspiro. Acabo guardando-o na minha bolsa e apoio os cotovelos na mesa e minha cabeça entre as mãos.

— Preciso parar com isso — digo em voz baixa. — E já!

6

Quando chego em casa, meu Trampo me recebe. É um amor! Leio o bilhete em que minha irmã me explica ter dado o remédio ao gato, e isso me faz sorrir. Que fofa ela é!

Ponho uma roupa mais confortável e preparo alguma coisa para comer. Cozinho um macarrão à carbonara delicioso, encho o prato e me sento no sofá para ver tevê enquanto devoro a comida.

Quando termino de comer, me recosto no sofá e, sem me dar conta, mergulho num sono profundo, até que um barulho estridente me acorda. Sonolenta, me levanto e o apito volta a soar. É o interfone.

— Quem é? — pergunto, esfregando os olhos.

— Jud, sou eu, Eric.

Então acordo rápido. Consulto o relógio. Seis em ponto. Por favor! Mas quanto tempo será que dormi? Fico nervosa. Minha casa está uma bagunça. O prato com os restos de comida sobre a mesa, a cozinha entulhada, e eu estou com uma cara horrível.

— Jud, pode abrir? — insiste.

Quero dizer não. Mas não tenho coragem e, após bufar, aperto o botão. Em seguida desligo o interfone. Sei que tenho cerca de um minuto e meio até que ele toque a campainha da porta. Como Ligeirinho, salto por cima da poltrona. Por pouco não bato com a cabeça na mesa. Pego o prato. Pulo de novo a poltrona. Chego à cozinha e, sem poder fazer mais nada, ouço a campainha. Deixo o prato. Jogo água em cima para esconder as sobras do macarrão.

Ai, meu Deus! Está tudo sujo!

A campainha volta a tocar. Me olho no espelho. Meu cabelo está todo embaraçado. Dou um jeito como posso e corro para abrir a porta.

Quando abro, respiro ofegante por causa da correria e me surpreendo ao ver Eric usando calça jeans e camisa escura. Está gatíssimo! Sinto seu olhar me percorrendo, e ele pergunta:

— Você estava correndo?

Como uma idiota, me seguro na porta. Essa afobação toda acaba comigo. Ele me olha de cima a baixo. Estou prestes a gritar: "Já sei! Estou horrível." Mas Eric me surpreende ao dizer:

— Adorei suas pantufas.

Fico vermelha como um tomate quando olho para minhas pantufas do Bob Esponja que ganhei de presente da minha sobrinha. Eric entra sem pedir licença. Trampo se aproxima. Para um gato, ele até que é bem sociável. Eric se agacha e faz carinho nele. A partir desse momento, Trampo vira seu aliado.

Fecho a porta e me apoio nela. Trampo é tão maravilhoso que não consigo deixar de sorrir. Eric me olha, se levanta e me entrega uma garrafa.

— Tome, linda. Abra, coloque num balde com bastante gelo e traga duas taças.

Obedeço sem contestar. Ele está me dando ordens.

Ao entrar na cozinha, pego o balde que meu pai me deu de presente, encho de gelo, abro a garrafa e, ao colocá-la no gelo, me detenho com curiosidade no rótulo rosa e leio "Moët Chandon Rosado".

— Você disse que gostava de morango — escuto ele dizer, enquanto sinto que me pega pela cintura. — Nesse espumante o aroma que predomina é o de morangos silvestres. Você vai gostar.

Nas nuvens com sua presença, fecho os olhos e balanço a cabeça afirmativamente. Está me deixando louca. De repente, me gira para ele e eu fico apoiada entre ele e a geladeira. Respiro ofegante. Eric me olha. Eu retribuo o olhar, e então ele faz aquilo de que tanto gosto. Agacha-se, aproxima sua boca da minha e lambe meu lábio superior.

Meu Deus, que delícia!

Abro minha boca à espera de que agora ele passe a língua no lábio inferior, mas não. Errei. Me ergue para que eu fique da sua altura e logo enfia sua língua direto na minha boca com uma paixão voraz.

Incapaz de continuar pendurada como uma linguiça, enrosco minhas pernas na sua cintura e, quando ele cola seu sexo no meu, eu me derreto. Sentir sua ereção dura e quente sobre meu corpo me deixa com vontade de despi-lo. Mas em seguida afasta sua boca da minha e me pergunta:

— Onde está o presente que te dei hoje?

Volto a ficar vermelha.

Esse homem só pensa em sexo? Tá, admito, eu também.

Mas, sem conseguir resistir a seus olhos indagadores, respondo:

— Ali.

Sem me soltar, olha na direção indicada. Anda até lá comigo enlaçada em seu corpo e depois me solta. Abre o envelope, pega o que há ali dentro e rasga o plástico da embalagem, primeiro de um dos presentes, e logo do outro. Enquanto faz isso, não tira os olhos de mim e respira com mais intensidade. Me sinto toda incendiada.

— Pegue o champanhe e as taças.

Obedeço. Esse cara vai direto ao ponto. Quando acaba de tirar os objetos da embalagem, caminha até a cozinha e os enfia embaixo da torneira. Em seguida enxuga com um guardanapo de papel, volta para perto de mim e pega minha mão.

— Me leve ao seu quarto — diz.

Disposta a levá-lo nos meus braços até o céu se preciso for, eu o conduzo pelo corredor até meu quarto e diante de nós está minha linda cama branca comprada numa loja de departamentos. Entramos e ele solta minha mão. Deixo em cima da mesa o champanhe e as duas taças, enquanto ele senta na cama.

— Tire a roupa.

Sua ordem me faz sair do universo de morangos e borbulhas no qual ele me havia feito mergulhar. E, ainda excitada, protesto:

— Não.

Sem tirar os olhos de mim, repete a ordem:

— Tire a roupa.

Fervendo no caldeirão de emoções em que me encontro, faço não com a cabeça. Ele faz que sim. Levanta-se com uma cara chateada. Joga em cima da cama os objetos que estava segurando.

— Ótimo, senhorita Flores.

Chega!

Voltamos ao nosso círculo vicioso?

Ao vê-lo passar a meu lado, reajo e o agarro pelo braço. Puxo-o com força.

— Ótimo o quê, senhor Zimmerman? — pergunto num tom desafiador.

Com ar arrogante, olha minha mão em seu braço. Em seguida eu o solto.

— Me chame quando você quiser se comportar como uma mulher e não como uma menina.

Isso me provoca.

Me irrita.

Quem esse cara pensa que é?

Sou uma mulher. Uma mulher independente que sabe o que quer. Por isso respondo nos mesmos termos:

— Ótimo!

A resposta o desconcerta. Percebo em seus olhos e em seu olhar.

— Ótimo o quê, senhorita Flores?

Continuo olhando séria para ele, quase desmaio de tanta tensão.

— Talvez eu ligue quando o senhor quiser se comportar como um homem e não se achar um ser todo-poderoso a quem não se pode recusar nada.

Eu disse "talvez"? Meu Deus, mas que história é essa de "talvez"?

Eu quero esse homem.

Quero tirar minha roupa.

Quero que ele tire a dele.

Desejo tê-lo entre minhas pernas, e mesmo assim eu vou e solto: "Talvez ligue."

Uma tensão avassaladora se instala entre nós. Nenhum dos dois parece querer dar o braço a torcer, até que minha mão procura a dele, e Eric, me surpreendendo, a segura. Lentamente e com ar perverso, se aproxima e me beija. Me lança um olhar sério.

Ah, como esse cara me atrai!

Suga meus lábios com prazer e eu respondo ficando na ponta dos pés. De novo se afasta e senta na cama. Não falamos nada. Apenas nos olhamos. Descalço as pantufas do Bob Esponja. Sem hesitar, tiro também minha bermuda e em seguida a camiseta. Fico só de calcinha e sutiã na frente dele. Ao perceber sua respiração ofegante, me sinto poderosa. Isso me agrada. Me excita. Nunca fiz algo assim com um desconhecido, mas descubro que adoro isso.

Instintivamente chego perto dele. Começo a provocá-lo. Vejo que está de olhos fechados e que aproxima o nariz da minha calcinha. Dou um passo atrás e noto que ele se assusta. Sorrio com malícia e ele faz o mesmo. Com uma sensualidade que eu não imaginava ter, abaixo uma alça do sutiã, depois a outra, e volto para perto dele. Desta vez ele me agarra com força pela bunda e não tenho mais como escapar. Novamente aproxima seu nariz da minha calcinha, e eu estremeço quando sinto sua respiração e uma doce mordida no meu púbis depilado.

Sem falar nada, levanta a cabeça e com uma das mãos tira o sutiã do meu seio direito. Me puxa mais para si e enfia o mamilo na boca com um gesto possessivo. Meu Deus! Estou tão excitada que vou gritar. Brinca com meu seio enquanto mexo no seu cabelo e o aperto contra mim. Me sinto poderosa novamente. Sensual. Voluptuosa. Me olho no espelho do armário e a imagem é, para dizer o mínimo, intrigante. Surreal. Quando acho que vou gozar, me afasto dele e, sem necessidade de que diga nada, sei o que ele quer. Tiro o sutiã e a calcinha e fico totalmente nua diante dele. Durante alguns segundos, vejo Eric percorrer meu corpo com seu olhar até que diz:

— Você é maravilhosa.

Ouvir sua voz rouca carregada de erotismo me faz sorrir e, quando ele me estende a mão, eu pego. Levanta-se. Me beija e sinto suas mãos poderosas por todo meu corpo. Que delícia. Ele me joga na cama e eu me sinto pequena. Pequenininha. Eric Zimmerman me lança um olhar altivo, e um gemido sai de dentro de mim no momento em que ele me segura pelas pernas e as separa.

— Está tudo bem, Jud, você está com vontade.

Ele tira a camisa e eu volto a gemer. Que homem incrível, com esse peito sensual. Ainda de calça, fica de quatro em cima de mim e pega um dos presentes que me deu.

— Quando um homem dá a uma mulher um aparelhinho como este aqui — murmura enquanto mostra para mim —, é porque ele quer brincar com ela e fazê-la vibrar. Deseja que a mulher se entregue toda em suas mãos, deseja desfrutar plenamente de seus orgasmos, de seu corpo, dela inteirinha. Nunca se esqueça disso. — Como sempre, balanço a cabeça afirmativamente como uma idiota, e ele continua: — Este vibrador aqui é para o clitóris. Agora feche os olhos e abra as pernas para mim — sussurra. — Te garanto que você terá um orgasmo maravilhoso.

Não me mexo.

Estou assustada.

Nunca usei um vibrador para o clitóris, e ouvir o que ele diz me deixa constrangida, mas ao mesmo tempo me excita. Eric vê a indecisão nos meus olhos. Passa a mão delicadamente sobre meu queixo e me beija. Quando se afasta, pergunta:

— Jud, você confia em mim?

Eu o encaro por alguns segundos. É meu chefe. Devo confiar nele?

Tenho medo do desconhecido. Não o conheço! Nem sei o que vai fazer comigo.

Mas estou tão excitada que, no fim das contas, volto a concordar. Ele me beija e, instantes depois, desaparece do meu campo de visão. Sinto-o acomodar-se entre minhas pernas enquanto eu olho para o teto e mordo os lábios. Estou muito nervosa. Nunca me expus tanto a um homem. Meus relacionamentos até agora eram bem normais e, de repente, estou nua no meu quarto, estirada na cama e de pernas abertas para um desconhecido que ainda por cima é meu chefe!

— Adorei você estar totalmente depilada — sussurra.

Beija a parte interna das minhas coxas enquanto acaricia minhas pernas com delicadeza. Estou tremendo. Em seguida ele dobra minhas pernas e eu fecho os olhos para não ver a imagem ridícula que devo estar passando. Logo sinto seus dedos percorrendo minha vagina. Isso me faz estremecer mais uma vez e, quando sua boca ardente se detém ali, tenho um sobressalto. Eric começa a mover a língua do mesmo jeito que faz quando está me beijando. Primeiro dá uma lambida, depois outra, e minhas pernas instintivamente se abrem mais um pouco. Sua língua alcança meu clitóris. Dá voltas nele e o estimula. Quando sente que está inchado, puxa-o com os lábios e começa a chupá-lo. Respiro ofegante.

Escuto um barulho. Um barulho estranho que logo identifico como o vibrador. Eric o esfrega na parte interna das minhas coxas, e eu tremo de tanto tesão. E, quando o passa pelos lábios da minha vagina, um gemido eletrizante me faz abrir os olhos.

— Prometo que você vai gostar, pequena — eu o ouço dizer.

E tem razão!

Eu gosto!

Essa vibração, acompanhada da atração pelo proibido, me enlouquece. Com cuidado me abre e coloca o aparelho sobre meu clitóris. Me mexo. É eletrizante. Segundos depois, ele o retira e eu sinto sua língua me lambendo com avidez. Pouco depois, sua boca se afasta e eu volto a sentir a vibração. Desta vez não no clitóris, mas ao lado. De repente, um calor intenso começa a invadir meu corpo desde o estômago até em cima. Sinto que vou explodir de prazer, quando me dou conta de que a vibração aumentou. Agora ficou mais forte, mais devastadora. Mais intensa. O calor se concentra no meu rosto e na testa. Respiro com agitação. Nunca tinha sentido esse calor. Nunca tinha me sentido assim. Me sinto como uma flor que está prestes a se abrir para o mundo.

Vou explodir de prazer!

E, quando não consigo mais segurar, um gemido incontrolável sai da minha boca. Fecho as pernas e me contorço, estremecendo, enquanto ele retira o vibrador do meu clitóris. Por alguns segundos eu estremeço.

O que aconteceu?

Ao sentir que ele se deita sobre mim e encosta os lábios nos meus, ressurjo das cinzas e começo a beijá-lo. O desejo. Devoro sua boca querendo mais.

— Peça-me o que quiser — eu o ouço dizer enquanto continua me beijando.

Sua voz, o tom ao dizer essa frase provocativa, me deixa ainda mais excitada. Agarro seu cinto e, levando a sério suas palavras, digo:

— Quero sentir você dentro de mim. Agora!

Meu pedido é urgente para ele.

— Você toma algum anticoncepcional?

— Sim. Pílula.

— Mesmo assim — murmura — vou colocar a camisinha.

Tira depressa a calça e a cueca. Fica totalmente nu e eu estremeço de prazer. Eric é incrível. Forte e viril. Seu pênis absurdamente duro e ereto está preparado para mim. Estendo meu braço e o toco. Suave. Ele fecha os olhos.

— Pare um segundo ou não poderei te dar o que você me pediu.

Obediente, faço o que ele mandou enquanto vejo que ele rasga com os dentes a embalagem de uma camisinha. Coloca com rapidez e se deita em cima de mim sem falar nada. Põe minhas pernas sobre seus ombros e, sem tirar os olhos de mim, me penetra devagar até o fundo.

— Assim, pequena, assim. Abra-se para mim.

Imóvel sob seu peso, lhe permito entrar no meu corpo.

Ahhh, que delícia!

Seu pênis duro me enlouquece e sinto-o desesperado buscando refúgio dentro de mim. Me penetra bem fundo e eu suspiro quando ele movimenta os quadris.

— Gosta assim?

Faço que sim. Mas ele exige que eu fale, e para até que eu respondo:

— Gosto.

— Quer que eu continue?

Desejando mais, estico as mãos, seguro sua bunda e o aperto contra mim. Seus olhos brilham, eu o vejo sorrir e me contorço de prazer. Eric é poderoso e possessivo. Seus olhos, seu corpo, sua virilidade me deixam louca e, quando começa uma série de investidas rápidas e eu sinto seu olhar ardente, ele me mata de prazer. Um tempo depois, retira minhas pernas de cima de seus ombros e as coloca em torno das suas próprias pernas. A brincadeira continua. Agarra meus quadris com suas mãos fortes.

— Olhe para mim, pequena.

Abro os olhos e o encaro. É um deus e eu me sinto uma simples mortal em suas mãos.

— Quero que você me olhe sempre, entendeu?

Volto a concordar com a cabeça como uma idiota, e não tiro os olhos de cima dele enquanto, excitada de novo, sinto-o mergulhando dentro de mim mais algumas vezes. Ver sua expressão e sua força me enlouquece. Abro minhas pernas o máximo que consigo para lhe dar mais espaço e percebo meu útero se contraindo. Depois de meter fundo várias vezes, me rasgando por dentro e me revirando por completo, Eric fecha os olhos e goza depois de um gemido sexy, ao mesmo tempo que me aperta contra ele. Por fim, cai sobre mim.

7

Nua e com seu corpo rígido sobre o meu, tento recuperar o controle da minha respiração. O que acabou de acontecer foi fantástico! Acaricio a cabeça dele, que descansa sobre meu corpo, e aspiro seu perfume. É viril e eu gosto. Sinto sua boca sobre meu peito e isso também é gostoso. Não quero me mexer. Não quero que ele se mexa. Quero aproveitar este momento um pouco mais. Mas então ele gira para o lado direito da cama e olha para mim.

— Tudo bem, Jud?

Faço que sim com a cabeça. Ele sorri.

Instantes depois ele se levanta e sai do quarto. Ouço o chuveiro. Quero tomar banho com ele, mas ele não me convidou. Me sento na cama, que está úmida de suor, e vejo no relógio digital que são sete e meia.

Quanto tempo ficamos transando?

Minutos depois ele aparece nu e molhado. Um tesão! Me surpreendo ao ver que ele pega a cueca e se veste.

— Ontem à noite vocês perderam o jogo contra a Itália. Sinto muito! Mandaram vocês de volta pra casa.

Eric me olha e diz:

— Sabemos perder, eu te disse. Fica pra próxima.

Continua se vestindo sem se perturbar com o que acabo de dizer.

— O que você está fazendo? — pergunto.

— Me vestindo.

— Por quê?

— Tenho um compromisso — responde secamente.

Um compromisso? Vai embora e me deixa assim?

Irritada por sua falta de tato, após o que houve entre nós dois, visto a camiseta e a calcinha.

— Vai repetir com minha chefe? — provoco, incapaz de segurar a língua.

Minha pergunta o deixa surpreso.

Ai, meu Deus! O que é que me deu?

Sem mexer um só músculo de seu rosto, Eric vem até mim apenas de cueca.

— Eu sabia que você era curiosa, mas não a ponto de ler cartões que não são pra você — reage, me examinando com o olhar.

Isso me deixa constrangida. Acabo de me dar conta de que sou uma intrometida. Mas continuo incapaz de controlar minha língua.

— Não me importo com o que você pensa — digo.

— Deveria se importar, pequena. Sou seu chefe.

Com um atrevimento inacreditável, eu olho para ele, dou de ombros e respondo:

— Mas não me importo mesmo assim.

Levanto da cama e vou até a cozinha.

Quero água, água! Não champanhe com aroma de morango. Quando volto, ele está bem atrás de mim.

— Por que você ainda não se vestiu nem foi embora? — pergunto sem me perturbar e erguendo a sobrancelha.

Não responde. Apenas me olha de rabo de olho, de um jeito desafiador.

Furiosa, eu o empurro e saio da cozinha.

Volto ao meu quarto e sinto que ele vem atrás de mim.

— Vista-se e saia da minha casa — grito, virando-me na direção dele. — Fora!

— Jud... — eu o ouço dizer baixinho.

— Pare de me chamar assim! Quero que vá embora da minha casa. E, aliás, por que você veio mesmo?

Me olha de um jeito que me faz ter vontade de lhe dar um soco. Mas me contenho. É meu chefe.

— Vim você sabe para quê.

— Sexo?

— Sim. Prometi ensinar você a usar o vibrador.

Diz isso e continua imperturbável. Cara de pau!

— Mas você me acha tão idiota assim, a ponto de nem saber como se usa um vibrador? — grito mais uma vez, irritada.

— Não, Jud — responde com ar distraído, ao mesmo tempo que sorri para mim. — Eu apenas queria ser o primeiro.

— O primeiro?

— Sim, o primeiro. Porque tenho certeza de que a partir de agora você vai usá-lo muitas vezes enquanto pensa em mim.

Essa certeza cheia de ironia me mata e, contrariada, eu rebato, disposta a tudo:

— Mas que convencido! Metido! Vaidoso e pretensioso! Quem você pensa que é? O centro do mundo e o homem mais irresistível do planeta?

Com uma tranquilidade que me desconcerta, responde enquanto veste a calça:

— Não, Jud. Não me acho nada disso. Mas fui o primeiro a brincar com um vibrador no seu corpo. Isso, goste você ou não, é algo que você nunca poderá negar. E, mesmo que no futuro você brinque sozinha ou com outros homens, sempre... saberá que fui o primeiro.

Ouvir isso me deixa excitada.

Me dá calor.

O que eu sinto por esse homem?

Mas não estou disposta a cair na sua armadilha.

— Tá bom, você foi o primeiro. Mas a vida é muito longa e eu te garanto que não será o único. Sexo é uma coisa maravilhosa e sempre consegui transar com quem eu quis, quando quis e como quis. E você tem razão, senhor Zimmerman. Tenho que agradecer ao senhor. Agradeço por não ter me dado de presente um buquê de rosas insosso e, em vez disso, me presentear com um vibrador que com certeza será muito útil quando eu estiver fazendo sexo com outros homens. Obrigada por alegrar minha vida sexual.

Escuto seu suspiro. Ótimo. Estou conseguindo irritá-lo.

— Um conselho — responde, me pegando de surpresa. — Leve sempre na bolsa o outro vibrador que te dei. Parece batom e é bem discreto para que ninguém, a não ser você, saiba do que se trata. Tenho certeza de que será de grande utilidade e que você encontrará lugares adequados para usá-lo sozinha ou acompanhada.

Seu comentário me tira dos eixos. Esperava que ele me mandasse à merda, mas não isso.

Mal-humorada, me preparo para rodar a baiana, quando de repente ele me pega pela cintura e me atrai para si. Eu olho para ele e, por um momento, me sinto tentada a dar uma joelhada no saco. Mas não. Não posso fazer isso. É o senhor Zimmerman, e gosto muito dele. Então põe a mão no meu queixo e me faz olhá-lo nos olhos. E, antes que eu possa dizer ou fazer qualquer coisa, passa a língua pelo lábio superior da minha boca. Depois lambe o inferior e, quando sinto sua ereção contra mim, murmura:

— Quer que eu te coma?

Quero dizer que não.

Quero que vá embora da minha casa.

Eu o odeio por me sentir usada!

Mas meu corpo não responde. E se nega a me obedecer. Tudo o que consigo fazer é continuar olhando para ele enquanto um desejo imenso cresce com força dentro de mim e eu nem me reconheço mais. O que está acontecendo comigo?

— Jud, responde — exige.

Convencida de que só posso dizer sim, balanço a cabeça concordando e ele, sem rodeios, me vira entre seus braços. Me faz caminhar junto com ele até o aparador do quarto. Apoia minhas mãos nele e me inclina para a frente. Depois arranca minha calcinha de uma só vez e eu solto um gemido. Não posso me mexer enquanto sinto que ele pega a carteira no bolso de sua calça e, de dentro dela, uma camisinha. Tira a calça e a cueca com uma das mãos, ao mesmo tempo que massageia minha bunda com a outra. Fecho os olhos, enquanto imagino que ele está colocando o preservativo. Não sei o que estou fazendo. A única coisa que eu sei é que estou à mercê dele, pronta para deixá-lo fazer o que quiser comigo.

— Abra as pernas — sussurra em meu ouvido.

Minhas pernas têm vida própria e fazem o que ele manda enquanto acaricia meu traseiro com uma das mãos e, com a outra, enrola meu cabelo para me segurar forte.

— Isso, pequena, assim.

E com uma forte investida ele me penetra e eu escuto um gemido ofegante no meu pescoço. Isso me atiça. Em seguida me dá um tapinha caprichado. Gosto disso!

Me seguro no aparador e sinto as pernas fraquejarem. Ele deve ter notado, porque me agarra pela cintura com as duas mãos de modo possessivo e começa a enfiar seu pênis com uma intensidade incrível dentro e fora de mim. Uma vez, outra vez. Uma vez, outra vez.

Naquela posição e sem salto alto, me sinto pequena diante dele. Mais que isso, me sinto como uma boneca que movimentam em busca de prazer. De repente, as estocadas desaceleram e sua mão abandona meu quadril e desce até minha vagina. Enfia os dedos dentro e procura o clitóris. Minha respiração fica entrecortada.

— Algum dia — diz — vou te comer enquanto te masturbo com o presentinho que te dei.

Digo que sim. Quero que ele faça isso.

Quero que faça agora. Não quero que vá embora. Quero... quero...

Seu movimento vai ficando cada vez mais lento e eu me mexo nervosa, estimulando-o a aumentar o ritmo. Ele sabe. Ele intui e pergunta no meu ouvido com sua voz rouca:

— Mais?

— Sim... sim... Quero mais.

Uma nova estocada até o fundo. Estou ofegando de prazer.

— Quê mais você quer? — acrescenta, apertando os dentes.

— Mais.

Grito de prazer com sua nova investida dentro de mim.

— Seja clara, pequena. Você está úmida e quente. O que você quer?

Minha mente funciona a uma velocidade doida. Sei o que quero. Então, sem me importar com o que vai pensar de mim, imploro:

— Quero que me penetre bem fundo. Quero que...

Um grito escapa da minha boca ao sentir como minhas palavras o atiçam. Sinto que ele respira ofegante. Minha frase o deixa louco. Suas estocadas fortes e profundas recomeçam e eu me contorço disposta a mais e mais, até chegar ao clímax. Segundos depois, ele goza também e solta um gemido de prazer enquanto me penetra uma última vez. Exausta e saciada, seguro o aparador com força. Sinto-o apoiado nas minhas costas e isso me reconforta.

Passado um tempo, me recupero e suspiro, e decido tomar um ar. Estou com calor. Agora sou eu quem caminha até o chuveiro, onde me delicio sozinha com a água deslizando no meu corpo.

Demoro mais que o normal. Só espero que ele não esteja mais em casa quando eu sair. Mas, quando saio, eu o vejo sentado tranquilamente na cama com a taça de champanhe na mão.

Minha reação é ridícula. Me dou conta de que minha testa está franzida e minha boca, tensa.

Olho para ele. Que me olha também. E, quando percebo que ele vai dizer algo, levanto a mão para interrompê-lo:

— Estou mal-humorada. E quando estou mal-humorada é melhor você ficar quieto. Se não quer me ver virando a malvada Cruela dos *101 Dálmatas*, pega tuas coisas e vai embora da minha casa.

Ele segura minha mão.

— Me solta!

— Não. — Me empurra até me deixar entre suas pernas. — Quer que eu fique aqui?

— Não.

— Tem certeza?
— Sim.
— Vai continuar falando só monossílabos?

Eu o fuzilo com o olhar.

Contraio os olhos e faço um chiado, com vontade de arrancar dele aquele sorrisinho idiota.

— Que parte de "Estou mal-humorada" você não entendeu?

Eric me solta. Dá um trago na taça e, após saboreá-la, sussurra:

— Ah! As espanholas e sua personalidade forte. Por que vocês são assim?

Vou... Vou dar um tapa nele.

Juro que, se ele vier com mais uma pérola, quebro a garrafa de rótulo rosa na cabeça dele, mesmo sendo meu chefe.

— Tudo bem, pequena, estou indo. Tenho um encontro. Mas volto amanhã à uma. Te convido para almoçar e, em troca, você me mostra alguma coisa de Madri. Que tal?

Com uma expressão séria que nem mesmo Robert De Niro seria capaz de fazer, olho para ele e solto, grunhindo:

— Não. Acho melhor não. Arrume outra espanhola para te mostrar Madri. Tenho coisas mais importantes para fazer do que dar uma de guia de turismo pra você.

E ele volta a me provocar. Aproxima-se, chega os lábios mais perto da minha boca, percorre meu lábio superior com sua língua e continua:

— Amanhã eu passo para te buscar à uma. E não se fala mais nisso.

Atônita, abro a boca e respiro bufando. Ele sorri.

Quero mandá-lo tomar no cu, mas não posso. Seus olhos me hipnotizam. Por fim, enquanto caminha em direção à porta, diz:

— Boa noite, Jud. E, se sentir saudades de mim, você já tem com o que brincar.

Pouco depois vai embora da minha casa e eu fico plantada como uma idiota olhando para a porta.

8

Estava dormindo como uma pedra quando ouço a porta de casa sendo aberta. Pulo da cama. Que horas são? Consulto o relógio da mesinha de cabeceira: 11h07. Deito de novo. Não quero saber quem é, até que, de repente, uma pequena bomba cai sobre mim e grita:

— Oi, tiaaaaaaaaaaaa!

Minha sobrinha Luz.

Penso num palavrão, mas logo olho a menina e a agarro para beijá-la com amor.

Adoro minha sobrinha. Mas, quando eu e minha irmã nos olhamos, meu olhar não é nada amigável. Vinte minutos depois e assim que saio do chuveiro, entro de pijama na cozinha. Minha irmã está preparando algo para o café da manhã, enquanto minha querida Luz aperta entre seus braços o coitadinho do Trampo e assiste aos desenhos da televisão.

Entro na cozinha, me sento na bancada e pergunto:

— Posso saber o que você faz na minha casa num sábado às onze da manhã?

Minha irmã me encara e coloca um café na minha frente.

— Me trai — diz num cochicho.

Surpresa com suas palavras, me preparo para responder, mas ela abaixa a voz para Luz não ouvir e prossegue:

— Acabo de descobrir que o sem-vergonha do meu marido me trai! Passei a vida inteira fazendo dieta, indo à academia, cuidando do meu corpo pra estar sempre linda e esse desgraçado me trai! Mas não, isso não vai ficar assim. Te juro que vou contratar o melhor advogado que eu encontrar e vou tirar até o último centavo dele. Te juro que...

Preciso de um segundo. Uma pausa. Levanto a mão e pergunto:

— Como você sabe que ele te trai?

— Eu sei e ponto.

— Essa resposta não vale — insisto, até que a menina entra na cozinha.

— Mãe, vou ao banheiro.

Raquel faz que sim e diz:

— Olha, não se esqueça de limpar o bumbum com papel, tá?

A menina desaparece de nossa vista.

— Ontem Pili, mãe de uma amiguinha da Luz — continua —, me contou que descobriu que seu marido a estava traindo quando ele começou a comprar ele mesmo sua própria roupa. E, justamente, há dois dias José comprou uma camisa e algumas cuecas!

Isso me deixa perplexa. Não sei o que dizer. Realmente, dizem que um dos sintomas para se desconfiar de um homem é esse. Mas, claro, não dá para dizer que isso é regra geral em todos os casos. E menos ainda no caso do meu cunhado. Não, não imagino isso dele.

— Mas, Raquel, isso não quer dizer nada...

— Sim. Isso quer dizer muito.

— Para com isso, sua exagerada! — rio para minimizar a questão.

— Exagerada nada, maninha. Ele me olha dum jeito estranho... como se quisesse me dizer alguma coisa e... quando fazemos amor, ele...

— Não quero ouvir mais nada — interrompo. Pensar no meu cunhado numa cena de sexo não me agrada nem um pouco.

De repente minha sobrinha surge na cozinha e pergunta:

— Tia... por que esse batom não pinta mas treme?

Ao escutar isso, tenho vontade de morrer. Olho para ela e vejo que está segurando o vibrador que Eric me deu de presente. Pulo da bancada e o arranco das mãos dela. Minha irmã, mergulhada em suas próprias questões, nem se dá conta. Menos mal. Guardo o maldito batom no primeiro lugar que encontro. Na calcinha.

— É um batom de mentirinha, fofa. Não percebeu?

A menina solta uma risadinha e eu fico desconcertada. Bendita inocência. Minha irmã olha para nós duas, e minha sobrinha diz:

— Tia, não esquece a festa de terça-feira.

— Não vou esquecer, meu amor — murmuro, ao mesmo tempo que afago sua cabeça com ternura.

Minha sobrinha me olha com seus olhinhos castanhos, torce a boca e diz:

— Briguei com a Alicia de novo. É uma boba e não quero ficar de bem nunca mais.

Alicia é a melhor amiga da minha sobrinha. Mas são tão diferentes que não param de brigar. Mesmo assim, não conseguem viver uma sem a outra. E eu sou a intermediária das brigas.

— Por que vocês brigaram?

Luz solta o ar bufando e olha para cima com impaciência.

— Porque eu emprestei um filme pra ela, e ela disse que era mentira — cochicha. — Me chamou de boba e coisas piores, e fiquei triste. Mas ontem ela me trouxe o filme, me pediu desculpas e eu não aceitei.

Sorrio. Minha sobrinha fofa e seus grandes problemas.

— Luz, eu já te disse que, quando a gente gosta de uma pessoa, a gente tem que tentar resolver os problemas, né? Você gosta da Alicia?

— Gosto.

— E, se ela pediu desculpas pelo erro dela, por que você não aceita?

— Porque estou chateada com ela.

— Está bem, eu entendo sua chateação, mas agora você precisa pensar se isso é tão importante a ponto de você deixar de ser amiga de uma pessoa de quem você gosta muito e que ainda por cima te pediu desculpas. Promete pensar nisso?

— Prometo, tia. Vou pensar.

Segundos depois, a menina desaparece dentro do apartamento.

— Posso saber o que você está escondendo nessa calça? — pergunta Raquel.

— Já disse. Um batom de mentira — rio ao lembrar que está dentro da minha calcinha.

Convencida ou não, aceita minha resposta e não pede mais explicações. Fico aliviada. Meia hora mais tarde, depois de minha irmã contar tudo o que aconteceu e de detonar meu cunhado, ela e minha sobrinha vão embora e me deixam em paz em casa.

Consulto o relógio. São 12h05.

Então lembro que Eric virá me buscar e digo um palavrão. Não pretendo sair com ele. Que ele saia com a mulher com quem se encontrou ontem à noite. Vou ao meu quarto, pego meu celular e, surpresa, vejo que recebi uma mensagem. É dele.

"Não se esqueça. Passo aí às 13h."

Isso me deixa furiosa.

Mas quem ele pensa que é para ocupar meu tempo? Respondo:

"Não pretendo sair."

Após enviar a mensagem, respiro aliviada, mas meu alívio dura pouco, até que o telefone apita e eu leio: "Não me irrite, pequena."

Que não o irrite?

Esse cara é fogo. E, antes que eu responda, meu celular apita de novo.

"Pelo seu bem, te espero às 13h."

Ler isso me faz sorrir.

Que folgado...! Então decido responder assim: "Pelo seu bem, senhor Zimmerman, não venha. Não estou a fim."

Meu celular imediatamente volta a apitar.

"Senhorita Flores, você quer me irritar?"

Boquiaberta, olho para a tela e escrevo: "O que eu quero é que você me esqueça."

Deixo o celular sobre a bancada da cozinha, mas ouço um novo apito. Eu o pego rapidamente.

"Você tem duas opções. A primeira: me mostrar Madri e passar o dia comigo. E a segunda: me irritar, mas lembrando que sou seu CHEFE. Você decide."

Sinto uma raiva! Seu abuso de autoridade me tira do sério, mas ao mesmo tempo me excita.

Que boba!

Com as mãos trêmulas, deixo o celular na bancada. Não penso responder. Mas o telefone apita de novo, e eu, curiosa que sou, leio sua mensagem: "Escolha uma das opções."

Irritada, xingo baixinho.

Consigo imaginá-lo sorrindo enquanto escreve esses torpedos. Isso me irrita ainda mais. Largo o telefone. Não pretendo responder e, três segundos depois, ouço um novo apito. Leio: "Estou esperando e minha paciência não é infinita."

Desesperada, me lembro de tudo que fizemos. E por fim respondo: "Às 13h estarei pronta."

Espero sua resposta, mas não chega nada. Convencida de que estou me metendo num jogo que eu não deveria jogar, faço outro café e, quando olho o relógio do micro-ondas, vejo que já são 12h40. Sem tempo a perder, corro pela casa.

9

Que roupa eu coloco?

Acabo vestindo uma calça jeans e uma blusa preta do Guns'n'Roses que ganhei de presente da minha amiga Ana. Prendo o cabelo num rabo alto e às 13h o interfone toca. Que pontual! Certa de que é ele, não atendo. Que tente de novo. Dez segundos depois, toca novamente. Sorrio. Pego o interfone e pergunto indiferente:

— Sim?

— Desce. Estou te esperando.

Uau! Nem um bom-dia, nem nada.

O Senhor Mandão está de volta!

Depois de beijar a cabeça do Trampo, saio de casa esperando que meu look com jeans não lhe agrade nem um pouco e que ele desista de sair comigo. Mas fico maravilhada quando chego à rua e o vejo de calça jeans e blusa preta ao lado de uma espetacular Ferrari vermelha que me deixa sem palavras. Ah, se meu pai visse isso!

O sorriso volta a meus lábios. Adorei!

— É sua? — pergunto, aproximando-me de Eric.

Dá de ombros e não responde.

Então presumo que o carro é alugado e me apaixono à primeira vista por aquela máquina imponente. Passo a mão com delicadeza, enquanto sinto que Eric olha para mim.

— Posso dirigir? — pergunto.

— Não.

— Ah, vaaaaaai — insisto. — Não seja desmancha-prazeres. Deixa, por favor! Meu pai tem uma oficina mecânica e te garanto que sei o que fazer.

Eric olha para mim. Eu olho de volta.

Ele suspira e eu sorrio. Por fim, nega com a cabeça.

— Me mostre Madri e, se você se comportar direitinho, talvez eu deixe você dirigir. — Isso me empolga e ele continua: — Eu dirijo e você me diz aonde ir. Então, aonde vamos?

Fico pensando um minuto, mas em seguida respondo:

— O que acha de irmos à parte mais turística de Madri? Plaza Mayor, Puerta del Sol, Palacio Real, conhece?

Não responde, então dou a direção e mergulhamos no trânsito. Enquanto ele dirige, aproveito o fato de estar numa Ferrari. Surreal! Aumento o volume do rádio. Adoro essa música de Juanes. Eric abaixa o volume. Aumento de novo. Ele abaixa mais uma vez.

— Assim não consigo ouvir a música! — protesto.

— Está surda?

— Não... não estou, mas um pouco de animação dentro de um carro não é nada mau.

— Mas também tem que cantar?

Essa pergunta me pega tão de surpresa que respondo:

— Qual é o problema? Você não canta nunca?

— Não.

— Por quê?

Contrai a expressão do rosto enquanto pensa... pensa... e pensa.

— Sinceramente, não sei — responde, enfim.

Espantada com isso, eu olho para ele e digo:

— Mas ouvir música é uma coisa maravilhosa. Minha mãe sempre dizia que quem canta seus males espanta, e algumas letras podem ser tão significativas pro ser humano que até são capazes de nos ajudar a entendermos nossos sentimentos.

— Você fala da sua mãe no passado. Por quê?

— Morreu de câncer há alguns anos.

Eric toca minha mão.

— Sinto muito, Jud — murmura.

Faço um gesto de compreensão com a cabeça e, sem querer parar de falar sobre a minha mãe, acrescento:

— Ela adorava cantar e eu também adoro.

— E você não tem vergonha de cantar na minha frente?

— Não, por quê? — respondo, dando de ombros.

— Sei lá, Jud. Talvez por pudor.

— Que nada! Sou viciada em música e passo o dia cantarolando. Sério, eu recomendo.

Volto a aumentar o volume e, demonstrando a pouca vergonha que tenho, mexo os ombros e cantarolo:

Tengo la camisa negra, porque negra tengo el alma.
Yo por ti perdí la calma y casi pierdo hasta mi cama.
Cama cama caman baby, te digo con disimulo.
Que tengo la camisa negra y debajo tengo el difunto.

Por fim, vejo seus lábios insinuando um sorriso. Isso me dá confiança e eu continuo cantando, música após música. Ao chegarmos ao centro de Madri, paramos a Ferrari num estacionamento subterrâneo, e eu olho com tristeza para o carro enquanto nos afastamos dele. Eric percebe e sussurra ao pé do meu ouvido:

— Lembre-se. Se você se comportar bem, vou te deixar dirigir.

Minha expressão muda, e um tremor de alegria me domina por completo quando eu o ouço rir. Finalmente! Ele sabe rir! Tem uma risada muito bonita. É algo que ele não faz muito, mas, nas poucas vezes que faz, é encantador. Após sair do estacionamento, me pega pela mão com firmeza. Isso me surpreende e, como me agrada, não a retiro. Caminhamos pela calle del Carmen e desembocamos na Puerta del Sol. Subimos pela calle Mayor e chegamos à Plaza Mayor. Vejo que ele se maravilha com tudo o que vê, enquanto continuamos nosso passeio em direção ao Palacio Real. Quando chegamos está fechado e, como a fome começa a bater, sugiro almoçarmos num restaurante italiano de uns amigos meus.

Ao chegarmos, meus amigos nos cumprimentam encantados. Logo nos acomodam numa mesinha meio afastada das outras e, depois de pedirmos os pratos, eles nos trazem algo para beber.

— É boa a comida daqui?

— A melhor que tem. Giovanni e Pepa cozinham muito bem. E posso te garantir que todos os produtos vêm diretamente de Milão.

Dez minutos depois, ele comprova o que eu disse ao degustar uma saborosa mozarela de búfala com tomate.

— Uma delícia.

Tira mais um pedaço e me oferece. Aceito.

— Não é? — digo. — Eu te falei.

Faz que sim com a cabeça. Pega outro pedaço e volta a me oferecer. E eu aceito de novo, entrando no seu jogo. Agora sou eu que tiro um pedacinho e dou a ele. Comemos da mão do outro sem nos importarmos com o que as pessoas ao nosso redor estão pensando. Terminada a mozarela, Eric limpa a boca com o guardanapo e olha para mim.

— Quero te propor uma coisa — diz.

— Hummmmm... Vindo de quem vem, tenho certeza de que é algo indecente.

Sorri diante do meu comentário. Toca com o dedo a ponta do meu nariz e diz:

— Vou passar um tempo aqui na Espanha e depois volto à Alemanha. Imagino que você saiba que meu pai morreu há três semanas... Quero visitar todas as sucursais da empresa na Espanha. Preciso conhecer a situação de cada uma delas, já que pretendo ampliar o negócio a outros países. Antes era o meu pai quem cuidava de tudo e... bem... agora quem dirige a empresa sou eu.

— Sinto muito pelo seu pai. Me lembro de ter escutado...

— Ouça, Jud — me interrompe. Não me deixa entrar em sua vida. — Tenho várias reuniões em diferentes cidades espanholas e gostaria que você me acompanhasse. Você sabe falar e escrever perfeitamente em alemão e preciso que, após as reuniões, você envie uma série de documentos à minha sede na Alemanha. Na quinta-feira eu tenho que estar em Barcelona e...

— Não posso. Tenho muito trabalho e...

— Em relação ao trabalho, você não precisa se preocupar. O chefe sou eu.

— Está me pedindo que largue tudo e te acompanhe nas suas viagens? — pergunto boquiaberta.

— Estou.

— E por que você não pede a Miguel? Ele era o secretário do seu pai.

— Prefiro você. — E ao ver minha cara, ele acrescenta: — Você viria como secretária. Suas férias seriam adiadas até nossa volta e depois você poderia tirá-las. E, claro, os honorários da viagem você é quem vai decidir.

— Uffff....! Não me anime com meus honorários, que eu vou abusar de você.

Apoia os cotovelos na mesa. Junta as mãos. Põe o queixo sobre elas e murmura:

— Pode abusar de mim.

Meus lábios ficam trêmulos.

Não quero entender o que ele está me propondo. Ou pelo menos não quero entender da forma como estou entendendo. Mas, como não consigo ficar quieta de jeito nenhum, pergunto:

— Você vai me pagar para estar comigo?

Assim que digo isso, ele me olha fixamente e responde:

— Vou te pagar pelo seu trabalho, Jud. Que tipo de homem você acha que sou?

Nervosa, sinto meu estômago se contrair e pergunto novamente. Desta vez num sussurro, para ninguém ouvir:

— E meu trabalho, qual será?

Imperturbável, crava em mim seus impressionantes olhos azuis e diz:

— Acabei de te explicar, pequena. Você vai ser minha secretária. A pessoa encarregada de enviar aos escritórios centrais da Alemanha tudo o que falarmos nessas reuniões.

Minha cabeça começa a girar, mas, antes que eu diga qualquer coisa, ele pega minha mão.

— Não posso negar que você me atrai. Adoro te surpreender e, principalmente, te ouvir gemer. Mas, acredite em mim, tudo o que estou te propondo agora é totalmente decente.

Isso me deixa excitada e me faz rir. De repente me sinto como Demi Moore no filme *Proposta indecente*.

— Nos hotéis, ficaremos em quartos separados, né? — pergunto.

— Claro. Cada um vai ter seu próprio espaço. Você tem até terça para pensar. Nesse dia preciso de uma resposta ou vou procurar outra secretária.

Giovanni chega com uma apetitosa pizza quatro estações e a coloca no centro da mesa. Depois vai embora. O aroma de especiarias me deixa com água na boca e eu sorrio. Eric me imita e a partir de então não tocamos mais no assunto. Fico aliviada por isso. Preciso pensar. E agora nos limitamos a aproveitar nosso maravilhoso almoço.

10

Após sair do restaurante, Eric pega minha mão novamente de forma possessiva, e eu me deixo levar. Cada vez gosto mais das sensações que me provoca, apesar de eu estar meio perturbada com sua proposta.

Uma parte de mim quer recusar; mas outra quer aceitar. Gosto de Eric. Gosto de seus beijos. Gosto do jeito como me toca e de seus joguinhos. Caminhamos em busca de sombra pelos jardins do Palacio Real, enquanto falamos sobre mil coisas, mas nada em profundidade.

— Topa ir ao meu hotel? — pergunta de repente.

— Agora?

Olha para mim. Percorre meu corpo com desejo e sussurra com voz rouca:

— Sim. Agora. Estou hospedado no hotel Villa Magna.

Sinto um aperto no estômago. Entrar num quarto com Eric significa... sexo. Sexo, sexo e mais sexo. E, após encará-lo por alguns segundos, balanço a cabeça concordando, certa de que é isso que quero dele. Sexo. Caminhamos de mãos dadas até o estacionamento.

— Vai me deixar dirigir?

Me olha com seus inquietantes olhos azuis e aproxima sua boca do meu ouvido.

— Você se comportou bem?

— Muitíssimo bem.

— E vai cantar de novo?

— Com certeza.

Eu o ouço rir, mas ele não me responde. Depois de pagarmos o estacionamento, ele olha de novo para mim e me entrega as chaves.

— Seu desejo é uma ordem, pequena.

Emocionada, dou um salto à Rocky Balboa que o faz sorrir de novo. Fico na ponta dos pés e beijo seus lábios. Desta vez sou eu quem o segura pela mão e o puxa para procurarmos a Ferrari.

— Uhuuuuu! — grito, empolgada.

Eric entra no carro e coloca o cinto de segurança.

— Bem, Jud — diz. — É todo seu.

Dito e feito.

Ligo o motor e depois o rádio. A música de Maroon 5 preenche o interior do veículo e, antes que Eric mexa no volume, eu olho para ele e murmuro:

— Nem pense em abaixar.

Faz cara de contrariado, mas sorri. Está de bom humor. Saímos do estacionamento e eu me sinto como uma amazona com esse carro incrível nas minhas mãos. Sei onde fica o hotel Villa Magna, mas antes decido dar uma voltinha pela rodovia M-30. Eric não fala nada, apenas me observa e aguenta, imperturbável, o volume do rádio e minha cantoria. Meia hora depois, quando me dou por satisfeita, diminuo a marcha e saio da M-30 para seguir até o hotel Villa Magna.

— Feliz com o passeio?

— Muito — respondo, emocionada por ter dirigido um carro desses.

Suas mãos fazem cosquinhas nas minhas pernas e acabam se detendo no meu púbis. Faz pequenos círculos sobre ele, e eu fico molhada no mesmo instante. Constrangida, quero fechar bem as pernas.

— Espero que dentro de meia hora você esteja ainda mais feliz — diz.

Seu comentário me faz rir, enquanto sinto suas mãos brincalhonas me tocando por cima do jeans. Isso me deixa ainda mais excitada e, quando chegamos à entrada do Villa Magna e descemos do carro, ele segura minha mão, pega de volta as chaves do carro e as entrega ao porteiro. Depois me puxa até o hall dos elevadores. Dentro de um deles, o ascensorista não precisa perguntar nada: sabe perfeitamente aonde tem que nos levar. Quando chegamos ao último andar, as portas do elevador se abrem e eu leio: "Suíte Presidencial."

Ao entrar, respiro o luxo e o glamour em estado puro. Móveis cor de café, jardim japonês... Então percebo que há duas portas na suíte. Resolvo abri-las e descubro dois quartos maravilhosos com camas king size.

— Por que você se hospeda numa suíte dupla?

Eric se aproxima de mim e se apoia na parede.

— Porque num quarto eu brinco e no outro eu durmo — murmura.

De repente, umas batidas na porta chamam minha atenção, e entra um homem de meia-idade. Eric olha para ele e diz:

— Traga morangos, chocolate e um bom champanhe francês. Deixo à sua escolha.

O homem faz que sim e sai do quarto. Eu ainda estou em choque sentindo o prazer das coisas exclusivas. Nos afastamos da porta alguns metros e andamos pelo quarto. Vou direto pra uma varanda. Abro as portas e entro.

Logo sinto Eric atrás de mim. Me pega pela cintura e me aperta contra seu corpo. Depois abaixa a cabeça e eu sinto seus lábios encherem meu pescoço de beijos doces. Fecho os olhos e me deixo levar. Percebo suas mãos por baixo da minha blusa, agarrando com força os meus seios. Ele os massageia e eu começo a estremecer. Foi só entrar no quarto e já estou sentindo que ele quer me possuir. A urgência toma conta dele. Precisa agir imediatamente.

— Eric, posso te perguntar uma coisa?

— Pode.

A cada segundo que passa, me sinto mais molhada pelas coisas que ele me faz sentir.

— Por que você está indo tão depressa?

Me olha... me olha... me olha... e, finalmente, diz:

— Porque não quero perder nada e menos ainda em se tratando de você. — Um suspiro sai da minha boca e agora é Eric quem pergunta: — Trouxe o vibrador?

Ao me lembrar disso, me recrimino em silêncio.

— Não — respondo.

Ele não diz nada e, sem que eu me mexa, percebo que ele está abrindo o botão da minha calça e baixando o zíper. Coloca a mão dentro da calcinha, atravessa os lábios úmidos e começa a estimular o clitóris.

— Eu te disse pra sempre levar na bolsa, lembra?

— Lembro.

— Ah, pequena...! Você tem que lembrar os conselhos que te dou se quiser que a gente desfrute plenamente do sexo.

Concordo com um gesto, totalmente entregue a ele, quando seu dedo se detém e ele o retira devagar da minha calcinha. Quero lhe pedir que continue. Em vez disso, ele leva o dedo à minha boca.

— Quero que você conheça seu próprio sabor. Quero que entenda por que estou louco para te devorar de novo.

Sem precisar de mais nada, mexo o pescoço e enfio seu dedo na minha boca. Meu gosto é salgado.

— Hoje, senhorita Flores — murmura de novo no meu ouvido —, você vai pagar por não ter trazido o vibrador e por ter atrapalhado um dos meus jogos.

— Desculpa e...

— Não. Não peça desculpas, pequena — diz. — Brincaremos de outra coisa. Pode ser?

— Sim — suspiro, mais excitada a cada instante que passa.

— Tem certeza?

— Tenho.

— Sem limites?

— Sado não.

Ele sorri, até que voltamos a escutar batidas na porta. Eric se afasta de mim e, ao voltar, vejo que um garçom nos traz uma linda mesa de cristal e prata com o que havíamos pedido. Eric abre o champanhe, serve duas taças e me entrega uma para brindarmos.

— Brindemos à diversão que temos pela frente em nossas brincadeiras, senhorita Flores.

Eu olho para ele. Ele olha para mim.

Sinto meu corpo reagir diante da palavra "brincadeiras". Se eu visse esse olhar numa foto sua no Facebook, não hesitaria em dar um "Curtir". Por fim sorrio, bato minha taça na dele e concordo:

— Brindemos a isso, senhor Zimmerman.

11

Entre risadas, insinuações e carícias, bebemos quase toda a garrafa de champanhe, na linda e enorme varanda da suíte. Madri está a meus pés, e eu adoro olhar a meu redor. Mas a proposta que ele fez no restaurante não me sai da cabeça.

Eu deveria aceitar ou recusar pelo que ela significa?

Estou levemente embriagada. Não estou acostumada a beber, e menos ainda champanhe. Eric fala com alguém pelo celular, e eu o observo. Vestido com esse jeans de cintura baixa e essa blusa preta, ele me deixa com tesão. É forte e atlético. O típico homem de olhos claros e cabelo curto que, quando você vê, não consegue deixar de observá-lo. Me surpreendo ao perceber que ele não tem nenhuma tatuagem. Hoje em dia quase todo homem da sua idade tem uma. Mas de certa forma isso me alegra, porque eu gosto tanto de tatuagens que passaria o dia inteiro lambendo as suas.

Examino seu corpo com luxúria. Me detenho na parte superior de sua calça e então me dou conta de que ele desabotoou o primeiro botão. Me deixa louca. Me excita. Me incita. Me provoca. Instantes depois, larga o celular e vai até o balde de gelo. Olha para mim e sorri. Calor. Estou com muito calor. Serve as últimas taças e deixa ali a garrafa vazia. Vem para perto, me entrega a taça e murmura enquanto beija minha testa:

— Vamos pro quarto.

O nervosismo se apodera de mim novamente e eu sinto meu sexo se contraindo. Faço menção de calçar meus sapatos de salto, mas ele diz que não, então obedeço.

Chega o momento que eu estava desejando e imaginando desde que o vi me esperando na porta da minha casa com a Ferrari.

Quando entramos num dos lindos e espaçosos quartos, fico admirando a enorme cama. Uma king size. Eric se movimenta pelo cômodo e, de repente, uma música sensual nos envolve. Ele se senta e apoia uma das mãos na cama. Com a outra segura a taça e dá um gole.

— Está preparada para brincar, pequena?

Meu ventre se contrai de ansiedade e sinto que estou ficando molhada. Vendo-o assim, tão sexy, tão viril... Estou pronta para tudo o que ele quiser, e consigo responder:

— Sim.

Ele balança a cabeça afirmativamente.

Levanta-se. Abre uma gaveta.

Tira dois lenços de seda pretos, uma câmera de vídeo e algumas luvas. Isso me surpreende e me assusta ao mesmo tempo. Mas, incapaz de me mover, permaneço parada à espera de que se aproxime. E ele então vem. Passa a língua por minha boca de forma provocativa e aperta meu traseiro com suas mãos.

— Você tem uma bundinha maravilhosa. Estou com vontade de experimentar.

Assustada, dou um passo para trás.

Nunca fiz sexo anal!

Eric entende minha resposta silenciosa. Dá um passo na minha direção. Me agarra de novo pelo traseiro e, enquanto volta a me apertar contra si, murmura:

— Calma, pequena. Hoje não vou penetrar seu lindo traseiro. Me excita saber que serei o primeiro, mas quero que você aproveite e, quando fizermos isso, será devagarzinho e eu vou ficar te estimulando para que você sinta prazer, não dor. Confie em mim.

Engulo a enxurrada de emoções que estão presas em minha garganta, e tento dizer alguma coisa.

— Hoje vamos brincar com os sentidos — prossegue. — Colocarei esta câmera em cima daquele móvel para gravarmos tudo. Então logo poderemos ver juntos o que tivermos feito. Que tal?

— Não gosto de gravações... — consigo dizer.

Abre um sorriso cativante. Seus olhos brilham e ele os crava em mim.

— Não tem problema, Jud. Eu sou o maior interessado em não deixar mais ninguém ver o que gravarmos. Você não acredita em mim?

Penso por alguns instantes e chego à conclusão de que ele tem razão.

Ele é rico e poderoso. De nós dois, é quem mais tem a perder. Acabo aceitando. Ele deixa a câmera em cima do móvel e aperta um botão. Aproxima-se de mim novamente.

— Vou tapar seus olhos com esse lenço. Toca nele!

Obedeço sem hesitar e sinto a suavidade do tecido. Seda.

— O que você vai sentir quando estiver nua na cama é a mesma suavidade que sentiu ao tocar o lenço.

Escutar isso me atiça de novo. Concordo num gesto.

— Adoro seus olhos — murmuro, sem conseguir me conter. — Seu olhar.

Eric me olha por alguns segundos e, sem fazer referência ao que acabo de dizer, continua:

— Além de vendar você, como sei que confia em mim, vou amarrar suas mãos e prendê-las na cabeceira da cama para te impedir de me tocar. — Faço menção de protestar, mas ele põe um dedo nos meus lábios e acrescenta: — É seu castigo, senhorita Flores, por ter esquecido o vibrador.

Seu comentário me faz sorrir e eu olho para as luvas com curiosidade. Eric as coloca em mim e toca meus braços. A suavidade que sinto me encanta. Não sinto seus dedos, apenas a suavidade que essas luvas me proporcionam.

Sem falar nada, senta-se em cima da cama e olha para mim. Rapidamente entendo o que quer, e obedeço. Tiro a calça e a blusa. Repito a operação do dia anterior. Ainda de calcinha e sutiã, me aproximo dele e sinto-o de novo apoiar sua testa na minha barriga e colocar a boca na minha calcinha. A sensação atiça meu clitóris e eu o sinto latejar. Eric retira as luvas que deixa sobre a cama. Me pega pela cintura com suas mãos fortes e me faz montar em cima dele. Olha para mim e sussurra enquanto eu sinto sua ereção entre minhas coxas e seu hálito nos meus seios:

— Está preparada para participar do meu jogo?

— Estou — respondo, cheia de desejo.

— Tem certeza?

— Tenho.

— Pra qualquer coisa? — murmura, perto da minha boca.

Encosto minhas mãos em seu cabelo curto e massageio sua cabeça.

— Para qualquer coisa, exceto...

— Sado — ele completa, e eu sorrio.

Desabotoa meu sutiã, e meus seios inchados ficam livres diante dele. Com avidez, Eric os leva à boca. Primeiro um, depois o outro. Endurece meus mamilos com sua língua e seus dedos, e isso me faz gemer.

— Me ofereça seus seios — pede com voz rouca.

Montada em cima dele, eu seguro meus seios com as mãos e os aproximo da boca de Eric. Quando ele faz menção de chupá-los, eu os afasto e ele me dá um tapinha no traseiro. Nos olhamos, e as faíscas entre nós dois parecem prestes a provocar um curto-circuito. Eric me dá outro tapinha. Desta vez arde. E, sem vontade de receber um terceiro, chego com os seios perto da sua boca e ele os toma para si. Dá mordidinhas e os lambe enquanto eu os entrego a ele.

Olho na direção da câmera. É inacreditável que eu esteja fazendo isso, mas não posso nem quero parar. A sensação me agrada. Eric e seu jeito ousado me matam de desejo, e, num momento como este, estou disposta a fazer tudo o que ele me pedir.

De repente, sinto seus dedos por baixo da minha calcinha e isso me excita mais ainda.

— Fique de pé — me ordena.

Obedeço e o vejo deslizar e se sentar no chão entre minhas pernas. Tira devagar minha calcinha e, quando passa pelos meus pés, ele os separa, apoia suas mãos nos meus quadris e me faz flexionar os joelhos. Meu sexo. Minha vagina encharcada. Meu clitóris e eu inteirinha ficamos expostos diante dele.

Sua boca exigente sorri e me provoca com seu olhar para que eu ponha a vagina em sua boca. Faço como ele pede e explodo e respiro ofegante ao sentir seu contato. Eric me agarra pelos quadris e me aperta contra sua boca. Me sinto estranha. Pervertida naquela postura.

Eric está sentado no chão e eu estou em cima dele, movendo meu sexo em sua boca. Gosto disso. Me enlouquece. Me atiça. Sinto meu orgasmo chegando enquanto ele me segura pela parte superior das minhas coxas e me devora com avidez. Sua língua entra e sai de mim e em seguida percorre meu clitóris, me fazendo gemer, enquanto o mordisca com os dentes. Mil sensações tomam conta do meu corpo e eu me entrego a elas. Sou sua. Meu corpo é seu. E, quando põe meu clitóris com cuidado entre seus dentes e sinto-o puxando, solto um grito e enlouqueço.

O calor se espalha por todo o meu corpo. Então sinto que esse ardor está estampado no meu rosto, e acho que vou gozar.

— Deita na cama, Jud — diz ele, parando o que estava fazendo.

Com a respiração entrecortada, eu faço o que ele manda. Quero que continue.

— Vai mais para cima... mais. Abre as pernas pra que eu possa ver o que quero.

Obedeço e ele solta um gemido enlouquecido.

— Assim, pequena... assim, mostra tudo pra mim.

Tira a blusa preta e a joga num dos lados da cama. Seus bíceps são incríveis. Depois tira a calça e, enquanto abro as pernas e vejo como ele observa a umidade que eu lhe mostro, noto que as luvas estão a meu lado junto a uma caixa aberta de preservativos. Com firmeza, pega um dos lenços de seda e monta sobre mim.

— Me dá suas mãos.

Obedeço.

Ele me amarra pelos pulsos.

Me beija e depois estica minhas mãos atadas por cima da minha cabeça e amarra o lenço a um dos suportes da cabeceira da cama. Respiro com dificuldade. É a primeira vez que deixo amarrarem minhas mãos e estou nervosa e excitada. Quando ele vê que estou bem presa, aproxima seu rosto do meu e me beija primeiro num olho e depois no outro. Instantes depois, coloca na minha frente o outro lenço e amarra na minha cabeça. Não enxergo nada. Apenas ouço a música sensual ao fundo e imagino o que está acontecendo.

Nua e totalmente exposta a ele, sinto sua boca no meu queixo. Ele o beija. Quero me mexer, mas não tenho como. Os nós que ele deu impedem qualquer movimento. Sua boca desce pelos meus seios. Ele se entretém com meus mamilos até endurecê-los de novo e depois usa seus dedos para estimulá-los. Continua descendo até chegar ao meu umbigo, e minha respiração se acelera de novo. Sinto sua boca chegando à minha vagina, beijando-a e me abrindo as pernas. Seus dedos brincam ali e sinto que escorregam pela minha umidade. Ele volta a mergulhar sua boca em mim. Me lambe. Me suga e eu solto gemidos enquanto abro as pernas totalmente para que ele tenha tudo o que quer de mim.

— Adoro seu sabor... — ele diz, após passar alguns segundos chupando meu inchado clitóris.

Depois de dizer isso, sinto sua respiração entre minhas coxas até que um rastro de beijos doces começa a descer em direção a meus tornozelos. A cama se move. Ouço-o afastar-se e escuto de repente que a música está mais alta. Respiro com mais agitação. Quero que ele continue, mas fico com medo por não saber o que vai acontecer. Instantes depois, sinto a cama se mover outra vez e, pelos movimentos, percebo que ele está vestindo as luvas. Acerto. Suas mãos enfiadas nas luvas começam a percorrer devagar as minhas pernas.

Solto um gemido... outro gemido... e outro...

Só consigo gemer!

Quando ele dobra minhas pernas e separa meus joelhos... Ai, Deus! Sua boca, de novo exigente, toca meu sexo à procura do meu clitóris. Dá mordiscadas e eu grito. Ele o estimula com a língua e eu solto mais um gemido. Sinto que Eric novamente o pega entre os dentes, mas desta vez não o puxa. Preso entre seus dentes, ele dá toquezinhos com a língua e eu volto a gritar. A pressão que suas mãos exercem sobre mim, acompanhada dos movimentos de sua boca, me deixa louca.

Solto um gemido... outro... e outro... e tento fechar as pernas.

Ele não deixa.

Seus dentes agora dão mordidinhas um dos meus lábios internos, e isso me mata de prazer. Me retorço, gemo enlouquecida e abro mais as pernas. Seu jogo me agrada e me excita. Quero mais e ele me dá. De repente, sinto que ele enfia algo em minha vagina. É suave, frio e duro. Introduz com cuidado, gira e logo o retira, depois repete a operação. Estou enlouquecendo de tesão e meus quadris se erguem em busca de mais. Sua boca volta à minha vagina, enquanto ele enfia novamente em mim.

Por alguns minutos, meu corpo é seu corpo. Sou sua escrava sexual. Não quero que pare e, quando ele retira de dentro de mim o que enfiou e sua boca volta a procurar meu clitóris, grito de satisfação quando ele começa a puxá-lo. Gosto disso. Sua mão suave passeia agora pelo meu traseiro. Agarra minha bunda e me aperta contra sua boca. Vou explodir, enquanto um de seus dedos brinca no meu ânus. Descreve pequenos círculos sobre ele, e eu peço mais.

O objeto que antes me deixou louca passeia agora sobre meu orifício anal. Me excita, mas Eric não o enfia em mim. Somente o passeia por ali, como se quisesse indicar que algum dia não vai se contentar só com isso. De repente, um orgasmo me invade, e eu me convulsiono de prazer, enquanto sinto que ele solta minhas pernas.

— Adoro seu sabor, pequena... — repete, ao mesmo tempo que aperta minhas coxas e ouço-o rasgando a embalagem da camisinha.

Incendiada pelo desejo mais incrível que já pude imaginar, sinto meu corpo inteiro arder. Me queimo. Noto que a cama afunda e sinto seu corpo musculoso e poderoso de quatro sobre mim.

— Abra as pernas pra mim.

Sua voz me dando essa ordem neste momento é música celestial para meus ouvidos. Seu corpo se encaixa no meu. Sinto seu pênis duro em contato com minha vagina molhada.

— Peça-me o que quiser — diz.

Meu Deus! Que frase!!! Ele me enlouquece quando diz isso.

Minha impaciência faz com que eu me mexa na cama. Não respondo e ele exige:

— Peça. Fale logo ou eu não continuo.

Escondida atrás do lenço, respiro com dificuldade.

— Me come! — consigo dizer em resposta à sua ordem.

Escuto sua risada. Sinto suas mãos sobre minha vagina. Calor! Me toca e abre meus lábios vaginais para enfiar todo seu pênis em mim. Me contorço. Eric não se move, mas sinto as batidas do seu coração quando me sussurra ao ouvido:

— Gosta assim?

Balanço a cabeça afirmativamente. Não consigo falar. Minha boca está tão seca que quase não posso articular as palavras.

— Gozou?

— Sim.

— Sentiu prazer?

— Sim...

Ofegante, ele dá um tapinha no meu traseiro.

— Ótimo, pequena... Agora é minha vez.

Contenho um gemido enquanto sinto meu corpo voltar a arder. Ele belisca suavemente meus mamilos.

— Você está molhadinha e pronta... Adoro isso.

Sinto a cama se mexer de novo. E, ainda dentro de mim, fica de joelhos em cima da cama. Segura meus quadris e começa a bombear com força. Dentro... fora... dentro... fora.

Forte... forte...

Me dá a sensação de que vai me rasgar por dentro, mas de tanto prazer.

— Você gosta que eu te foda assim? — me pergunta entre sussurros.

— Gosto... gosto...

Dentro... fora... dentro... fora.

Meu corpo volta a ser dele. Não quero que pare.

Ouço seus gemidos, sua respiração entrecortada, a poucos metros de mim. Sua força me enlouquece e, apesar de que suas mãos, agora sem luvas, me apertam os quadris, não reclamo e abro as pernas para ele. Explodo num orgasmo. Sem poder ver a cena, eu apenas a imagino e isso me deixa com mais tesão ainda. Sou como uma boneca nas suas mãos, e me delicio como me possui. Então ele se inclina sobre mim e, após uma selvagem estocada final, ouço seu grunhido de satisfação.

Instantes depois e ainda ofegante, ele me dá um beijo forte e possessivo. Quando se afasta de mim, desata minhas mãos. Depois ele as segura com carinho e beija meus pulsos. Retira o lenço dos meus olhos e nós nos olhamos.

— Está tudo bem, pequena?

Extasiada e um pouco dolorida pela penetração tão profunda, faço um gesto afirmativo com a cabeça.

— Sim.

Me dou conta de que só digo sim... sim... sim... mas é que não consigo dizer outra coisa além de "sim!".

Ele sorri. Levanta-se da cama. Retira a camisinha e vai até o banheiro.

— Fico feliz.

Sua estranha frieza num momento como este me desconcerta. Vejo-o desaparecer e observo o quarto. Meus olhos se detêm na filmadora. Estou louca para assistir ao que gravamos. Me levanto e caminho sem roupa até o banheiro. Escuto o chuveiro.

Quero tomar um banho!

Eric me vê entrar. Está mexendo numa nécessaire e, ao me ver refletida no espelho, se irrita e fecha a bolsinha.

— O que você está fazendo aqui?

Sua voz me paralisa. O que houve com ele?

— Estou com calor e quero tomar uma chuveirada.

Com a sobrancelha franzida, responde:

— Por acaso te pedi que entrasse no chuveiro comigo?

Olho para ele desconcertada.

Mas... o que deu nele?

Sem responder nada e irritada com sua reação, lhe dou as costas. Que se dane! Mas então sinto sua mão molhada segurando a minha. Me solto e digo:

— Quer saber? Odeio quando você fica desse jeito. Já sei que o que temos é só sexo, mas não entendo por que uma hora você está legal comigo e, de repente, numa fração de segundo, tudo muda e você vira um insensível. Sério, por que você precisa falar comigo desse jeito?

Eric olha para mim. Vejo-o fechar os olhos e por fim ele me puxa para si. Me deixo abraçar.

— Desculpa, Jud. Você tem razão. Desculpa pelo meu tom.

Estou irritada.

Tento me soltar, mas ele não permite. Me pega no colo, me leva até o enorme boxe onde fica o chuveiro, me solta e diz enquanto a água nos molha:

— Vire de costas.

Percebo suas intenções e me nego, furiosa.

— Não!

Ele sorri. Inclina a cabeça e murmura, segurando-me de novo entre seus braços:

— Tudo bem.

Ao estar novamente suspensa no meio dos seus braços, com os pés sem tocar o chão, sinto seu pênis duro encostando nas minhas pernas. Olho para Eric, e ele aproxima seus lábios dos meus. Mas eu recuo rapidamente.

— O que você está fazendo?

— A cobra.

— A cobra? — ele repete, surpreso.

Sua expressão de desconcerto me faz rir. Minha irritação se dissipa.

— Na Espanha, dizemos "fazer a cobra" quando alguém vai te beijar e você se afasta — explico.

Isso o faz rir, e sua risada é irresistível. Instintivamente envolvo sua cintura com minhas pernas.

— Se eu te beijar, você vai me "fazer a cobra" de novo? — pergunta, sem se aproximar de mim.

Faço cara de pensativa, mas, quando sinto seu pênis duro, murmuro:

— Não... se você me foder.

Meu Deus! O que eu disse?!

Eu disse "foder"? Se meu pai me ouvisse, lavaria minha boca com sabão durante um mês inteiro.

Me sinto vulgar por soltar essa frase, mas esse sentimento logo desaparece quando vejo Eric sorrir e, com uma das mãos, segurar seu pênis e esfregá-lo na minha vagina. Perversa. Neste momento me sinto perversa. Malvada. Malvadinha. Me apoia contra a parede e eu me seguro a uma barra de metal.

— O que foi que você me pediu, pequena?

Meu peito sobe e desce de tão excitada que estou ao ver seu olhar. Então repito:

— Me fode!

Minhas palavras lhe agradam e o atiçam. Posso ver em seu olhar.

Ele gosta de usar esse verbo atiçar, fica mais excitado. Mais selvagem.

Sem camisinha e sem precauções, debaixo do jato do chuveiro sinto minha carne se abrindo quando ele enfia em mim seu pênis maravilhoso e molhado. Sim! É a primeira vez que sua pele e a minha se esfregam sem preservativo, e é uma delícia! Alucinante.

Meu frenesi aumenta. E, quando sinto seus testículos se esfregando contra mim, me agarro a seus ombros para marcar o movimento. Mas Eric, como sempre, não me deixa. Põe suas mãos na minha bunda, as aperta com força e, após me dar um leve tapa que me faz olhá-lo nos olhos, me move em busca de nosso prazer.

O som de nossos corpos se chocando, junto ao da água, me consome totalmente. Fecho os olhos e me deixo levar enquanto nossos gemidos ecoam no banheiro luxuoso.

— Olhe para mim — exige. — Se você gosta dos meus olhos, olhe para mim.

Abro os olhos e o encaro.

Vejo sua mandíbula tensionada, mas seu olhar azulado é o que me enfeitiça. O esforço que sinto em seu rosto e sua boca entreaberta me excita mais ainda. Então aumenta o ritmo das estocadas e eu grito e jogo a cabeça para trás.

— Olhe pra mim. Olhe pra mim sempre — volta a exigir.

Com os olhos vidrados pelo momento, me agarro com força em seus ombros e fixo os olhos nele. Me deixo guiar enquanto seu olhar diz muita coisa. Me pede aos gritos que eu goze. Quer meu orgasmo e, quando não consigo mais segurar, cravo as unhas nos seus ombros e solto um grito agoniado mas cheio de prazer.

— Isso... assim... goza pra mim.

Minha vagina se contrai e meus espasmos internos conseguem fazer o que quero. Dar prazer a ele. Vejo isso em seus olhos. Ele está gostando. Após uma estocada brutal, sai de dentro de mim e eu o escuto soltar o ar entre os dentes, enquanto morde meu ombro pelo esforço feito.

A água desliza pelos nossos corpos enquanto respiramos ofegantes. O que fizemos foi sexo em estado puro. E reconheço que gosto disso tanto quanto ele. Eric abre um pouco mais a água fria. Isso me faz gritar e, como duas crianças, começamos a brincar debaixo do chuveiro do hotel.

12

Uma hora depois, os dois deitados na cama, saboreamos os morangos. Para minha surpresa, junto aos morangos e ao champanhe, que já foi substituído por outra garrafa cheia, há um pote de chocolate derretido. Mergulhar o morango nesse chocolate e enfiá-lo na boca me faz revirar os olhos várias vezes.

Que delícia!

Minhas caras divertem Eric, que não para de sorrir. Vejo-o calmo e relaxado, e me tranquiliza perceber que ele está curtindo o momento. Ele gosta de limpar com sua boca os restinhos de morango e chocolate que ficam nos meus lábios. Esse contato suave se assemelha a um beijo doce. Algo que Eric nunca me deu. Seus beijos são sempre selvagens e possessivos.

Um ruído chama minha atenção. Seu notebook está ligado e ele acaba de receber uma mensagem.

— Você sempre deixa ligado? — pergunto.

Eric olha para o computador e faz que sim com a cabeça.

— Sempre. Preciso estar a par dos assuntos da empresa o tempo todo.

Levanta-se, checa o e-mail e, depois disso, volta para a cama. Enfio mais um morango na boca. Estão maravilhosos.

— Pelo visto, você adora chocolate.

— Sim. Você não?

Dá de ombros e não responde. Eu volto ao ataque.

— Não gosta de doce?

— Se for como você, sim.

Nós dois rimos.

— Você não tem doces em casa?

— Não.

— Por quê?

— Porque não sou louco por doces.

— Você vive sozinho na Alemanha?

Não responde.

Mas pela sua expressão me dou conta de que não gostou da pergunta.

Quero saber mais sobre Eric, se tem gato ou cachorro, qualquer coisa, mas ele não me deixa conhecê-lo. É só eu começar a falar de sua vida pessoal e ele se fecha por completo. Inquieta, olho ao redor e meus olhos se detêm na câmera de vídeo.

— Continua gravando?
— Sim.
— Posso saber o que há de interessante no que estamos fazendo agora para que precise ficar registrado?
— Ver você comendo morangos com chocolate. Acha isso pouco?

Rimos de novo, os dois.

— Posso ver o que foi gravado antes?

Eric balança a cabeça concordando.

— Pode. Só tem que ligar a câmera na tevê.

Nunca me filmei fazendo sexo, e a ideia de me ver pela primeira vez nessa situação me desperta certa curiosidade.

— O que acha de assistirmos agora? — proponho.

Eric toma um gole de champanhe e ergue a sobrancelha.

— Você quer?
— Quero.

Eric se levanta com decisão.

Tira um cabo de sua pasta, liga à câmera e à tevê e, com um pequeno controle remoto nas mãos, diz, sentando-se na cama para ficar ao meu lado:

— Preparada?
— Claro.

Aperta o botão e instantes depois me vejo na tela da tevê. Isso me diverte. Minha voz soa estranha, e a dele também. Mergulho mais um morango no chocolate e observo as imagens. Eric me faz tocar nos lenços e nós rimos. Depois enrubesço ao ver a cena seguinte. Eric no chão e eu totalmente extasiada com ele me chupando.

— Meu Deus, que vergonha!

Eric sorri. Beija meu pescoço.

— Por quê, linda? Não gostou desse momento?
— Gostei... claro que gostei. É só que...

Mas não consigo terminar a frase.

As imagens seguintes de Eric me amarrando à cabeceira da cama me deixam sem palavras. Ele aparece tapando meus olhos com o outro lenço e, depois, deslizando pelo meu corpo, brincando com meus mamilos e meu umbigo. Isso me estimula de novo. Eric continua descendo, até se deter no meu sexo. Ele o saboreia e eu vejo como me entrego. Desce mais um pouco e, enchendo-me de beijos, chega até meus tornozelos.

Inebriada pelas imagens, sorrio.

Não consigo deixar de olhar para a tevê quando vejo na tela que Eric se levanta. Eu sigo deitada na cama, amarrada e com os olhos vendados, e ele caminha até o aparelho de som e aumenta o volume. Instantes depois, a porta do quarto se abre. Pisco os olhos.

Entra uma mulher loura de cabelos curtos e anda diretamente até a cama onde eu continuo amarrada. Quase não respiro. Eric a segue. A mulher está vestida com uma espécie de camisola preta. Eric chupa um de seus mamilos, e ela lhe entrega algo metálico. Depois, pega as luvas que estão sobre a cama e as veste.

— O que...? — tento balbuciar, mas me falta ar.

Eric não me deixa falar.

Encosta um dedo sobre meus lábios e me obriga a olhar para a televisão.

Totalmente paralisada, observo como a mulher, após colocar as luvas, sobe na cama enquanto Eric nos observa de pé. A mulher abre minhas pernas e pousa sua boca em minha vagina. Estou prestes a explodir de indignação.

O que está fazendo comigo?

Não consigo falar nada, apenas me observar me contorcendo na cama e gemendo enquanto aquela desconhecida brinca com meu corpo e eu ali. De vez em quando abre minhas pernas e eu curvo minhas costas, incitando-a a continuar, e ela obedece. Eric se delicia.

Instantes depois, ele entrega à mulher o objeto que estava segurando. Agora vejo que aquilo que senti como duro, frio e suave dentro de mim era um vibrador metálico. A mulher o enfia na boca, o chupa e depois introduz em mim. Solto um gemido. Gosto disso, e a mulher volta a enfiá-lo e a retirá-lo com delicadeza enquanto seu dedo sob a luva passeia pelo meu ânus.

Pouco depois, Eric lhe pede o brinquedo sem dizer nada, e ela o entrega a ele. Eric lhe aponta minha vagina novamente enquanto se masturba. Ela obedece e volta a encostar sobre mim primeiro suas mãos, depois sua boca ardente. Estou enlouquecida. Abro minhas pernas e me elevo em sua busca enquanto ela, com suas mãos enluvadas, segura minhas coxas e me devora com autêntica devoção.

Instantes depois, Eric toca em seu ombro. Ela se levanta. Retira as luvas e as deixa sobre a cama. Eric a beija na boca e, antes que a mulher vá embora, diz:

— Adoro seu sabor.

Sigo em estado de choque pelo que vejo, enquanto observo Eric se meter entre minhas pernas e, após trocar umas palavras comigo, colocar uma camisinha e me beijar. Me faz abrir as pernas e eu o vejo me penetrando e eu me contorcendo. Me possui sem parar e eu grito de prazer.

Quando já não consigo mais olhar para a tela, o observo com a respiração entrecortada. Estou furiosa, excitada, irritada e com vontade de matá-lo. Não sei o que pensar. Não sei o que dizer, até que pergunto:

— Por que você permitiu isso?

— O quê, Jud?

Me levanto da cama.

— Uma mulher! — grito. — Uma desconhecida... ela... ela...

— Você disse que aceitava tudo menos sado, lembra?

A cada instante me sinto mais desconcertada. Olho para ele e digo, num gemido:

— Mas... mas tudo entre mim e você... não entre...

— Tudo menos sado... Você permitiu tudo, pequena.

— Eu nunca te disse que queria transar com outra mulher.

Eric olha para mim, se recosta na cama e responde de um jeito petulante:

— Eu sei...

— Então?

— Eu nunca disse que não queria que você fizesse sexo com uma mulher. E foi delicioso e espero repetir. Só brincamos um pouco, pequena. Não sei por que você fica assim — insiste.

— Brincar? Você chama isso de brincar? Para mim, brincar é fazermos só nós dois, mesmo que seja com esses brinquedinhos que você curte, mas... Você disse "repetir"?

— Sim.

— Então será com outra, meu querido, porque, comigo, sem chance! Cara! Você a beijou e em seguida me beijou. Que nojo!

Eric não se move. Sua atitude mudou e ele recobrou a seriedade.

— Jud... minhas brincadeiras são assim. Pensei que você já soubesse. Nas vezes que saímos juntos, deixei bem claro que é disso que eu gosto. No escritório, quando vimos sua chefe e seu colega, te dei a primeira pista. No Moroccio, na noite em que te convidei para jantar, te dei a segunda. Na tua casa, quando te ensinei a usar os vibradores, dei a terceira. Te considero uma mulher inteligente e...

— Mas... isso é depravação. Sexo é um jogo entre duas pessoas. E o que você faz...

— O que eu faço é sexo. E minha forma de ver o sexo não é depravada — diz, levantando a voz. — Claro que é um jogo entre duas pessoas. Sempre

tive consciência disso e por isso te perguntei se você aceitava tudo, não perguntei?

Me olha à espera de uma resposta. Faço que sim com a cabeça.

— Você disse que sim. Me lembro muito bem. O sexo convencional me entedia. A você não? — Fico em silêncio. Não tenho vontade de responder. — O sexo é um jogo, Jud. Um jogo que admite loucuras, sensações e tudo o que você quiser incluir. Gosto de te dar prazer. Seu prazer é meu deleite e, quando te vejo cheia de tesão, fico louco. E me irrito ao ouvir você dizer que o que eu faço é coisa de depravado. Isso me incomoda muito. Seus convencionalismos de menina e sua falta de bom sexo é o que faz com que...

— Minha falta de bom sexo? — grito furiosa, enquanto tiro o roupão. — Pra sua informação, o sexo que fiz durante todos esses anos foi maravilhoso! Os homens com quem estive me fizeram aproveitar tanto ou mais do que você.

— Duvido — diz, rindo com frieza.

— Convencido!

Aperto os punhos, louca para lhe dar um tapa.

— Olha, Jud. Não duvido que suas experiências com outros homens tenham sido satisfatórias. Só digo que nunca serão como as que você teve comigo. Mas... porra! Se até quando disse "Me fode!" você ficou vermelha.

— Dizer isso é vulgar. Grotesco.

— Não, pequena. Não é nada disso. Simplesmente foi a atração pelo proibido tomando conta de você. A excitação faz as pessoas se comportarem de forma desinibida em certas ocasiões. A atração pelo proibido é o que faz você querer ver outra mulher e outro homem devorando o corpo de sua mulher enquanto você olha ou participa. Você, no chuveiro, foi seduzida pelo proibido. Disse o que queria. Pediu que eu te fodesse porque era isso que você desejava.

— Não quero mais ouvir.

— Querendo ou não, você é como a grande maioria da humanidade. O problema é que essa humanidade se divide entre os que, como eu, não se conformam com os convencionalismos e desfrutam do sexo com naturalidade e sem tabu, e os que veem o sexo como um pecado. Para muitos, a palavra "sexo" é tabu! Perigo! Para mim, a palavra "sexo" é diversão! Gozo! Excitação! E o que mais me incomoda em suas palavras é que sei que você gostou da experiência. Você gostou de sentir o vibrador, gostou da mulher entre suas pernas, gostou inclusive de dizer a palavra "foder". O problema é que você nega isso. Você engana a si mesma.

Indignada, não respondo. Ele tem razão, mas não quero admitir. Nem morta.

Sem olhar diretamente para ele, visto a calcinha e o sutiã. Quero sumir daqui. Desta suíte. Deste hotel e da vida desse homem. Estirado na cama, Eric me observa, sem se mexer, como um deus todo-poderoso. Procuro minha calça e minha blusa e, quando estou completamente vestida, fico parada no meio do quarto.

— Não podemos mudar nada do que vivemos. Mas, a partir de agora, você volta a ser o senhor Zimmerman e eu sou a senhorita Flores. Por favor, quero recuperar minha vida normal, e pra isso o senhor deve ficar longe de mim.

Dito isso, me viro e vou embora.

Preciso desaparecer daqui e esquecer o que houve entre nós.

13

No domingo estou exausta.

Quero esquecer Eric, mas os músculos da minha vagina ainda estão doendo pelas investidas maravilhosas, e o tempo todo isso me faz lembrar o que ocorreu na véspera. Acho horrível. Ainda não consigo aceitar que uma mulher fez sexo oral comigo na frente dele.

Às 11h15 me levanto e a primeira coisa que faço é falar com meu pai. Faço isso todo domingo de manhã. Além do quê, hoje é a final da Eurocopa e imagino que ele deve estar ansioso. Se alguém gosta de esporte, esse alguém é meu pai. O telefone toca duas vezes e eu escuto:

— Oi, moreninha.

— Oi, pai.

Conversamos uns dez minutos sobre Trampo e a Eurocopa, e meu pai muda de assunto.

— Você está bem, querida? Estou te achando desanimada.

— Estou bem, pai. Só estou cansada. É isso.

— Moreninha — ele tenta me alegrar —, faltam duas semanas para você entrar de férias, né?

Tem razão. Minhas férias começam em 15 de julho e lembrar isso me deixa alegre.

— Exatamente, pai. Mas é que falta tão pouco que acabo ficando ansiosa.

Escuto um risinho. Isso me faz feliz. Papai ficou muito mal quando mamãe morreu, há dois anos, e sentir que agora ele está bem me reconforta.

— Você vem passar uns dias aqui em casa? Já sabe que aqui na cidade está fazendo calor, mas montei a piscina para que vocês aproveitem quando vierem.

— Claro, pai. Com certeza.

— Ah... outro dia, eu, o Lucena e o Bicho fizemos a inscrição para a corrida de Puerto Real. Vamos arrasar!

Ao pensar nisso, me animo. Meu pai e seus dois melhores amigos fazem questão de que a gente participe desse evento todo ano, e não quero nem posso recusar. É algo que fazemos desde que eu era pequena. Passam o ano inteiro falando disso e, quando chegamos a Jerez no verão, eles ficam superempolgados.

— Ótimo, pai. Estaremos lá.

— Aliás, ontem falei com sua irmã.

— E aí?

— Não sei, filha. Ela me pareceu muito desanimada. Você sabe o que está acontecendo?

Fingindo-me de desentendida, respondo:

— Que eu saiba nada, pai. Você sabe como ela é exagerada com tudo. — E, tentando mudar de assunto, digo: — Onde você vai ver o jogo hoje?

— Em casa, e você?

— Marquei com Azu e uns amigos num bar. — Sorrio ao pensar nisso.

— Algum amigo especial, moreninha?

— Não, pai. Nenhum.

— Ah, que ótimo, filha. Fico mais tranquilo, então. Porque eu detestaria outro namorado como aquele que você teve com piercing no nariz e na sobrancelha.

— Paaaaaaaiii... — digo, caindo na gargalhada.

Ainda me divirto quando lembro o jeito como meu pai olhou para Lolo, um ex, quando o conheceu. Meu pai é muito tradicional para um monte de coisas, sobretudo em se tratando dos namorados das filhas. Consigo mudar de assunto e por fim voltamos ao futebol.

— Então, filha, marquei um churrasco no quintal. Como você pode imaginar, virão os amigos de sempre e vamos torcer aos gritos. Aliás, o Bicho me contou que o Fernando vai chegar em breve a Jerez. Ah, e acho que hoje está por Madri e vai te visitar.

Voltamos ao velho assunto "Fernando"!

Meu pai e o Bicho estão a vida inteira tentando fazer com que Fernando e eu viremos namorados sérios. Perdi a virgindade com Fernando quando eu tinha 18 anos. Foi minha primeira relação com um homem e, sempre que lembro, isso me faz sorrir. Como eu estava nervosa e como ele foi atencioso. É dócil e tranquilo na cama e, embora eu goste de transar com ele, já estive com outros homens que me satisfizeram mais.

Após falarmos um pouco sobre Fernando, seu trabalho maravilhoso como policial em Valência e o rapaz excelente que ele é, mudo de assunto e volto ao futebol. Meu pai se empolga com esse tema e eu também gosto. Adoro imaginar meu pai com os amigos da vida toda cantando "Eu sou... espanhol... espanhol... espanhol".

Cinco minutos depois, me despeço e desligo. Olho para Trampo, estirado no chão, e o levo para o sofá. Respira com dificuldade, e isso me parte o coração. Há dois meses, o veterinário me disse que sua vida estava se apagando e que, a cada dia que passa, um pouco dela se vai. Está velhinho e, apesar da medicação, não há quase nada que possa ser feito por ele, a não ser dar carinho e amá-lo muito.

Meu telefone apita. Uma mensagem. Fernando!

"Estou em Madri. Passo pra te pegar e vemos o jogo juntos?"

Respondo com um "combinado!" e me atiro na poltrona.

Por volta das 14h30, decido esquentar no micro-ondas uma tigela de arroz branco e salsichas. Não estou a fim de cozinhar. Depois de almoçar, me jogo na poltrona de novo e adormeço, até que sou acordada pelo toque do celular. Minha irmã.

— Oi, maninha, o que está fazendo?

Me espreguiço e respondo:

— Dormindo, mas você me acordou.

— Saiu ontem à noite?

Ao pensar no dia anterior, respondo.

— Saí, sim.

— Com quem?

— Você não conhece.

— Algo sério? — pergunta, curiosa.

Escuto um risinho.

— Não. Nada importante — respondo, movendo a cabeça.

Fico pendurada com ela no telefone durante meia hora. Que mala é a Raquel. Não passamos dois dias sem nos falar. Eu sou mais desapegada. Menos mau que ela sempre faça questão de manter contato, porque, se dependesse de mim, eu já teria perdido a irmã. Como sempre, a conversa dela gira em torno da sua desastrosa vida conjugal. Quando finalmente desligo, Trampo continua no sofá. Não se mexeu. Me aproximo dele e seus olhos me encaram. Beijo sua cabecinha e sinto vontade de chorar. Mas, após engolir as lágrimas, lhe digo coisas carinhosas e levanto para pegar uma Coca. Estou precisando.

Quando volto para a sala, ligo o laptop e entro no Facebook. Em seguida puxo conversa com alguns amigos virtuais e damos umas risadas. A caixa de e-mails está piscando e decido checá-los. Quinze mensagens. Várias são de amigos e amigas propondo viagens para o verão. Mas logo vejo um remetente que me deixa atônita. Eric.

Como descobriu meu e-mail particular?

De: Eric Zimmerman
Data: 1 de julho de 2012 04:23
Para: Judith Flores
Assunto: Confirmação de proposta
Cara senhorita Flores,
   Sinto muito se minha companhia, e tudo o que isso envolve, lhe desagradou há algumas horas. Mas devemos ser profissionais, de modo que eu gostaria de lembrá-la de que preciso de uma resposta sua em relação à proposta que lhe fiz.
   Atenciosamente,
   Eric Zimmerman

Boquiaberta, leio a mensagem outra vez. Que cara de pau...!
Estou prestes a dar um "Delete" e apagar definitivamente a mensagem. Mas meu jeito impulsivo me faz responder:

De: Judith Flores
Data: 1 de julho de 2012 16:30
Para: Eric Zimmerman
Assunto: Re: Confirmação de proposta
Caro senhor Zimmerman,
   Como o senhor disse, sejamos profissionais. Minha resposta à sua oferta é NÃO.
   Atenciosamente,
   Judith Flores

Envio a mensagem, e um estranho prazer se apodera de mim.
Mandei bem!
Mas, segundos depois, o prazer desaparece para dar lugar a uma dor de estômago quando vejo sua resposta chegar imediatamente.

De: Eric Zimmerman
Data: 1 de julho de 2012 16:31
Para: Judith Flores
Assunto: Seja profissional e pense nisso.

Cara senhorita Flores,

Às vezes não é bom se precipitar. Pense nisso. Minha oferta estará de pé até terça-feira. Desejo-lhe bom domingo e que a seleção de seu país ganhe a Eurocopa.

Atenciosamente,

Eric Zimmerman

Paralisada, fico olhando para a tela.

Por que ele não consegue aceitar minha decisão?

Sinto vontade de escrever um e-mail superdesaforado, mas me recuso. Não vale a pena continuar me explicando a alguém que me considera mero objeto sexual.

Irritada, fecho o notebook e decido pôr umas roupas na máquina de lavar.

Ao tirar do cesto a roupa suja, deparo com a calcinha rasgada que Eric arrancou. Fecho os olhos e suspiro. Meu coração bate acelerado com a lembrança do que fizemos no meu quarto.

Abro os olhos, levanto e vou até o quarto. Dou uma volta em torno da cama e abro a gaveta. Lá estão os presentes que Eric me deu: os vibradores. Olho para eles durante alguns segundos e fecho a gaveta com força. Volto para a máquina de lavar. Abro e começo a colocar a roupa ali dentro. Despejo sabão em pó e amaciante, e aciono o programa de lavagem.

A lavadora começa a funcionar e dez minutos depois eu continuo olhando o tambor da roupa dando voltas tão depressa quanto minha cabeça. Minha respiração se acelera e eu grito de frustração:

— Te odeio, Eric Zimmerman.

Volto pro meu quarto. Torno a abrir a gaveta e olho para o vibrador com controle remoto que ele usou comigo.

Meu corpo me implora para que eu brinque de novo com esse aparelhinho.

Me recuso a ceder à tentação!

Até eu usei a palavra "brincar". Por fim, incapaz de tirar Eric da minha cabeça, e muito menos do meu sexo, tiro a calça e a calcinha e sento na cama com o vibrador nas mãos.

Mexo no controle, ligo a potência 1 e a vibração começa.

Depois a 2, a 3, a 4 e a máxima de 5.

Movo o vibrador em minhas mãos enquanto minha vagina e principalmente meu clitóris imploram para receber o toque do aparelho. Deito na cama.

Desligo o vibrador e fico me roçando nele. Estou tão molhada que me surpreendo. Eric!

O pequeno vibrador desliza em mim. Estou úmida e com as pernas abertas. Pronta para recebê-lo. Ligo a potência 1. A vibração começa e eu fecho os olhos. Aumento para a 2. Com meus dedos, abro os lábios vaginais e deixo que o aparelho massageie a área ao redor do clitóris. Um calor irresistível toma conta de mim e eu começo a gemer. Retiro o vibrador e junto os joelhos. Estou ardendo de desejo. Mas quero mais. Eric!

Separo de novo as pernas. Ligo o vibrador na potência 3 e o coloco bem na região em que o prazer está prestes a explodir. Penso em Eric. Em seus olhos. Em sua boca. No jeito como me toca. Volto a fechar os olhos e penso na gravação a que assisti. Me excita lembrar a expressão de seu rosto, seu gesto, enquanto aquela mulher me possuía. Pensar de novo no que senti naquela tarde faz minha respiração acelerar. Aquilo foi a coisa mais insana que já me aconteceu na vida. Eu, de pernas abertas em uma cama, enquanto uma desconhecida me chupava, eu me oferecendo toda e ele me olhando. Eric!

Estou ardendo de desejo. Muito desejo. Coloco o vibrador na potência 4. O calor fica insuportável. A vontade incontrolável de gozar começa a aflorar dentro de mim. O ardor vai subindo pelo meu corpo enquanto sinto que vou explodir e minha cabeça imagina todo tipo de brincadeira com ele. Eric!

Fico me contorcendo na cama. Chego ao clímax e ouço meus próprios gemidos. Combustão. Suspiro aliviada e me convulsiono na cama. Abro os olhos, enquanto o calor vai se apoderando de mim, e sinto o pequeno vibrador encharcando meus dedos. Fecho as pernas com força e me deixo levar pelo momento. Ao mesmo tempo, sinto milhares de sensações novas e todas maravilhosas. Calor. Excitação. Fervor. Entusiasmo. Só falta Eric!

Cinco minutos depois e com a respiração normalizada, me sento na cama. Olho com curiosidade aquele aparelhinho e sorrio. Ainda que eu nunca vá admitir, pensei nele. Em Eric!

Às sete e meia, Fernando chega à minha casa. Como sempre, está feliz e sorridente. Dá um selinho nos meus lábios e eu permito. É um amor. Às oito, chegamos ao barzinho onde marquei com meus amigos de ver a final Espanha-Itália. Temos que ganhar. O grupo se junta à gente, e eu começo a cantar e a me divertir como uma louca com minha bandeira da seleção espanhola no pescoço e as cores vermelho-amarelo-vermelho pintadas no meu rosto.

Aparece Nacho, um amigo tatuador. É meu confidente. Temos uma amizade muito especial e contamos tudo um ao outro. Quando vê Fernando, Nacho ri. Sabe da relação que tenho com ele e acha isso tudo engraçado. Não entende como Fernando ainda corre atrás de mim depois de todos os foras que já dei a ele.

Às 20h45, a partida começa. Estamos nervosos. O título está em jogo. Vamos, Espanha!

Aos 14 minutos do primeiro tempo, Silva mete um golaço que nos faz pular de emoção. Fernando me abraça e eu o abraço. Estamos felizes. A Itália reage mas Jordi Alba, aos 41, mete outro golaço que nos faz gritar enlouquecidos. Fernando me beija no pescoço e eu, feliz, permito. Chega o intervalo, e Fernando me segura pela cintura.

O segundo tempo começa e eu grito para que coloquem Torres.

Coloquem *El Niño*!

E, quando vejo que o técnico Del Bosque o chama para o campo, grito, aplaudo e pulo feliz da vida! Fernando aproveita a situação e me puxa para sentar no seu colo. Eu me deixo guiar por ele. Mas minha alegria se completa quando, na segunda metade do segundo tempo, Torres, meu querido Torres, faz o terceiro gol.

Isso, garoto! Isso...!

Fernando, ao me ver tão envolvida com o jogo, me aperta entre seus braços e, de felicidade, me rouba um demorado beijo de vitória. Depois me solta e, quando, nos minutos finais, Mata faz um golaço após um passe do meu Torres, quase morro de alegria! E desta vez sou eu quem se lança em seus braços e o beija com fúria espanhola.

Quando a partida termina, meus amigos e eu brindamos ao título. Fernando não desgruda e, num momento de confusão, entramos no banheiro masculino. Por alguns minutos deixo que me beije e me toque. Preciso disso. Suas mãos percorrem meu corpo e, caramba!, não consigo tirar meu chefe da cabeça. De repente, Fernando não existe. Só Eric!

Gostaria que ele fosse possessivo e provocativo, mas Fernando é tudo menos isso. No fim das contas, consigo tirá-lo do banheiro sem terminarmos o que estávamos fazendo. Está irritado, mas nem assim ele me deixa excitada. Quando me chama pra ir a seu hotel e recuso o convite, ele vai embora e, sinceramente, fico aliviada com isso. Ao chegar em casa, por volta das três da manhã, me jogo na cama e sorrio ao pensar que somos campeões!

Eu me nego a pensar em qualquer outra coisa.

14

Às sete e meia da manhã de segunda-feira, estou de pé. Trampo está calmo. Dou seu remédio e sua comida. Em seguida entro no chuveiro. Dez minutos depois, saio, me visto e ponho maquiagem.

Às oito e meia, chego ao escritório. No elevador esbarro em Miguel e nos damos parabéns pelo título da Eurocopa. Estamos emocionados. Falamos sobre nosso fim de semana e, como sempre, terminamos em gargalhadas. Subimos até a cafeteria e ali trocamos abraços com outros colegas pela vitória de ontem.

Depois nos sentamos para tomar o café da manhã. Dez minutos depois, o biscoitinho que eu segurava cai das minhas mãos, quando vejo Eric entrar com minha chefe e outros dois diretores.

Está incrível em seu terno escuro e sua camisa clara. Sua expressão séria indica que está falando de trabalho, mas, quando chegam ao balcão e pedem seus cafés, ele me vê. Eu continuo falando, aproveitando a companhia dos meus colegas, ainda que, olhando de canto de olho, eu consiga vê-los sentando-se numa mesa afastada da nossa. Eric se acomoda na cadeira que fica diante de mim. Me olha e eu o olho de volta. Nossos olhares se encontram durante uma fração de segundo e, como era de se esperar, meu corpo reage.

— Que saco! Os chefes já chegaram — diz Miguel. — Aliás, me disseram que outro dia você e o novo chefão ficaram presos no elevador.

— Pois é. Nós e algumas outras pessoas — respondo sem muita vontade. Mas, interessada em saber mais sobre o chefão, pergunto: — Vem cá, você que era secretário do pai dele, ele morreu de quê?

Miguel olha com curiosidade na direção da mesa do fundo.

— Na verdade ele era um homem estranho e muito calado. Morreu de ataque cardíaco. — E, ao ver minha chefe rir, sussurra: — Pelo visto, nossa chefe gosta do novo chefão. É só ver como ela ri e mexe no cabelo.

Sem conseguir evitar, olho para a mesa dele e, de novo, meus olhos cruzam com o olhar gélido de Eric.

— O senhor Zimmerman tinha outros filhos?

— Sim. Mas só o Iceman está vivo.

— Iceman?!

Miguel ri e cochicha:

— Eric Zimmerman é o Iceman. O homem de gelo. Não reparou na cara emburrada que ele tem? — Isso me faz rir e Miguel acrescenta: — Pelo que a chefe me disse, ele é duro na queda. Pior que o pai.

Não me admira que seja assim. Dizem que a cara é o espelho da alma, e a cara de Eric é de desespero contínuo. Mas o apelidinho me agradou. Ainda assim, quero saber:

— Por que você disse que ele é o único que está vivo?

— Tinha uma irmã, mas morreu há uns dois anos.

— O que houve com ela?

— Não sei, Judith... O senhor Zimmerman nunca falava disso. Só sei que morreu porque um dia ele me disse que tinha que ir à Alemanha para o enterro da filha.

Saber disso me dá pena. Duas mortes em tão curto espaço de tempo deve ser muito doloroso.

— O senhor Zimmerman estava separado da mulher — continua Miguel. — Iceman e ele não tinham uma boa relação, por isso o novo chefão nunca vinha à Espanha.

Esses novos dados me inquietam. Quero saber mais, então pergunto:

— E por que não tinham boa relação?

— Não sei, lindinha — responde Miguel, enquanto ajeita uma mecha de cabelo atrás da minha orelha. — O senhor Zimmerman era muito reservado em relação à vida particular dele. Aliás, quando você vai sair comigo?

Escutar isso me faz sorrir. Apoio os cotovelos sobre a mesa e, com minha cabeça entre as mãos, respondo, encarando-o:

— Acho que nunca. Não gosto de misturar trabalho e prazer.

Minha resposta carregada de uma ironia que ele não entende me diverte. Miguel chega mais perto e murmura:

— Quando você fala em prazer, a que tipo se refere?

Sem me mover um milímetro sequer, respondo:

— Deixa eu te explicar, seu metido. Você é o docinho que todas as garotas do escritório gostariam de comer e eu sou uma mulher muito ciumenta e não gosto de compartilhar. Então, vá procurar outra, porque comigo você não tem a menor chance.

— Hummmmm... Adoro as difíceis!

Seu comentário me faz soltar uma gargalhada, e em seguida Miguel faz o mesmo. De repente, vejo Eric se levantar e sair da cafeteria. Enfim respiro. Não tê-lo por perto é um alívio para mim. Dez minutos depois, meu colega e eu voltamos pros nossos lugares.

Quando chego à minha mesa, vejo que a porta da sala do chefão está aberta. Droga. Não quero vê-lo. Sento e de repente o celular apita e eu leio: "Paquerando em horário de trabalho?"

Isso me incomoda, mas acabo sorrindo.

No fundo, o humor de Eric me diverte. Não pretendo responder, mas, como sempre faço quando estou nervosa, começo a coçar o pescoço. Meu celular apita novamente e eu leio: "Pare de se coçar, senão as brotoejas vão aumentar."

Ele está me observando. Olho na direção da sua sala e o vejo sentado na mesa que foi do pai. Sente-se poderoso. Está me provocando, mas não vou cair no seu jogo. Aperto os olhos, irritada. Faço uma cara de poucos amigos e, surpreendentemente, ele curva os lábios enquanto segura uma risada.

De repente minha chefe aparece e diz, atrapalhando nosso campo de visão:

— Judith, se alguém me ligar, passe a ligação para a sala do senhor Zimmerman.

Sem abrir a boca, concordo com a cabeça. Minha chefe, rebolando os quadris, entra na sala de Eric e fecha a porta. Começo a trabalhar e, no meio da manhã, a porta da sala se abre. Vejo minha chefe sair com uma pasta nas mãos.

— Judith — diz. — Vou me ausentar do escritório por uma hora. Se o senhor Zimmerman precisar de qualquer coisa, resolva pra ele. — Logo se vira para Miguel e acrescenta: — Venha comigo.

Meu colega sorri e eu também. Ai, ai...!

Se eles soubessem que estou sabendo de tudo...

Quando somem da sala, o telefone interno toca. Me irrito ao saber que é ele. Acabo atendendo.

— Senhorita Flores, pode vir aqui na minha sala, por favor?

Fico tentada a dizer que não. Mas isso não seria profissional e eu, antes de tudo, sou uma profissional.

— Agora mesmo, senhor Zimmerman.

Levanto, entro na sala dele e pergunto:

— O que deseja, senhor Zimmerman?

Vejo que apoia a cabeça no encosto alto da cadeira de couro preta.

— Feche a porta, por favor — responde, olhando para mim.

Suspiro e sinto que minha pele começa a arder. Meu maldito pescoço vai me denunciar e isso me incomoda. Mas obedeço e fecho a porta.

— Parabéns. Vocês ganharam a Eurocopa!

— Obrigada, senhor.

O silêncio entre nós dois fica insuportável.

— A noite foi boa? — acrescenta.

Não respondo.

— Quem era o cara que você beijou e com quem passou 17 minutos dentro do banheiro masculino? — pergunta.

Boquiaberta, continuo olhando para ele.

— Te fiz uma pergunta — insiste. — Quem era?

Enfurecida com o que acabo de ouvir, sinto vontade de pegar a caneta que está comigo e enfiar no crânio dele, mas a seguro com força e respondo, enquanto contenho meus impulsos assassinos:

— Isso não lhe diz respeito, senhor Zimmerman.

Inacreditável. Ele estava me espionando? Me sinto invadida.

— O que há entre você e o namoradinho da sua chefe? — prossegue.

Olha a que ponto chegamos! Pisco os olhos e respondo:

— Veja bem, senhor Zimmerman, não quero ser desagradável, mas nada do que o senhor me pergunta é da sua conta. Então, se o senhor não deseja mais nada, voltarei à minha mesa.

Irritada e sem lhe dar tempo de dizer qualquer coisa, saio da sala e bato a porta. Quem ele pensa que é? Assim que me sento, o telefone interno toca outra vez. Reclamo mas atendo.

— Senhorita Flores, venha à minha sala. Já!

Sua voz soa enfurecida, mas eu também estou assim. Desligo e, contrariada, entro de novo disposta a mandá-lo à merda.

— Traga-me um cafezinho.

Saio da sala. Vou à cafeteria e, quando volto, deixo o café em cima da mesa.

— Não tomo com açúcar. Traga adoçante.

Repito o percurso, xingando todas as gerações da família de Eric, e, quando volto com o maldito adoçante, entrego a ele.

— Coloque meio envelopinho no café e mexa.

Como assim? Ele quer que eu misture seu maldito café?

Aquela ordem me deixa indignada. Ele não para de me olhar, e a sua expressão de superioridade me tira do sério. Que alemão idiota! Sinto vontade de jogar o café na cara dele, mandá-lo plantar batata, mas no fim das contas faço o que ele pede sem contestar. Quando termino, deixo o café na sua frente e me viro para sair da sala.

— Não saia, senhorita Flores.

Escuto-o levantar-se. Volto para olhar para Eric.

Suas sobrancelhas estão franzidas. As minhas também. Ele está furioso. Eu também.

Rodeia a mesa. Senta-se apoiado nela com os braços cruzados e as pernas abertas. Sua atitude me intimida. Nossa distância diminuiu. Isso me deixa nervosa.

— Jud...

— Para o senhor sou a senhorita Flores, se o senhor não se importa.

Ele me olha com sua costumeira cara de mau humor e eu sinto que o ar está tão pesado, que poderia ser cortado com uma faca. Que tensão!

— Senhorita Flores, aproxime-se.

— Não.

— Aproxime-se.

— O que o senhor quer? — pergunto.

Sem alterar sua expressão dura, murmura entredentes:

— Aproxime-se, por favor.

Respiro fundo para que veja meu estado de ânimo e dou um passo adiante.

Seu olhar duro exige que eu me aproxime mais um pouco, mas não me deixo amedrontar.

— Senhor Zimmerman, não vou chegar mais perto. Pode me demitir se isso o faz se sentir o Rei do Universo. Mas não vou me aproximar mais do senhor. E, de quebra, ainda vou denunciá-lo por assédio.

Afasta-se da mesa. Dá dois passos na minha direção e eu dou um passo para trás. Ele solta o ar bufando. Pega meu braço, me puxa e abre as portas do arquivo. Me empurra para dentro e, uma vez protegidos pela privacidade que o lugar nos dá, pega minha cabeça com as mãos, me atrai para si e me beija com voracidade.

Desta vez não fica roçando de leve sua língua em meu lábio superior. Não me pede permissão. Apenas me puxa para si e me beija. Me empurra contra os arquivos e, quando sente que meu corpo não pode recuar, abandona meus lábios.

— Quase não dormi pensando em você e no que você fazia com aquele cara ontem à noite.

Surpresa com o que ele disse, respondo com um fio de voz:

— Não fiz nada.

Eric aperta seus quadris contra mim e eu sinto sua ereção.

— Te agarrava pela cintura. Não parava de olhar pro teu corpo. Você deixou ele te beijar e entrou com ele no banheiro masculino. Como pode dizer que não fez nada?

Enlouquecida pelo que ele está me fazendo sentir com suas palavras e sua proximidade, respondo:

— Faço o que bem entender com minha vida e meu corpo, senhor Zimmerman.

Dou um empurrão nele e o afasto de mim.

— Não sou uma dessas bonequinhas às quais suponho que o senhor esteja acostumado a dar ordens. Não toque em mim de novo ou...

— Ou?! — pergunta com voz rouca.

— Ou sou capaz de qualquer coisa — respondo.

Seu rosto está tenso e, aproximando-se de mim outra vez, ele sussurra:

— Jud, você me deseja tanto quanto eu te desejo. Não negue isso. — Não respondo. Não consigo. Sua proximidade me desperta mil sensações.

Meus olhos faíscam. Não sei se é indignação, desejo ou o quê. A questão é que faíscam enquanto aquele gigante com cara de mau está me encarando.

— Não estou a fim de...

— De sado? Isso eu sei, pequena.

Sua resposta me pega tão de surpresa que nem sei o que responder. Seu olhar me paralisa.

— Está ficando nervosa?

Ele volta a me desconcertar. Como pode lembrar aquilo que lhe expliquei no elevador? Toco o pescoço. Estou a ponto de dizer alguma das minhas grosserias, quando vejo que ele faz uma careta.

— Não se coce, Jud.

Sem dar tempo de eu me mexer, se abaixa e sopra meu pescoço. Fecho os olhos. Minha indignação diminui de intensidade. Ele quis isso e conseguiu.

— Desculpa por ter te deixado nervosa — sussurra de repente em meu ouvido. — Desculpa, pequena.

Seu poder é imenso e ele já me tem na palma da mão. Sou uma fraca!

Me beija. Desta vez com sofreguidão. Está me sabotando.

Meus pensamentos se apagam e tudo o que eu quero é beijá-lo e permito que me beije.

O que está acontecendo comigo?

Quero me conter, mas não posso. Nunca fui brinquedinho de nenhum homem, mas ele consegue me controlar. Eu o desejo com a mesma intensidade com que preciso do ar que respiro e isso me assusta. O tesão por esse homem me queima a vagina, a pele, e sinto minha calcinha ficar molhada, e a única coisa que quero agora é que ele tire minha roupa e me possua.

Cravo meus olhos nele. Sua cara séria e arrogante me enfeitiça. Me deixa louca. É tão sexy e avassalador que não consigo recusar qualquer coisa que ele exija de mim. Nunca havia me sentido assim antes e acho que não posso fazer nada para evitar isso. Desabotoa minha calça. Enfia sua mão com rapidez dentro da calcinha.

— Você está molhada pra mim — sussurra.

O que vai fazer? Vai tirar minha roupa no meio do arquivo?

Mas não. Enfia a mão ainda mais fundo e sinto um de seus dedos mergulhando em meu interior e, segundos depois, mais um. Me segura pelo cabelo, me puxa, e minha cabeça se ergue. Me beija de novo com impaciência, enquanto me faz abrir as pernas com sua perna, e seus dedos entram e saem de mim algumas vezes. Com sua boca sobre a minha, reprimo meus gemidos e sei que o clímax está próximo.

— Goza pra mim, Jud.

Meu corpo volta a reagir às suas palavras.

O prazer que está me dando me faz querer mais. O brilho sensual de seu olhar me deixa louca e me faz desejar que tire minha roupa, me jogue no chão e me coma. Mordo o lábio. Se não fizer isso, vou gritar e o escritório inteiro virá até aqui para saber o que está acontecendo.

— Vamos, Jud, se entregue.

Tensiono as costas e dobro as pernas enquanto me deixo dominar por ele com prazer. Quero seus dedos ainda mais dentro de mim e, quando acho que vou explodir, eu o beijo de novo para lançar novamente meu gemido em sua boca, enquanto sinto minhas coxas se contraindo com suas carícias e percebo que estou cada vez mais molhada. Pouco a pouco ele para e, quando retira seus dedos de dentro de mim, quero protestar. Ele se dá conta disso. Volta a segurar minha cabeça entre as mãos.

— Você me deve um orgasmo, pequena.

Não consigo responder.

Só o que faço é abrir a boca e entrelaçar sua língua na minha. Me delicio com seu sabor excitante e perigoso, esquecendo-me outra vez da minha irritação anterior e de tudo o que está ao nosso redor. Não quero mais pensar que ele me usa como um brinquedinho. Não quero pensar que é meu chefe. Simplesmente não quero pensar.

Dois minutos depois e com a respiração mais compassada, ele deixa de me pressionar contra as gavetas dos arquivos e eu recupero o controle do meu corpo. Droga.

Mas o que é que eu fui fazer de novo?! Como posso ser tão idiota cada vez que esbarro com ele?

Ele parece notar o que estou pensando e me lança uma de suas olhadas gélidas.

— Voltou a pensar sobre a minha proposta? — pergunta.

Tento olhar para ele. Enfrento o Iceman e sinto que estou perdendo toda a compostura.

— Já te dei a resposta ontem e te disse que não aceitava.

Aperta os lábios e eu solto um suspiro.

Eu o encaro surpresa.

— Por que você é tão cabeça-dura? — acrescenta. — Minha proposta te daria algum retorno financeiro.

— Só financeiro?

Diante da minha pergunta, Eric para de sorrir.

— Tudo depende do que você quiser. Você decide, Jud. Por enquanto preciso de uma secretária. O sexo vai surgir, se tiver que surgir.

— E se eu me recusar a deixá-lo surgir outra vez? — rebato, tentando acreditar na minha própria mentira.

Eric olha para mim. Desce as mãos até minha calça e a abotoa.

— Vou aceitar sua decisão — acrescenta com tranquilidade. — Outra vai querer.

Como é idiota, metido e marrento...!

E então sai do arquivo e me deixa sozinha. Durante alguns segundos fecho os olhos e fico me culpando. Por que sou tão fácil quando estou com ele? Por fim ajeito a blusa e o cabelo e vou atrás dele. Está sentado diante de sua mesa e, com as sobrancelhas contraídas, olha para a tela do computador. Ando com calma até a porta, disposta a sair.

— Eu disse que você tinha até terça-feira pra responder, e mantenho esse prazo — diz antes de eu ir embora de sua sala. — Agora pode voltar à sua mesa. Se eu precisar de você de novo, te ligo.

Fico vermelha como um tomate.

Saio da sala. Fecho a porta, me apoio nela e olho ao redor por alguns segundos. Todos fora da minha sala estão trabalhando. Aparentemente ninguém percebe o que acaba de acontecer. Pego minha bolsa e vou ao banheiro. Preciso me lavar. Sinto minha vagina encharcada e isso me incomoda.

Vinte minutos depois, volto à minha mesa e vejo que Miguel e minha chefe também já voltaram. Eric e eu não nos falamos nem nos olhamos outra vez. Às duas da tarde, a porta da sala se abre e eles saem juntos. Não olha para mim. Apenas minha chefe lança o olhar em minha direção.

— Vamos almoçar, Judith — informa.

Faço que sim com a cabeça e respiro aliviada. Vejo Miguel pegar suas coisas quando meu telefone toca. É minha irmã.

— Jud... você tem que vir pra casa. Agora!

Ao escutar aquilo, fecho os olhos e me sento: as pernas ficam bambas. Não precisa continuar falando. Sei o que aconteceu.

Quando desligo o telefone, contenho o choro e engulo as lágrimas. Não quero chorar no escritório. Sou uma mulher forte e não gosto de fazer cena. Procuro Miguel e o encontro conversando com Eva. Acho que estão se pegando. Vou até ele e aviso que surgiu um problema urgente e que não voltarei ao escritório hoje. Ele concorda sem prestar muita atenção e eu ando até minha mesa outra vez. Sento, bebo água da garrafinha e, por fim, pego minhas coisas.

Minhas mãos estão tremendo e minhas bochechas ardem. Quero chorar. Faço um esforço para desligar o computador, controlo minha tristeza e caminho até o elevador. Depois corro até o estacionamento e me permito chorar. Só então.

Quando chego em casa, minha irmã está com os olhos encharcados de lágrimas. Trampo respira com muita dificuldade e eu imediatamente ligo para o veterinário. Ele, que me conhece há anos, diz para eu levar Trampo até a clínica.

Às quatro e meia da tarde, após uma injeção que o veterinário lhe dá para que sinta menos dor, Trampo me deixa. Me deixa para sempre, com o coração despedaçado e com a sensação de uma perda irreparável. Me inclino sobre a mesa onde seu corpo sem vida descansa. Eu o beijo, acaricio pela última vez sua cabecinha peluda, e litros de lágrimas embaçam totalmente minha visão.

— Adeus, querido — murmuro.

15

Às sete da noite, estou sentada no sofá da casa da minha irmã.

Meu celular toca. Meus amigos me chamam para ir à praça Cibeles comemorar o título da Eurocopa. Mas não estou em clima de festa. Desligo o celular. Não quero saber de nada nem de ninguém. Estou triste, muito triste. Meu melhor amigo, com quem eu dividia todas as minhas tristezas e alegrias, me abandonou.

Choro... choro e choro.

Minha irmã me abraça, mas, inexplicavelmente, sinto que preciso do abraço de certo cara atrevido. Por quê?

Deixamos minha sobrinha na casa de uma vizinha. Não queremos que ela nos veja assim. Já foi bem difícil lhe explicar que o Trampo foi para o céu dos gatos, e não seria nada bom que ela agora nos visse aos prantos. Meu cunhado José chega e também fica triste. Nós três choramos. E, quando ligo para o meu pai e dou a notícia, já somos quatro. Isso tudo é muito triste!

Às nove da noite, ligo o celular e recebo uma ligação de Fernando. Minha irmã tinha telefonado para ele, e agora ele está se oferecendo para vir a Madri me consolar. Rejeito a oferta e, após falar com ele por alguns minutos, encerro a ligação e desligo. Janto qualquer coisa e decido voltar para casa. Preciso enfrentá-la: a ela e à solidão.

Mas, quando entro, uma emoção estranha toma conta de mim. Tenho a sensação de que a qualquer momento Trampo, meu Trampinho, vai surgir em algum canto da casa e ronronar para mim. Fecho a porta e me apoio nela. Meus olhos se enchem de lágrimas e não me contenho mais.

Choro, choro e choro, e desta vez sozinha, que me cai melhor.

Com os olhos inchados e sem conseguir me controlar, ando até a cozinha. Observo a tigela de comida de Trampo e me abaixo para pegá-la. Abro a lixeira e jogo fora os restos de comida que havia ali. Coloco a tigela na pia e a lavo. Após enxugá-la, olho para ela sem saber o que fazer com isso. Deixo-a em cima da bancada. Depois pego o pacote de ração e os remédios. Junto tudo e volto a chorar como uma boba.

Alguns segundos depois, escuto a porta da rua sendo aberta. É minha irmã. Ela vem e me abraça.

— Eu sabia que você estaria assim, maninha. Vamos, por favor, pare de chorar.

Tento dizer que não consigo. Que não quero. Que me recuso a acreditar que Trampo não voltará, mas o choro me impede de dizer qualquer coisa. Meia hora mais tarde, eu a convenço a ir embora. Escondo suas chaves para que não leve com ela e não volte a me incomodar. Preciso ficar sozinha.

Quando ando até o banheiro para lavar o rosto, vejo a caixa de areia de Trampo e caio no choro outra vez. Sento no vaso, disposta a chorar por horas e horas, quando ouço batidas na porta. Convencida de que minha irmã se deu conta de que não está com as chaves e resolveu voltar, abro a porta, mas é o senhor Zimmerman quem aparece na minha frente, com cara de poucos amigos.

O que ele está fazendo aqui?

Me olha surpreso. Sua expressão muda por completo e, sem se mexer, pergunta:

— O que houve, Jud?

Não consigo responder. Meu rosto se contrai e eu começo a chorar outra vez.

Fica paralisado e então eu me aproximo dele, de seu peito, e ele me abraça. Preciso desse abraço. Ouço a porta se fechando e choro mais ainda.

Não sei por quanto tempo ficamos assim, até que de repente percebo que sua camisa está encharcada de lágrimas. Finalmente me afasto dele.

— Trampo, meu gato, morreu — consigo murmurar.

É a primeira vez que digo essa palavra terrível. Eu a odeio!

Minha cara se contorce de novo e eu caio em prantos outra vez. Ele me puxa para si e me leva até o sofá. Tento falar, mas os soluços de tristeza não me permitem. Só consigo articular palavras entrecortadas, enquanto meu corpo se contrai involuntariamente e eu vejo que Eric está desconcertado. Não sabe o que fazer. Por fim se levanta, pega um copo e o enche de água. Coloca nas minhas mãos e me obriga a beber. Cinco minutos depois, estou um pouco mais calma.

— Sinto muito, Jud. Sinto muitíssimo.

Faço que sim com a cabeça, enquanto aperto meus lábios e engulo a enxurrada de emoções que novamente imploram para sair de dentro de mim. Abraçada a ele, apoio minha cabeça em seu peito e sinto minhas lágrimas rolando descontroladas. Desta vez não estou soluçando, e o simples fato de sentir sua mão acariciando meu cabelo e meu braço me reconforta.

Por volta da meia-noite, a tristeza ainda me domina, mas já sou capaz de controlar meu corpo e minhas palavras, então me afasto um pouco e olho para ele.

— Obrigada — digo.

Sinto que se comove; seus olhos revelam isso. Aproxima sua testa da minha e sussurra:

— Jud... Jud... Por que você não me disse? Eu teria te acompanhado e...
— Eu não estava sozinha. Minha irmã ficou comigo o tempo todo.

Eric balança a cabeça, compreensivo, e passa seus polegares por baixo dos meus olhos para retirar as lágrimas.

— Você precisa descansar. Está exausta e sua mente tem que relaxar.

Faço que sim com a cabeça. Mas então me dou conta de que seu rosto está contraído.

— Você está bem? — pergunto.

Surpreso com a pergunta, ele olha para mim.

— Sim. Só estou com um pouco de dor de cabeça.
— Se você quiser, tenho aspirina no armário do banheiro.

Vejo que ele sorri. Em seguida me dá um beijo no alto da cabeça.

— Não se preocupe. Vai passar.

Preciso dormir, mas não quero que ele vá embora, então seguro sua camisa para tentar impedi-lo de sair.

— Gostaria que você ficasse aqui comigo, apesar de saber que não dá.
— Por que não dá?
— Não quero sexo — murmuro, com uma sinceridade esmagadora.

Eric ergue a mão e toca meu rosto com uma ternura que nunca havia demonstrado antes.

— Vou ficar aqui contigo e não tentarei nada até você me pedir.

Isso me surpreende.

Levanta-se e me estende a mão. Eu a pego e ele me leva até o quarto. Assustada, vejo-o tirando os sapatos. Eu faço o mesmo. Depois tira a calça. Eu o imito. Deixa a camisa em cima de uma cadeira e fica vestido apenas com uma cueca boxer preta. Sexy! Levante as cobertas e se enfia nelas. Sem esquecer o que lhe pedi, tiro a blusa e o sutiã, e pego embaixo do travesseiro minha camiseta de alcinha e o short de dormir. É do Taz, do desenho animado. Vejo que ele sorri e faço cara de emburrada.

Depois de vestir o pijama, abro uma caixinha redonda, retiro um comprimido e o tomo.

— O que é isso?
— Meu anticoncepcional — explico.

Instantes depois, me deito ao seu lado, e ele enfia o braço embaixo do meu pescoço. Chego mais perto e ele me beija na ponta do nariz.

— Dorme, Jud... dorme e descansa.

Sua proximidade e sua voz me relaxam, e, abraçada a ele, acabo adormecendo.

16

O despertador toca. Olho a hora: sete e meia.

Estico o braço e o desligo. Espreguiço na cama e minha cabeça desperta rapidamente. Olho à minha direita e vejo que Eric não está. Minha mente recupera a consciência do que aconteceu e eu me sento na cama quando ouço uma voz:

— Bom dia.

Olho na direção da porta e ali está ele, vestido. Vejo sua roupa e me surpreendo ao perceber que o terno e a camisa que ele está usando não são os mesmos da véspera. Ele se dá conta e responde:

— Tomás me trouxe essa roupa há uma hora.

— E a dor de cabeça? Passou? — pergunto.

— Passou, sim, Jud. Obrigado por perguntar.

Respondo com um sorriso triste. Levanto da cama sem ter consciência da minha cara péssima, toda despenteada, cheia de remela e com o pijama do Taz. Chego perto dele, fico na ponta dos pés e lhe dou um beijo na bochecha enquanto murmuro um ainda sonolento "bom dia".

Vou à cozinha para dar o remédio de Trampo, até que vejo suas coisas em cima da bancada. Paro de repente e sinto Eric atrás de mim. Nem me deixa pensar. Me segura pela cintura e me vira.

— Já para o chuveiro! — ordena.

Quando saio do banheiro e entro no quarto para me vestir, Eric não está mais ali. Então me apresso a pegar uma calcinha e um sutiã da gaveta e os coloco. Depois abro o armário e me visto. Quando já estou vestida e apresentável, vou para a sala e o vejo lendo o jornal.

— Tem café fresco — diz ao olhar para mim. — Come alguma coisa.

Ele dobra o jornal, se levanta, vem beijar o alto da minha cabeça.

— Hoje você vai me acompanhar a Guadalajara. Tenho que visitar as sucursais de lá. Não se preocupe com nada. No escritório já estão todos avisados.

Concordo com um gesto, sem ânimo para falar ou contestar. Tomo o café e, quando deixo a xícara na pia, sinto que Eric se aproxima por trás, mas desta vez não encosta em mim.

— Está melhor? — me pergunta.

Faço um gesto afirmativo, sem olhar para ele. Estou com vontade de chorar de novo, mas respiro fundo e consigo controlar o impulso. Tenho certeza de que Trampo se aborreceria se eu continuasse me comportando como uma fraca. Com meu melhor sorriso, me viro, tirando os fios de cabelo que caem sobre meus olhos.

— Quando quiser, podemos ir.

Ele faz que sim. Não me toca.

Não se aproxima de mim mais do que o estritamente necessário. Descemos até a rua e lá está Tomás, nos esperando com o carro. Entramos e a viagem começa. Durante o trajeto de uma hora, Eric e eu folheamos vários papéis. Sou a encarregada de manter atualizadas as sucursais da Müller, então conheço quase todos os chefes. Eric me explica que quer saber em primeira mão absolutamente tudo de cada sucursal: produtividade, número de funcionários que trabalham nas fábricas e o rendimento de todos eles. Isso me deixa nervosa. Com a taxa de desemprego tão alta hoje em dia, tenho medo de que comece a demitir a torto e a direito. Mas em seguida me esclarece que seu objetivo não é esse, mas sim o contrário: tentar fazer com que seus produtos sejam mais competitivos e dar início à expansão.

Às dez e meia chegamos a Guadalajara. Não me espanto quando noto que Enrique Matías não se surpreende ao me ver. Cordial, nos cumprimenta e entramos todos juntos em sua sala. Eric e ele conversam sobre produtividade, deficiências da empresa e uma série de outras coisas. E eu, sentada num discreto segundo plano, tomo nota de tudo. À uma e meia, quando deixamos a sala, saio feliz ao ver que eles se entenderam.

Recebo um torpedo de Fernando. Respondo que estou bem, mas no íntimo me sinto culpada. Receber suas mensagens e estar com Eric faz com que eu me sinta mal. Mas por quê? Não tenho nada sério com nenhum dos dois.

No caminho de volta a Madri, Eric sugere que a gente pare e almoce em alguma cidadezinha. Gosto da ideia e digo que por mim tudo bem. Tomás para em Azuqueca de Henares e comemos um cordeiro delicioso. Durante o almoço, ele recebe várias mensagens. Lê todas elas com as sobrancelhas franzidas e não responde. Às quatro da tarde seguimos viagem e, quando chegamos ao hotel Villa Magna, começo a ficar tensa. Eric percebe e segura minha mão.

— Não se preocupe. Só quero trocar de roupa pra passar a tarde contigo. Você tem algum plano?

Penso rápido e, por fim, digo que sim, que tenho um plano. Mas não lhe dou tempo de pensar nenhuma bobagem.

— Tenho um compromisso às seis e meia — aviso. — Se você não tiver nada melhor pra fazer, pode ir comigo. De repente você vai gostar. Aí posso te mostrar meu segundo emprego.

Minha resposta o surpreende.

— Você tem um segundo emprego?

— Tenho, pode-se chamar assim, apesar de que este ano é o último. Mas não vou te dizer do que se trata se você não vier comigo.

Ele sorri enquanto desce do carro. Eu o acompanho.

No elevador, o ascensorista nos cumprimenta e nos leva diretamente à cobertura. Ao entrarmos em seu quarto bonito e espaçoso, Eric deixa em cima da mesa a pasta com o notebook e se enfia no quarto que não usamos no dia em que ficamos aqui brincando. Seu telefone apita. Uma mensagem. Não consigo deixar de olhar o visor do aparelho, onde leio o nome "Betta". Quem será? Segundos depois, o celular apita de novo e na tela aparece escrito "Marta". Nossa, que homem disputado!

Estou inquieta. Na última vez que estive aqui, ocorreu algo que ainda me deixa constrangida. Passo a mão pelo lindo sofá marrom-café e contemplo o jardim japonês, enquanto procuro controlar minha respiração. Se Eric sair nu do quarto e me chamar para brincar com ele, não sei se consigo dizer não.

— Quando você quiser, podemos ir — ouço uma voz atrás de mim.

Surpresa, me viro e o vejo de jeans e camiseta vinho. Está gatíssimo. Elegante, como sempre. E o melhor: está cumprindo direitinho a promessa de não encostar em mim. Mas sinto uma estranha decepção ao não ser arrastada pelo mar de luxúria a que ele costuma me levar.

Será que estou ficando louca?

Dez minutos depois, estamos no carro com Tomás a caminho da minha casa.

Assim que entro, sinto saudades de Trampo. Eric percebe e me beija na cabeça.

— Vamos, são seis horas. Dá uma apressada ou chegaremos tarde.

Seu comentário me desperta.

Entro no quarto. Coloco uma calça jeans, tênis e uma blusa azul. Prendo o cabelo num rabo alto e saio rapidamente. Sem precisar olhar para ele, sei que está me observando. Minha temperatura sobe quando estou perto dele. Pego a máquina fotográfica e uma mochila pequena.

— Vamos — digo.

Guio Tomás em meio ao trânsito de Madri e em poucos minutos estamos diante da porta de um colégio. Surpreso, Eric sai do carro e olha ao redor. Não parece haver ninguém. Sorrio. Pego sua mão com determinação. Entramos no colégio, e Eric fica ainda mais desconcertado. É divertido vê-lo assim. Gosto de vê-lo intrigado.

Segundos depois, abro uma porta onde está escrito "Quadra" e uma algazarra imensa nos engole. Em seguida, dezenas de meninas com idade entre 7 e 12 anos correm na minha direção, gritando:

— Treinadora! Treinadora!

Eric me olha, admirado.

— Treinadora?

Sorrio e dou de ombros.

— Sou a treinadora de futebol feminino do colégio da minha sobrinha — respondo antes que as meninas cheguem.

Eric abre a boca, surpreso, e logo sorri. Mas já não posso conversar com ele. As garotas chegaram e agora se penduram nos meus braços e pernas. Brinco com elas até que suas mães as tiram de cima de mim.

— Quem é esse cara? — ouço minha irmã dizer.

— Um amigo.

— Sei, maninha, sei. Amigo! — murmura e eu abro um sorriso.

As mães das garotas ficam na maior agitação com a presença de Eric. É normal. Eric exala sensualidade, e eu tenho consciência disso. Dou oi para todo mundo, e agora minha irmã não para de me pedir para ser apresentada a ele, e eu acabo cedendo. Que chata! Por fim, de braços dados com ela, vou até onde ele está sentado.

— Raquel, esse é o Eric. — Ele se levanta para cumprimentá-la. — Eric, essa é minha irmã, e essa fofura ao meu lado é minha sobrinha Luz. — Dão dois beijinhos.

— Por que você é tão alto? — pergunta minha sobrinha.

Eric olha para ela e responde:

— Porque comi demais quando era pequeno.

Eu e minha irmã sorrimos.

— Por que você fala tão estranho? — Luz volta a perguntar. — Tem algum problema na boca?

Me preparo para responder, mas então ele se agacha até minha sobrinha e diz:

— É que sou alemão e, apesar de saber falar espanhol, não consigo disfarçar meu sotaque.

A menina olha para mim, achando graça. Mas eu penso "que droga", esperando sua resposta sem conseguir detê-la.

— Que goleada os italianos deram em vocês outro dia, hein? Mandaram a Alemanha pra casa.

Constrangida, minha irmã puxa a menina. E Eric se aproxima de mim.

— Não dá pra negar que é sua sobrinha — sussurra em meu ouvido. — É tão direta quanto você ao dizer as coisas.

Nós dois rimos, e as crianças correm de novo na minha direção. Isso não é um treino, é uma festa de verão que as mães organizaram para encerrar as aulas. Durante uma hora e meia eu falo com elas, abraço as meninas para me despedir e tiro milhares de fotos com elas. Eric continua sentado na arquibancada e, a julgar por sua expressão, parece curtir o espetáculo.

As meninas me entregam um pacote, que abro e tiro de dentro uma bola de futebol feita de balas coloridas. Vibro tanto quanto elas. Adoro balas! Minha sobrinha olha para mim e me aponta sua amiga Alicia. Fizeram as pazes. Levanto o polegar e pisco o olho. É isso aí, minha garota! Passados alguns minutos e depois de beijar as mães e minhas pequenas atletas, todas elas deixam a quadra. Minha irmã e minha sobrinha também.

Feliz pela despedida que fizeram para mim, me viro na direção de Eric, encho dois copos de Coca-Cola meio quente e me junto a ele.

— Surpreso? — pergunto, oferecendo um dos copos.

Eric aceita e toma um gole.

— Sim. É surpreendente.

— Tá bom, tá bom, não continue, senão vou acabar acreditando.

Nós dois rimos e olhamos um para o outro.

Não dizemos nada, e o silêncio nos envolve. Finalmente reúno forças e digo com sinceridade:

— Eric, minha vida é o que é: normalidade.

— Eu sei... eu sei e isso me preocupa.

— Te preocupa? Te preocupa que minha vida seja normal?

Seu olhar me atravessa.

— Sim.

— Por quê?

— Porque minha vida não é exatamente normal.

Devo ter feito uma cara ridícula. Não o entendo, mas, antes de lhe pedir explicações, ele continua:

— Jud, sua vida exige relação e compromisso. Palavras que, para mim, ficaram ultrapassadas há anos. Muitos anos. — Toca meu rosto e prossegue: — Gosto de você, sinto atração por você, mas não quero te enganar. O que me atrai é transar contigo. Gosto de te possuir, de te penetrar e ver sua cara quando você goza. Mas acho que muitas das minhas brincadeiras não vão te agradar. E nem estou falando de sado, falo só de sexo mesmo. Simplesmente sexo.

Seu olhar se fecha. Eric me desconcerta, mas não quero abrir mão de seus jogos.

— Sou uma mulher normal, sem grandes pretensões, que trabalha pra sua empresa. Tenho um pai, uma irmã e uma sobrinha que adoro e, até ontem, tinha um gato que era meu melhor amigo. Sou treinadora de futebol de um time feminino e não cobro nem um centavo por isso, porque essa atividade me faz feliz. Tenho amigos e amigas com quem curto assistir a jogos, viajar, ir ao cinema ou sair pra jantar. Agora você vai perguntar por que estou te contando tudo isso, né? — Eric balança a cabeça afirmativamente. — Não sou deslumbrante, não gosto de me vestir de forma provocativa, e nem mesmo tento fazer isso. Meus relacionamentos com homens têm sido normais, nada de outro mundo. Sabe como é: a garota conhece o garoto, eles se sentem atraídos um pelo outro e vão pra cama. Mas ninguém nunca conseguiu me tocar do jeito que você conseguiu em poucos dias. Nunca pensei que o sexo pudesse me deixar tão louca. Nunca pensei que eu pudesse fazer o que estou fazendo contigo. Você me domina e me submete de tal maneira que não consigo dizer não. E não consigo dizer não porque meu corpo e eu inteirinha queremos fazer tudo que você quiser. Odeio receber ordens, principalmente na cama. Mas a você, inexplicavelmente, eu permito que mande em mim. Nunca na vida eu poderia imaginar que um desconhecido como você, que mal sabe meu nome, minha idade e qualquer coisa da minha vida, me exigiria sexo só de olhar pra mim e eu cederia. Ainda tenho dificuldade de entender o que aconteceu naquele dia no quarto do seu hotel e...

— Jud...

— Não, deixa eu terminar — exijo e coloco minha mão em sua boca. — Aquele episódio no seu quarto, goste eu ou não, me enfeitiçou. Reconheço que quando vi as imagens me incomodei. Mas, quando voltei a pensar nisso, naquele momento, fiquei muito excitada. Inclusive no domingo eu usei o vibrador pensando em você e tive um orgasmo maravilhoso ao imaginar o que ocorreu com aquela mulher no seu quarto. — Eric sorri. — Mas não curto mulheres. Não... não curto e, se você quiser brincar comigo outra vez nesse esquema, exijo que me consulte antes. Como eu disse no início desta conversa, não sou uma especialista em sexo, mas o que tenho vivido contigo me agrada, me excita, me deixa louca, e estou disposta a repetir.

— Mesmo sem compromisso da minha parte?

Tenho vontade de dizer que não, que o quero só para mim. Mas significaria perdê-lo, e isso sim é algo que não quero.

— Mesmo sem isso.

Eric balança a cabeça, compreensivo.

— E, por favor... você já está liberado pra me tocar. Me beije e me diga alguma coisa porque estou morrendo de vergonha das coisas loucas que acabei de falar.

— Você está me deixando excitado, pequena.

Pego um leque na minha mochila e sorrio para ele, constrangida.

— Pois você não imagina como estou só de te falar essas coisas.

Eric me devolve o sorriso e tira o cabelo do rosto.

— Seu nome completo é Judith Flores García. Tem 25 anos, um pai, uma irmã e uma sobrinha. Que eu saiba não tem namorado, mas sim homens que te desejam. Sei onde você mora e onde trabalha. Seus telefones. Sei que dirige muito bem uma Ferrari, que gosta de cantar, e que não tem vergonha de fazer isso na minha frente, e hoje fiquei sabendo que você é treinadora de futebol. Você gosta de morango, de chocolate, de Coca-Cola, de balas e de futebol, e, quando fica nervosa, seu pescoço se enche de brotoejas e você pode ter um troço. — Sorrio. — Pela maneira como tratava seu gato, sei que adora animais e que é leal a seus amigos. É curiosa e cabeça-dura, às vezes em excesso, e isso me irrita bastante, mas também é a mulher mais sexy e desconcertante que já encontrei na vida e reconheço que gosto disso. Até o momento, isso é o que sei sobre você, e é suficiente. Ah! E a partir de agora prometo te consultar sobre tudo o que se refere a sexo e a nossas brincadeiras. E, agora que você me liberou da minha promessa, vou te beijar e te tocar.

— Ótimo! — afirmo, erguendo os braços.

— E, já que resolvemos essa questão, preciso que você aceite a proposta que te fiz de te conhecer melhor e de você me acompanhar durante o tempo que ficarei na Espanha — acrescenta. — Esta semana vamos pra Barcelona. Tenho duas reuniões importantes na quinta e na sexta. O fim de semana, se você quiser, podemos dedicar ao sexo. Que tal?

— Seu nome é Eric Zimmerman — respondo, sem me importar com sua frieza. — Você é alemão e seu pai...

Mas ele contorce o rosto e corta meu discurso.

— Como um favor pessoal, te peço que nunca mencione meu pai. Agora pode continuar.

Essa ordem me deixa sem palavras, mas tento continuar:

— Você é um mandão doentio e não sei mais nada a seu respeito, exceto que adora loucuras sexuais. Mesmo assim, gostaria de te conhecer melhor.

Sinto seu olhar penetrante, que me atravessa. Sei que ele tem um conflito interno entre se abrir comigo e continuar como estamos. Então se levanta e me puxa para si. Me beija e eu correspondo. Meu Deus, como eu precisava desse beijo! Poucos segundos depois, afasta seus lábios dos meus.

— Minha mãe é espanhola, por isso falo tão bem espanhol. Durmo pouco há anos. Tenho 31 anos. Não sou casado nem comprometido. Por enquanto, é isso que tenho a dizer.

Emocionada por aquela mínima confidência, sorrio e, feliz como se tivesse ganhado na loteria, acrescento, fazendo-o rir:

— Senhor Zimmerman, aceito sua proposta. O senhor já tem uma acompanhante.

17

Minha chefe fica furiosa quando Eric avisa que vou acompanhá-lo em sua viagem às sucursais. Miguel se sente aliviado por não ser ele. Minha chefe tenta convencer Eric de mil maneiras a não me levar junto com ele. Argumenta, por exemplo, que não tenho experiência e estou há pouco tempo na empresa, mas acaba desistindo. Eric é quem manda, e ela tem de acatar. Bem feito!

Ligo para meu pai na quarta-feira e explico que vou adiar minhas férias por causa da viagem. Ele aceita numa boa e me incentiva a fazer um bom trabalho. Se ele soubesse o que está por trás dessa história, me trancaria bem trancada para me impedir de sair. Minha irmã, ao contrário, fica irritada comigo. Para ela, estar longe de Madri por várias semanas é uma falta de consideração da minha parte. Com quem ela vai desabafar?

Na quinta-feira, Eric passa para me buscar com seu motorista às seis da manhã. Viajamos em seu jatinho particular, e eu fico chocada com tanto luxo. Acho que acabamos de sair da cidade. Olho para tudo com tanta curiosidade que tenho a impressão de que Eric está se esforçando para não rir.

Quando chegamos a Barcelona, um carro nos pega no aeroporto de Prat e nos leva ao hotel Arts. Que vida dura! É só o melhor da cidade! Nos hospedamos no último andar em duas suítes. Ele cumpriu sua promessa: quartos separados. Quando a porta se fecha atrás de mim e eu me vejo no meio daquele cômodo imenso, olho a meu redor. Tudo é grande, espaçoso. E o melhor de tudo: há uns janelões que me permitem apreciar o mar.

Animada com o luxo que me cerca, largo minha mala e me aproximo da janela. Incrível! Após curtir a paisagem por alguns minutos, começo a bisbilhotar e a mexer nas coisas. Abro o frigobar e vejo chocolate. Devoro alguns. Quando descubro a parte do quarto onde fica a cama, não contenho meu espanto. É maravilhosa! Janelões que dão para o mar, e roupa de cama violeta combinando com um divã lindo. A cama é enorme e eu me jogo nela. Como é macia! O banheiro é outra maravilha. Madeira clara e uma banheira rodeada de espelhos. Uau!

Quando saio do banheiro, o telefone toca. É Eric.

— E aí, gostou da suíte?

— Adorei. Enorme. Cinco vezes maior que a minha casa — brinco.

Escuto seu riso do outro lado da linha.

— Em meia hora te espero na recepção — avisa. — Não esquece os documentos.

Chego à recepção pontualmente e vejo Eric conversando com uma mulher. Alta, glamorosa e loura. Louríssima. Quando ele me vê, faz sinal para que me junte a eles e nos apresenta uma à outra:

— Amanda, esta é minha secretária, a senhorita Flores.

A tal Amanda me olha de cima a baixo e isso me deixa intrigada, mas, num gesto de profissionalismo, apertamos as mãos e Eric acrescenta em alemão:

— Senhorita Flores, a senhorita Fisher veio de Berlim. Ela vai passar uns dias conosco. Amanda é a encarregada de verificar se podemos lançar nosso medicamento no Reino Unido.

Sorri enquanto a loura de pernas compridas concorda com a cabeça. Mas percebo algo estranho em seu olhar. Não sei o que é, mas não me agrada. Um homem se aproxima e nos informa que nosso carro nos espera lá fora. Caminhamos os três até uma enorme limusine preta. Eric senta ao lado da mulher e se esquece de mim. Fico inquieta. Mas o que mais me incomoda é perceber que entre eles houve ou há alguma coisa. Os olhares da loura revelam isso. De qualquer forma, como sou muito profissional, mantenho a compostura enquanto olho pela janela e tento pensar em outra coisa.

Quando chegamos aos escritórios centrais de Barcelona, somos recebidos pelo chefe da sucursal, Xavi Dumas. Assim que me vê, sorri para mim e logo cumprimenta o chefão e Amanda.

— Oi, Judith — dirige-se a mim, em seguida. — Que bom te ver de novo!

— Digo o mesmo, senhor Dumas.

Em seguida, sua secretária Jimena me cumprimenta.

— Jud, por que não me disse que viria?

— Porque até ontem eu não sabia que precisaria vir — respondo e lhe dou um abraço.

Com expressão divertida, Jimena observa Eric e logo me olha com malícia.

— Com o chefão alemão... Está podendo, hein?!

Nós duas rimos, mas logo nos dirigimos até uma salinha que ela nos indica.

Instantes depois, vários diretores, entre eles Eric e Amanda, entram nessa parte do escritório. É uma sala retangular com painéis escuros e uma parede de vidro que dá para uma mata. No centro da sala há uma mesa comprida com várias cadeiras e, num dos lados, várias mesinhas menores. Sento numa dessas mesinhas, e Eric presidirá a reunião bem na minha frente. Seu olhar implacável me faz lembrar o apelido que Miguel colocou nele: Iceman. A lembrança me faz sorrir.

A reunião começa e Jimena, avisada por seu chefe, levanta do meu lado e senta na mesa maior. Seu chefe quer que ela traduza para a tal Amanda tudo o que ele for dizendo. Presto atenção ao que eles dizem e observo que Jimena é uma ótima tradutora. Mas ocorre algo que me surpreende. Em dado momento, o senhor Dumas menciona o pai de Eric e este, muito sério, mas também muito educadamente, lhe pede que não volte a citá-lo. O que será que houve entre o pai e o filho? Uma hora depois, no meio da reunião, recebo uma mensagem no meu notebook.

De: Eric Zimmerman
Data: 5 de julho de 2012 10:38
Para: Judith Flores
Assunto: Sua boca
Cara senhorita Flores, está acontecendo alguma coisa com a senhorita? Sua boca a denuncia.
PS: A senhorita é a mulher mais sexy da reunião.
Eric Zimmerman

Sem mover a cabeça, eu o observo de relance. Que cara de pau! Está me ignorando desde que apareci na recepção do hotel e agora vem com essa. Então decido responder.

De: Judith Flores
Data: 5 de julho de 2012 10:39
Para: Eric Zimmerman
Assunto: Estou trabalhando
Prezado senhor Zimmerman, eu lhe agradeceria se o senhor me deixasse trabalhar.
Judith Flores

Sei que ele recebeu a mensagem. Vejo-o olhando com interesse para a tela do computador e percebo que muda de cara. Ao fim de poucos segundos, digita de novo e eu recebo outro e-mail.

De: Eric Zimmerman
Data: 5 de julho de 2012 10:41
Para: Judith Flores
Assunto: Irritada?
Suas palavras me desconcertam. Está irritada com alguma coisa?
PS: Essa roupa fica maravilhosa na senhorita.
Eric Zimmerman

Desconfortável, me mexo na cadeira. Será que ele percebe? Tento sorrir, constrangida, mas minha boca se recusa. Por alguns minutos presto atenção à reunião, até que meu computador indica que recebi uma nova mensagem.

De: Eric Zimmerman
Data: 5 de julho de 2012 10:46
Para: Judith Flores
Assunto: A senhorita decide
Advirto-lhe, senhorita Flores, que, se a senhorita não responder minha mensagem em cinco minutos, vou parar a reunião.
PS: Está de fio dental por baixo da saia!
Eric Zimmerman

Ao ler aquilo, arregalo os olhos, assustada, mas tento manter a calma. Ele está atacado. Gosta de me provocar. Sorrio e o encaro. Ele não sorri de volta. O tempo passa e eu relaxo. Vejo-o olhando para o computador e imagino que está escrevendo outro e-mail para mim, quando de repente interrompe a reunião.

— Senhores, acabo de receber uma mensagem que preciso responder imediatamente. Um contratempo. Peço-lhes desculpas. — E, levantando-se, acrescenta: — Os senhores fariam a gentileza de nos deixar a sós, eu e minha secretária, por alguns minutos? E, por favor, não quero ser interrompido por nada neste mundo. Minha secretária avisará aos senhores quando tivermos terminado.

Quero morrer.
Ele está louco?
Abro os olhos o máximo que consigo e vejo que todos os diretores pegam suas pastas e saem da sala. Jimena me lança um olhar e acompanha seu chefe. A última a sair é a tal da Amanda. Olha para mim com ódio e, após dizer a Eric em alemão "Estarei lá fora", fecha a porta atrás de si.

Ainda sentada na minha cadeira, eu o encaro sem entender nada. Eric fecha o computador, se estica em sua cadeira e crava seu olhar em mim.

— Senhorita Flores, venha cá.

Me levanto como uma flecha e, surpresa com o que ele acaba de fazer, me dirijo até ele:

— Mas... Mas por que você fez isso?

Ele olha, sorri e não responde.

— Por que parou a reunião? — insisto.

— Te dei cinco minutos.

— Mas...

— Quem parou a reunião foi você — responde.

— Eu?!

Eric faz que sim com a cabeça e, assim que paro à sua frente, pega minha mão e, ainda sentado, me coloca entre suas pernas. Logo me empurra e me faz sentar sobre a mesa. Diante dele. Excitada, olho a meu redor em busca de câmeras, mas ele diz:

— A sala não tem câmeras, mas também não tem isolamento acústico. Se você gritar, todo mundo vai saber o que está acontecendo.

Faço menção de protestar, já que a cada instante estou com mais tesão, mas Eric se aproxima de mim e faz aquilo que me deixa tão louca. Passa sua língua pelo meu lábio superior. Me olha. Depois lambe o lábio inferior, mordendo-o em seguida, até que eu abro a boca e ele enfim me beija. Suga minha boca de tal maneira que me deixa sem ar e, como sempre, perco totalmente o controle. Me deita na mesa e levanta minha saia. Suas mãos sobem devagar pelas minhas coxas até que chegam a meus quadris. Então segura minha calcinha e a arranca.

— Hummmm... Adorei que você está de fio dental.

Curto o momento e entro no jogo como uma loba.

Passo a língua pelos meus próprios lábios e quero gritar "Sim!!!". Meu gesto o estimula e o deixa louco. Abro as pernas sem pudor, pedindo-lhe mais, e ele levanta a cabeça, sem mover o resto do corpo.

— Trouxe na bolsa o que eu disse pra você levar sempre?

Fecho os olhos e me xingo frustrada.

— Deixei no hotel.

Minha reação o faz sorrir. Me retira da mesa sem me tocar, com exceção da parte interna das minhas coxas.

— Que pena, pequena. Tenho certeza de que na próxima vez você não vai esquecer.

Olho para ele, paralisada.

Vai me deixar assim?

Me dá um tapinha no traseiro quando desço da mesa.

— Senhorita Flores, temos de seguir com a reunião. E, por favor, não a interrompa outra vez.

Sinto minhas bochechas ardendo e o desejo ainda dominando meu corpo, enquanto ele é supercontrolado. Isso me enche de raiva. Ele sabe disso. Segura minha mão e me puxa num gesto possessivo.

— Quando terminarmos a reunião, quero você nua no hotel. Por enquanto, fico com a sua calcinha.

— O quê?!

— Isso que você ouviu.

— Sem chance. Devolva.

— Não.

— Eric, por favor. Como vou ficar sem calcinha?

Ele se levanta. Sorri com malícia e dá de ombros.

— Muito simples. Ficando! — responde.

Veste minha saia em mim. Me empurra até a porta e insiste:

— Vamos. Diga a eles que entrem. A reunião é importante.

Histérica e a ponto de ter um troço, me limito a bufar.

Como isso pode estar acontecendo comigo?

Por fim fecho os olhos, depois caminho com determinação até a porta e antes de abrir me viro para ele.

— Essa você me paga.

Eric continua imperturbável.

Um minuto depois, retomamos a reunião e tudo volta ao normal. Tudo, exceto o fato de que estou sem calcinha.

18

A reunião se estende mais do que o esperado e só saímos do escritório às oito e meia da noite. Eric está com uma cara séria. A tal da Amanda é chata demais para o meu gosto: tudo o que fez foi colocar obstáculos em cada coisa que se discutia.

Entramos na limusine, com Amanda. Durante o trajeto, Eric fica protegido atrás de uma máscara de hostilidade que não me agrada, e me pede vários papéis. Eu lhe entrego. Ele e Amanda leem os documentos e falam sem parar.

Quando chegamos ao hotel, quero correr para o meu quarto e tirar a roupa, como ele pediu. Não consigo parar de pensar nisso. Eric e eu. Eric em cima de mim. Eric me possuindo. Mas ele me joga um balde de água fria quando diz:

— Senhorita Flores, quer jantar comigo e com Amanda?

Isso me paralisa. Aquela pergunta, na realidade, deveria ser: "Amanda, quer jantar comigo e com a senhorita Flores?"

Sinto a raiva se concentrando no meu estômago. Estou ardendo por dentro. Mas, desta vez, o ardor não tem nada a ver com desejo. Percebo o olhar daquela mulher sobre mim. No fundo, ela fica tão chateada quanto eu por ter que dividir a companhia de Eric com outra pessoa.

— Obrigada pelo convite, senhor Zimmerman — respondo, disposta a não lhe dar o gostinho —, mas já tenho outros planos.

Eric faz cara de surpresa. Por seu olhar, sei que esperava qualquer resposta, menos aquela. Ele se acha! Dou boa-noite e me afasto. Sinto o olhar de Eric nas minhas costas, mas continuo andando. Quando chego ao elevador e as portas se fecham, consigo respirar. E, assim que entro no quarto, grito frustrada.

— Idiota! Você é um idiota!

Irritada até com o ar que respiro, entro no banheiro. Olho para a banheira, mas por fim resolvo tomar uma chuveirada. Não quero pensar em Eric. Que se dane! Saio do chuveiro. Seco o cabelo e me obrigo a voltar a ser a mulher forte que sempre fui. Toca o telefone do quarto. Não atendo. Pego rapidamente meu celular. Três chamadas perdidas da minha irmã. Que malá! Decido ligar de volta outra hora e telefono para uma amiga de Barcelona. Como era de se esperar, fica animada ao saber que estou na cidade, e marcamos de nos encontrar. Desligo o celular. Ninguém vai estragar minha alegria, muito menos Eric.

Então, ansiosa para sair do quarto o quanto antes sem ser vista, coloco um vestido curto e sandálias de salto alto. Faz um calor infernal e esse vestido superleve me cai como uma luva. Quando estou pronta, pego a bolsa. Abro a porta com cuidado e espio pelo corredor. Não há ninguém e eu saio. Mas sei que Eric está na suíte ao lado e, em vez de esperar o elevador, resolvo ir pela escada. Desço cinco lances e finalmente pego o elevador.

Sorrio pela minha proeza e, quando chego à recepção e atravesso as portas do hotel Arts, quase dou pulos de alegria. Mas minha animação dura pouco. De repente me dou conta de que deixei o caminho livre para essa loba da Amanda, e o mau humor volta a tomar conta de mim.

Pego um táxi e dou o endereço. Minha amiga Miriam está me esperando. Quando chego ao lugar combinado, logo a vejo. Está linda e rapidamente nos abraçamos sinceramente. Eu e Miriam somos amigas de infância. Minha mãe era catalã e até o fim de sua vida íamos todo verão a Hospitalet.

— Nossa, amiga. Como você está gata! — grita ela.

Após uma sucessão de beijos, abraços e elogios mútuos, andamos até o porto. Miriam sabe que adoro pizza e vamos a um restaurante do qual ela tem certeza de que vou gostar. Como sempre, comemos à beça, tomamos litros de Coca-Cola e fofocamos durante horas. Por volta de duas da manhã, estou cansada e quero voltar ao hotel. Nos despedimos e combinamos de nos ligar no dia seguinte.

Feliz pela noitada com Miriam, volto ao hotel cheia de energia. Miriam é tão otimista e tem tanta vitalidade que estar com ela sempre me faz muito bem.

Quando o táxi para na linda entrada do hotel Arts, pago ao motorista, dando boa-noite e desço sem perceber que uma limusine branca está parada à direita.

Caminho com determinação até a porta, quando ouço uma voz atrás de mim:

— Judith!

Eu me viro e o coração dispara. Dentro da limusine, pela janela, vejo o rosto petrificado de Eric, também conhecido como Iceman. Meu estômago se contrai. O jeito como mexe a boca me revela que está irritado, e seu olhar me confirma isso. Tento não me importar, mas é impossível. Eu me importo com esse homem. Então caminho lentamente até o carro. Noto que seus olhos me percorrem inteirinha, mas Eric não se move. Quando chego perto dele, me inclino para olhar pela janela aberta.

— Onde você estava? — pergunta grunhindo.

— Me divertindo.

Um silêncio incômodo se instala entre nós dois, até que não consigo resistir e pergunto:

— E sua noite, foi boa? Você e Amanda se divertiram?

Eric suspira. Seus olhos me fulminam.

— Você deveria ter dito onde estava — diz. — Te liguei mil vezes e...

— Senhor Zimmerman — eu o interrompo e, num tom cordial, acrescento educadamente: — Se não me engano, o senhor me deu a opção de decidir se queria jantar com o senhor e com a senhorita Amanda... Não se lembra disso?

Não responde.

— Simplesmente decidi me divertir tanto ou mais que o senhor — continua a mulher perversa que existe em mim.

Isso o enche de raiva. Dá para ver nos seus olhos. Olho para sua mão e percebo que os nós de seus dedos estão brancos de tanta fúria. De repente, abre a porta da limusine.

— Entra — ordena.

Reflito por alguns segundos. O suficiente para deixá-lo ainda mais irritado. Ao fim, decido entrar. Na verdade era tudo o que eu estava querendo. Fecho a porta. Eric me olha de um jeito desafiador e, sem tirar os olhos de mim, aperta um botão da limusine.

— Arranque.

Sinto o carro se deslocar.

— Para sua informação, senhorita Flores — acrescenta, com a mandíbula tensa —, o jantar com a senhorita Amanda foi de negócios. E, como manda o protocolo, a senhorita é a secretária e por isso era à senhorita que eu deveria convidar e não a Amanda Fisher.

Estou de acordo. Tem razão. Eu sei, mas continuo aborrecida. Em algumas ocasiões não consigo ficar quieta, e esta é uma delas. Sem querer dar o braço a torcer, respondo:

— Espero que o senhor ao menos tenha se divertido na companhia dela.

O olhar de Eric me incendeia, enquanto ele se mantém a poucos centímetros de mim, sem se aproximar. Seu perfume embriaga meus sentidos e centenas de borboletas começam a bater asas no meu estômago.

— Eu lhe garanto, acredite ou não, que eu teria aproveitado mais se estivesse na companhia da senhorita. E, antes que continue se comportando como uma menina malcriada, exijo saber com quem esteve e onde. Estou há horas esperando a senhorita voltar, sentado nesta limusine, e quero uma explicação.

Seu comentário acaba com minha indiferença.

— É sério que você ficou horas me esperando na porta do hotel?

— É.

Meu lado princesa que ainda acredita em contos de fadas tem vontade de dar pulos de alegria. Ele ficou me esperando!

— Eric, que fofo — murmuro num tom carinhoso. — Me desculpa. Eu achava que...

Noto seus ombros relaxando.

— Sei... — diz, sem abandonar o jeito duro de falar. — Voltei a ser Eric, senhorita Flores?

Isso me faz sorrir. Ele não move nem um músculo. Ai, meu Iceman! E, como ele já conseguiu me atingir, chego ainda mais perto dele. Sinto a expressão do seu rosto voltando ao normal.

— Eric... desculpa.

— Não peça desculpas. Tente se comportar como um adulto. Não acho que estou pedindo muito.

Ótimo. Ele acabou de me chamar de imatura.

Em outras circunstâncias, eu teria descido do carro e fechado a porta na cara dele, mas não consigo. Seu encanto já me enfeitiçou. Continua sem olhar para mim, mas eu não desisto.

— Passei o dia inteiro pensando em ficar nua para você. E quando você falou desse jantar com a Amanda eu...

Não me deixa terminar a frase. Crava seus lindos olhos em mim e me interrompe:

— Esta viagem é basicamente de trabalho. Esqueceu?

A dureza com que se dirigiu a mim rompe o encanto do momento e, com isso, também minha trégua vai por água abaixo. Minha expressão muda. Minha respiração se acelera e eu acabo colocando para fora meu temperamento espanhol.

— Sei muito bem que esta viagem é de trabalho. Deixamos isso bem claro antes de sair de Madri. Mas hoje você parou uma reunião no meio, expulsou todo mundo da sala e depois tirou minha calcinha. Você acha que sou de ferro? Ou mais um brinquedo dos seus joguinhos? — Como ele não responde, eu continuo: — Tá bom, eu aceitei a viagem. Sou a culpada por estar nesta situação contigo e...

— Agora você está de calcinha normal ou fio dental?

Olho para ele boquiaberta. Ficou louco? Surpresa com aquela pergunta, contraio as sobrancelhas e me afasto dele.

— Não te interessa o que estou usando. — Mas meu gênio ressurge dentro de mim e eu grito como uma descontrolada: — Pelo amor de Deus! Estamos aqui discutindo e você me pergunta se estou de calcinha ou fio dental?

— Sim.

Me recuso a responder, enfurecida. Tenho a sensação de que vou enlouquecer.

— Você ainda não me disse com quem saiu ontem e aonde foram.

Solto o ar bufando. Discutir com ele é muito cansativo.

Por fim, me deixo cair no encosto do assento do carro e me rendo.

— Jantei com minha amiga Miriam no porto e estou usando uma calcinha normal. Mais alguma coisa?

— Só vocês duas?

Por um instante penso em mentir e dizer a ele que jantamos com o time de rúgbi da cidade, mas não quero que ele me interprete mal.

— Sim, só nós duas. Quando eu e Miriam nos encontramos, gostamos de falar, falar e falar.

Ele parece aliviado com minha resposta e vejo que a expressão de seu rosto se suaviza. Olha para mim. Sinto que ele se mexe no banco e se aproxima de mim, como se quisesse me beijar.

— Me dá tua calcinha — diz.

— Mas, vem cá, por que eu tenho que te dar minha calcinha? — protesto.

Eric sorri e me beija. Enfim uma trégua! Depois do beijo, ele se afasta.

— Porque, da última vez que você esteve comigo, não estava usando e não te dei permissão para colocar uma.

— Ah tá. Então você está me dizendo que eu deveria ter saído por Barcelona sem calcinha? — Vejo que minha brincadeira não o diverte, e murmuro, retirando-a depressa: — Tome essa maldita calcinha.

Ele a pega e enfia no bolso da calça de linho. Está supergato com essa calça larga e uma blusa azul. Olha para minhas pernas, passa a mão nelas e seu olhar sobe até meus seios.

— Vejo que você não está de sutiã.

— Não. Com esse vestido não precisa.

Concorda. Toca meus seios por cima da roupa.

— Senta na minha frente.

Sem me opor, mudo de lugar e me sento diante dele. Estica o braço e toca minhas pernas.

— Adoro sua pele macia.

Meu vestido curto chega até as coxas, e Eric o levanta mais alguns centímetros. Logo me faz separar os joelhos.

— Excelente e tentador.

Noto que começa a respirar mais forte. Faço menção de fechar as pernas, mas ele não permite.

— Deixa elas abertas pra mim.

Sinto que o sexo está se aproximando, e fico desconcertada por não saber quando nem como. Mas meu corpo todo já está se excitando. Eu o desejo.

O carro para. Eric abaixa meu vestido e, segundos depois, a porta se abre. Estamos em frente a um barzinho em cujo letreiro está escrito "Chaining".

Eric me dá a mão para descer da limusine e a brisa envolve minhas pernas. Estremeço. Meu vestido é muito curto, e sem calcinha eu me sinto quase nua. Eric apoia a mão nas minhas costas, e o homem da recepção abre a porta. Eric lhe diz algo, e ele nos deixa passar.

Do lado de dentro, a música e o burburinho das pessoas nos envolve. Sinto a mão de Eric na minha bunda, e isso me deixa excitada outra vez. Ele me guia até o balcão e pedimos algo para beber. O garçom lhe entrega um uísque puro e, para mim, rum com Coca-Cola. Bebo um gole enorme. Estou com sede. Olho ao redor, movida pela curiosidade, e vejo as pessoas conversando e rindo animadamente, até que sinto Eric perto do meu ouvido.

— Seu mau comportamento esta noite merece um castigo.

Olho para ele, surpresa.

— Senhor Zimmerman, gosto muito de você, mas, se você pensa em encostar em mim de uma forma que eu ache ofensiva, te garanto que você vai pagar.

Com sua superioridade de sempre, ele sorri. Dá um gole no uísque, chega mais perto do meu rosto e murmura, me deixando arrepiada:

— Pequena, meus castigos não têm nada a ver com o que você está pensando. Lembre-se disso.

Sem tirarmos os olhos um do outro, bebemos de nossos copos, e minha sede, somada à minha tensão, me faz acabar a bebida rapidamente. Percebendo isso, Eric segura minha cabeça e me beija com voracidade. Seu gesto me deixa louca, e, quando ele afasta os lábios, murmura:

— Me acompanhe.

Eu o sigo, empolgada, enquanto ele abre caminho e não permite que ninguém encoste em mim. Adoro o jeito como me protege. É excitante. Segundos depois, entramos em outro salão. Está menos cheio. A música não é tão alta e as pessoas parecem mais tranquilas. De novo, nos aproximamos do balcão. Desta vez nos acomodamos num canto, e Eric pede as mesmas bebidas de antes. O garçom prepara e coloca na nossa frente, junto com uma espécie de balde com água e uns guardanapos de linho. Eric pega um banquinho alto e me convida a sentar ali. Obedeço logo. Meus sapatos já estão começando a me machucar.

Ao me sentar, cruzo as pernas.

Morro de medo de que vejam que estou sem calcinha. Eric me abraça. Coloca suas mãos na minha cintura, enquanto eu ponho as minhas ao redor de seu pescoço. Momento romântico. Desta vez sou eu quem aproxima os lábios dos dele. Passo a língua pelo lábio superior, mas, quando vou fazer o mesmo no inferior, ele sobe a mão da cintura para a nuca e de novo me beija com voracidade. Enfia sua língua na minha boca e a invade com verdadeira paixão, o que outra vez me faz sentir como uma bonequinha em seus braços.

— Abre as pernas pra mim, Jud.

Eu o encaro por alguns segundos e, depois, dou uma olhada ao redor.

Calculo que a escuridão do lugar e a posição em que me encontro, num canto do balcão, não deixarão que vejam que estou sem calcinha, mesmo que eu abra as pernas. Sorrio. Descruzo as pernas e, sem deixar de olhar para ele, faço o que me pede e apoio os saltos na barra do banco.

Eric pousa as mãos nos meus joelhos e sinto que ele vai subindo com elas muito... muito lentamente. Aproxima seus lábios dos meus e eu o escuto dizer "Te adoro", bem pertinho. Fecho os olhos, e suas mãos deslizam pela parte interna das minhas coxas. Inquieta, me mexo. Quero mais. Fazer isso num lugar público me deixa nervosa, mas ao mesmo tempo me excita. Ele percebe e encosta a boca na minha orelha.

— Fique calma, pequena. Estamos num clube de swing e todo mundo veio aqui com o mesmo objetivo.

Isso me assusta.

Um clube de swing?

Fico paralisada.

Horror, pavor e estupor. Eric gira meu banco e me faz olhar para as pessoas ao nosso redor. De repente tomo consciência de que, no balcão, vários homens de diferentes idades estão olhando para nós dois. Nos observando.

— Todos eles estão querendo enfiar a mão por baixo do seu vestidinho curto — sussurra Eric em meu ouvido. — A expressão deles revela que estão loucos para chupar seus mamilos, tirar sua roupa e, se eu permitir, te comer até você gozar. Não reparou na cara deles? Estão excitados e querem sentir seu clitóris entre os dentes para te fazer gritar de prazer.

Meu coração dispara.

Vou ter um troço!

Nunca fiz nada parecido, mas a ideia me deixa excitada. Muito excitada. Minha respiração fica entrecortada. Imaginar o que Eric está descrevendo para mim faz meu corpo arder de tanto calor. Muito calor. Tento girar o banquinho para outra direção, mas Eric o segura para mantê-lo parado.

— Você disse para eu te contar tudo o que eu gosto, pequena, e o que eu gosto é disso. A perversão. Estamos num clube privado em que as pessoas trepam e se deixam levar por seus desejos. Aqui as pessoas ficam totalmente desinibidas e pensam apenas no prazer e nos joguinhos sexuais.

Sinto o pescoço me pinicando. As brotoejas!

Mas Eric percebe, segura minhas mãos e sopra meu pescoço.

— Em lugares como este — continua —, as pessoas oferecem o corpo e o prazer em troca de nada. Há casais que fazem swing, outros que procuram alguém para fazer um trio e outros que simplesmente se juntam a uma orgia. Neste clube há vários ambientes e agora estamos na antessala do jogo. Aqui a pessoa decide se quer brincar ou não e, principalmente, escolhe com quem.

Eric gira o banco. Me encara e acrescenta sem alterar sua expressão:

— Jud, estou louco para brincar. Minha virilha está latejando e eu estou morrendo de vontade de te foder. Somos um casal e podemos atravessar a porta dos fundos do clube.

Minha boca está seca. Pastosa. Pego o copo de rum e bebo um bom gole.

— Você já veio aqui, né?

— Já. Aqui e em outros lugares parecidos. Você já sabe que gosto de sexo, de perversão e de mulheres.

Já sabia. Ficamos em silêncio por alguns segundos.

— O que há atrás dessa porta?

— Uma sala escura onde você toca e é tocada sem saber por quem. Depois há uma pequena sala com poltronas separadas por cortinas pretas pra quem não quer ir até as camas, duas jacuzzis, vários quartos privativos para que você transe com quem quiser sem ser visto e um quarto grande com várias camas ao lado da segunda jacuzzi, onde quem quiser pode participar da orgia.

Sinto minhas pernas tremerem. Onde foi que esse louco me meteu?

Ainda bem que estou sentada, porque senão eu cairia no chão. Eric percebe meu estado e me aperta contra ele.

— Pequena, nunca farei nada que você não aprove antes. Mas quero que saiba que seu jogo é meu jogo. Seu prazer é meu prazer, e você e eu somos os únicos donos de nossos corpos.

— Que poético — consigo dizer.

Eric bebe seu uísque com calma, enquanto sinto meu coração batendo muito rápido. Esse mundo é estranho demais para mim, mas me dou conta de que não é algo que me assusta, e sim me atrai.

— Escuta, Jud. Entre nós, quando estivermos em lugares como este ou acompanhados de outras pessoas entre quatro paredes, haverá duas condições. A primeira: nossos beijos são só para nós dois. Pode ser?

— Pode.

Isso me alegra. Odeio que beije outra mulher e em seguida me beije.

— E a segunda condição é o respeito. Se algo te incomodar ou me incomodar, deveremos dizer. Se você não quiser que alguém te toque, te penetre ou te chupe, deve me dizer e eu logo vou interromper isso e vice-versa. Combinado?

— Combinado. — E num fio de voz murmuro: — Eric... eu... eu não estou preparada pra nada do que você disse.

Vejo que sorri e faz um gesto compreensivo com a cabeça.

Depois enfia sua mão entre minhas pernas, passa por minha vagina molhada e sussurra:

— Você está preparada, está com vontade e está molhada. Mas tudo bem, só faremos o que você quiser. Como se você só quisesse olhar... E, quando chegarmos ao hotel, vou te foder porque estou quase explodindo.

Sinto um calor terrível no rosto e no corpo inteiro.

Vou explodir também!

Eric está muito fogoso e sinto sua mão deslizando entre minhas coxas. Depois ele coloca a palma da mão na minha vagina.

— Você está encharcada... suculenta... receptiva. Te excita estar aqui?

Negar seria uma bobagem, então respondo:

— Sim. Mas o que mais me excita são as coisas que você diz.

— Hummmm... Te excita o que eu digo?

— Muito.

— Isso significa que está disposta a aceitar todos os meus joguinhos e caprichos, e eu gosto disso. Me deixa louco.

Sinto sua mão pressionando minha vagina.

Instintivamente, solto um gemido.

Com sua outra mão, Eric pega a minha e a coloca sobre sua ereção. Toco por cima da calça e me derreto toda. Está duro. Incrivelmente duro. Me beija. Suga meus lábios.

— Vou girar o banco para te mostrar aos homens — diz, a poucos centímetros do meu rosto, quando se separa de mim. — Não junte as coxas e não abaixe o vestido.

Me incendeio. Me queimo. Estou ardendo de tesão.

E, quando Eric faz o que diz e eu fico de pernas abertas diante deles, uma explosão selvagem toma conta de mim e eu respiro ofegante.

Três homens me observam. Me comem com os olhos. Seus olhares sobem das minhas coxas até minha vagina, e percebo o tesão deles. Querem me possuir e de certo modo já fazem isso com o olhar. Desejam me tocar. De repente, me sinto sensacional e perversa e meus mamilos ficam duros como pedras, enquanto continuo com as pernas abertas, mostrando minha intimidade àqueles homens.

Eric, que está atrás de mim, encosta sua bochecha na minha, e eu noto que ele sorri.

Começa a passar suas mãos nas minhas coxas e as afasta ainda mais. Me expõe totalmente a eles. Me enfia o dedo bem diante deles e depois o retira e o leva à minha boca. Eu o chupo e, como uma atriz pornô, passo a língua nos lábios, deliciando-me, enquanto observo os olhares pervertidos dos três homens. Nesse instante, Eric gira rapidamente o banco e me olha nos olhos:

— Gosta da sensação de ser observada?

Minha cabeça diz sim. Ele faz o mesmo.

— Você gostaria que eu e um ou vários desses caras entrássemos num reservado contigo e tirássemos sua roupa? — Meu coração se acelera, e Eric continua: — Eu abriria tuas pernas e te ofereceria a eles. Te chupariam e te tocariam enquanto eu te seguraria e...

Minha vagina se contrai e eu faço que sim outra vez.

Fecho os olhos. Só de escutar suas palavras já estou à beira do orgasmo. Quero fazer tudo o que ele descreveu. Quero brincar com ele e fazer o que ele deseja. Estou com tanto tesão que me sinto disposta a fazer qualquer coisa que ele quiser, porque, mais uma vez, Eric é mais forte do que minha razão.

Ele me beija enquanto sinto o olhar dos três caras nas minhas costas. Eric se diverte com isso. Enfia um dedo na minha vagina, logo dois, e começa a movê-los dentro de mim. Abro as pernas mais um pouco e me mexo, consciente de que eles me observam. Quero mais. Me inflamo e, quando estou prestes a gozar, Eric para.

— Meu castigo por seu comportamento de hoje será que você não vai fazer nada do que propus. Ninguém vai te tocar. Eu não vou te comer e agora mesmo vamos voltar para o hotel. Amanhã, se você se comportar direito, talvez eu retire o castigo.

Incendiada pelo momento, só consigo parar de ofegar, enquanto a indignação vai crescendo dentro de mim.

Por que faz isso comigo?

Por que me leva a esses limites e logo depois me deixa assim?

Por que é tão cruel?

Eric abaixa meu vestido, pega uma das toalhinhas de pano que estão no balcão e seca as mãos. Iceman está de volta. Faz sinal para que eu desça do banco e me arrasta para fora do bar.

A limusine chega imediatamente e nós entramos. Fazemos todo o trajeto até o hotel sem falar nada. Eric não me dirige o olhar. Apenas olha pela janela do carro e vejo que está tenso. Acalorada e ao mesmo tempo irritada pelo que aconteceu, não sei o que pensar. Não sei o que dizer. Estive a ponto de fazer algo que nunca havia passado pela minha cabeça e agora me sinto frustrada por não ter podido ir adiante.

Quando chegamos ao hotel, Eric me acompanha até minha suíte. Quero convidá-lo a entrar. Quero que ele faça comigo o que ficou dizendo a noite toda que faria. Preciso disso. Mas ele nem se aproxima de mim. Assim que entro no quarto, ele me olha sem ultrapassar o limite da porta e diz antes de fechá-la:

— Boa noite, Jud. Durma bem.

Fecha a porta. Vai embora e eu fico ali plantada como uma idiota, excitada, frustrada e irritada.

19

Quando meu despertador toca, sinto vontade de morrer.

Estou cansada. Passei a noite em claro pensando no que ocorreu naquele bar. As palavras de Eric, seu olhar e o modo como aqueles homens me desejavam — tudo isso não me deixou dormir. No fim das contas, por volta das quatro da manhã, tirei o vibrador da mala e, após brincar um pouco com ele, consegui apagar meu fogo interno.

Assim como ontem, Amanda, Eric e eu saímos do hotel e o motorista nos levou até os escritórios para continuarmos a reunião. Hoje eu vim de calça. Não quero que aconteça a mesma coisa que ontem. Logo que me vê, Eric me olha de cima a baixo e, embora só tenha me dado bom-dia, pelo tom de sua voz eu percebo que ele já não está irritado.

Durante horas, enquanto escuto atenta a reunião, meu olhar e o de Eric se encontram várias vezes. Hoje ele não me manda nenhum e-mail, nem interrompe a reunião. Que alívio! Quero ser profissional no meu trabalho.

Às sete da noite, quando chegamos ao hotel, me despeço dele e de Amanda e subo para meu quarto. Estou morrendo de calor. Alguém toca a campainha. Abro e não me surpreendo quando vejo Eric. Me olha com determinação. Entra e fecha a porta, tira o paletó e o joga no chão, desfaz o nó da gravata e depois me toma em seus braços e caminha até a cama com os olhos cheios de desejo.

— Ah, pequena... Estou morrendo de tesão por você.

Não precisa dizer mais nada. O desejo é mútuo, e a noite, longa e perfeita.

Quando acordo, às seis da manhã, Eric não está a meu lado. Foi embora, mas estou tão exausta por nossa maratona de sexo que volto a dormir.

Por volta das dez, o toque do meu celular me desperta. Corro para atender e leio uma mensagem de Eric: "Acorda."

Pulo da cama e tomo uma chuveirada. É sábado. Hoje não temos nenhuma reunião e quero passar a maior parte do tempo com ele. Quando saio do banho, enrolada na toalha, alguém toca a campainha. Abro e encontro o maravilhoso Eric de jeans com cintura baixa e uma camisa branca aberta. Sua aparência é sedutora e selvagem. Ele está absurdamente gostoso.

Uau, que delícia que ele está!

— Bom dia, pequena.

— Oi!

Olho para ele como se eu fosse uma colegial.

— Quer passar o dia comigo? — diz.

Sua pergunta me surpreende. Pela primeira vez, não está considerando nada garantido.

— Claro que quero!

— Ótimo! Vou te levar para almoçar num lugar delicioso. Põe o biquíni.

Sorrio concordando e ele entra na suíte.

— Se veste ou então meu almoço vai ser você — murmura com voz rouca.

Divertindo-me com suas palavras, corro para o quarto. Quando entro, ouço no rádio uma música que adoro, e, enquanto me visto, eu cantarolo:

> *Muero por tus besos, por tu ingrata sonrisa.*
> *Por tus bellas caricias, eres tú mi alegría.*
> *Pido que no me falles, que nunca te me vayas*
> *Y que nunca te olvides, que soy yo quien te ama.*
> *Que soy yo quien te espera, que soy yo quien te llora,*
> *Que soy yo quien te anhela los minutos y horas...*
> *Me muero por besarte, dormirme en tu boca*
> *Me muero por decirte que el mundo se equivoca...*

Quando me viro, Eric está apoiado no batente da porta, me observando.

— O que você está cantando?

— Você não conhece essa música?

— Não. Quem canta?

Termino de abotoar a calça jeans e respondo:

— Um grupo chamado La Quinta Estación. E a música se chama *Me muero*.

Eric se aproxima. Visto um top lilás e, sem conseguir deixar de sorrir, já imagino suas intenções. Me pega pela cintura.

— A música diz algo como "estou louco para te beijar", não?

Faço que sim como uma boba. É impressionante como fico idiota ao lado dele...

— Pois é exatamente isso que está me passando pela cabeça agora mesmo, pequena.

Me toma entre seus braços. Me enlaça e me beija. Devora meus lábios com tamanho ímpeto que já quero que tire minha roupa e continue me devorando. A música continua tocando, enquanto me beija... me beija... me beija. Mas de repente para, me solta e me dá um tapinha divertido na bunda.

— Termine de se vestir ou eu não respondo por mim.

Dou uma risada e entro rapidamente no banheiro para prender o cabelo num rabo alto. Quando saio, Eric está apoiado no aparador e olhando para fora. Seu perfil é incrível. Sexy. Quando me vê, sorri.

— O que você faz para ficar cada dia mais linda?

Feliz com esse elogio, abro um sorriso. Ele se aproxima de mim, segura meu pescoço e me beija. Uau! Depois se afasta e me olha nos olhos.

— Vamos logo antes que eu arranque sua roupa, pequena — murmura.

Em meio a risadas, chegamos à recepção do hotel. Ele não volta a me tocar nem se aproximar de mim mais que o necessário. Um jovem recepcionista, ao nos ver, chega mais perto e entrega umas chaves a Eric. Quando se afasta, olho para o chaveiro, movida pela curiosidade.

— Lotus?

Eric faz que sim com a cabeça e indica a porta do hotel, onde vejo estacionado um maravilhoso esportivo laranja.

— Uau! Um Lotus Elise 1600!

Eric se surpreende.

— Senhorita Flores, além de entender de futebol, a senhorita também entende de carros?

— Meu pai tem uma oficina mecânica em Jerez — respondo orgulhosa.

— Gosta desse carro?

— Mas como não iria gostar? É um Lotus! — respondo. — Você vai me deixar dirigir, né? — digo, sem me aproximar dele, apesar da vontade que sinto.

Sem sorrir, Eric me olha... me olha... me olha e, por fim, joga as chaves para o alto e eu pego.

— Todo seu, pequena.

Quero me atirar no seu pescoço e beijá-lo, mas me controlo. Ao fundo, vejo Amanda nos olhando com curiosidade e não quero que ela saiba de nada, embora eu tenha consciência de que ela já está tirando suas próprias conclusões. Que se dane! Sua cara diz tudo, e dá para sacar que ela está muito... muito irritada.

Eric e eu atravessamos a porta do hotel e, assim que entramos no carro e eu arranco, ligo o rádio. A música *Kiss*, do Prince, está tocando e eu movimento os ombros empolgada. Eric olha para mim e, brincando, faz cara de contrariado. Divertindo-me, sorrio por sua expressão e, antes que ele diga qualquer coisa, coloco meus óculos escuros.

— Manda ver, menina.

O dia tem tudo para ser maravilhoso. Estou dirigindo um Lotus incrível ao lado de um homem mais incrível ainda. Quando saímos de Barcelona em direção a Tarragona, me desvio por uma estradinha. Eric não olha.

— Não sei se você sabe, mas já passei muitos verões em Barcelona — digo.
— Não. Não sabia.

Sinto a adrenalina no auge enquanto dirijo.

— Vou te levar num lugar onde você vai poder experimentar esta maravilha. Você vai ver. Vai enlouquecer!

Com sua seriedade habitual, Eric olha para mim e diz:
— Jud... essa estrada não é para um carro como esse.
— Fica quietinho.
— O pneu vai furar, Jud.
— Cala a boca, seu estraga-prazeres!

Minha adrenalina vai a mil.

Continuo e vamos passando por várias poças d'água. O carro brilhante se enche de lama e Eric me olha. Eu cantarolo e finjo que nem estou reparando. Sigo meu caminho, mas, de repente, ah, ah...! O carro faz um movimento estranho e sinto que o pneu furou.

A adrenalina, a alegria e o bom humor se apagam em décimos de segundos e penso num palavrão. Com certeza ele vai dizer que me avisou e terei que concordar e ficar quieta. Reduzo a velocidade e, quando paro, mordo o lábio e olho para Eric com cara séria:

— Acho que o pneu furou.

Ele me encara com uma expressão irritada. Já percebi que Eric não gosta de imprevistos. Estamos no meio da estrada, ao meio-dia, com o sol a pino. Sem dizer nada, sai do carro e bate a porta com força. Eu saio também. Finjo ignorar seu gesto brusco com a porta. O carro está imundo e cheio de lama. Nada a ver com o lindo e reluzente carro que comecei a dirigir há apenas quarenta minutos. O pneu furado é bem o da frente e do lado do motorista. Eric fecha os olhos e suspira fundo.

— Ok, o pneu furou. Mas tudo bem. Não vamos entrar em pânico. Se o estepe está onde deve estar, eu troco rapidinho.

Não responde. Mal-humorado, anda até a traseira do carro, abre o porta-malas e vejo que tira um pneu e as ferramentas necessárias para trocá-lo. Irritado, se aproxima de mim, solta a roda no chão e me diz com as mãos sujas de graxa:

— Você pode sair da frente?

Suas palavras me deixam furiosa. Não apenas pelo tom, mas pelo que dão a entender.

— Não — respondo sem me mover um centímetro —, não posso sair da frente.

Minha resposta o surpreende.

— Jud — diz —, você acabou de estragar um dia lindo. Não o estrague mais ainda.

Ele tem razão. Cismei de entrar por aquele caminho, mas não gosto que ele fale desse jeito comigo.

— É você quem está estragando o dia lindo com sua falta de educação e sua cara emburrada — respondo, incapaz de ficar de boca fechada. — Porra! O pneu furou. Só isso. Não seja tão exagerado.

— Exagerado?!

— Sim, terrivelmente exagerado. E agora, por favor, saia da frente que eu mesma vou trocar esse pneu sozinha e apagar meu erro terrível e irreparável.

Eric está suando. Eu também. O sol não nos dá descanso e não trouxemos nem uma mísera garrafa de água para nos refrescarmos. Vejo a aflição em seu rosto, em seu olhar.

— Tudo bem, espertinha — ele diz, abrindo as mãos. — Agora você vai trocar o pneu sozinha.

Em seguida começa a andar até uma árvore que está a uns dez metros do carro. Quando chega à sombra, Eric senta e me observa.

A fúria me domina por dentro e começa a pinicar meu pescoço. Maldita urticária! Sem parar para pensar nisso, ponho o macaco por baixo do carro e começo a fazer força para erguê-lo. O esforço me faz suar mais ainda. Estou ensopada de suor. Meus seios e minhas costas estão encharcados, minha franja gruda na testa, mas eu continuo determinada, sem dar o braço a torcer.

Sou forte e autossuficiente!

Após um esforço terrível em que sinto que vou desmaiar, consigo retirar o pneu furado. Me sujo toda de graxa, mas não há o que fazer. Quando estou prestes a gritar de frustração, sinto Eric me agarrando pela cintura.

— Tá bom, você já provou que sabe fazer isso sozinha — diz com voz suave. — Agora, por favor, fica na sombra e eu termino de pôr a roda.

Quero dizer não. Mas estou com tanto... tanto calor que das duas uma: ou eu fico debaixo da árvore ou com certeza vou desmaiar.

Dez minutos depois, Eric liga o carro, dá uma volta e se aproxima de mim de marcha a ré.

— Vamos... suba.

Irritada, faço o que me pede.

Estou suja, furiosa e morrendo de sede. Ele está igual, mas reconheço que seu humor está melhor que o meu. Dirige com cuidado pela droga de caminho e pega a autoestrada. Quando avista um enorme posto de gasolina, para o carro, olha na minha direção e pergunta:

— Quer beber alguma coisa bem gelada?

— Não... — Ao ver como me olha, acrescento: — Claro que quero beber alguma coisa. Estou morrendo de sede, você não está vendo?

— Posso saber o que te deu agora?

— O que me deu é que você é um rabugento. É isso que me deu.

— O quê?! — pergunta, surpreso.

— Sério, você acha que, só porque um pneu furou e você sujou sua roupa de graxa, o dia lindo foi por água abaixo? Por favor! Como é pequeno seu senso de humor e de aventura... Só podia ser alemão.

Faz menção de responder algo, mas se cala. Respira bufando, sai do carro e entra no posto de gasolina. Então vejo a meu lado um lava-jato manual e não penso duas vezes. Arranco com o carro, ponho o veículo em paralelo, enfio três euros na maquininha e a mangueira da água começa a funcionar. A primeira coisa que faço é molhar minhas mãos e tirar a graxa toda. E o calor é tão forte que solto o cabelo e, sem me importar com quem possa estar vendo, coloco a cabeça embaixo do jato de água. Ai, que geladinho! Uma delícia!

Quando minha cabeça já está refrescada, recupero o bom humor. Eric sai da loja de conveniência do posto com duas garrafas grandes de água e uma Coca-Cola, e vem até mim, surpreso.

— O que você está fazendo?

— Me refrescando e, de quebra, aproveitei para lavar o carro. — E, sem avisar, viro a mangueira na direção dele e o molho, morrendo de rir.

Sua expressão é impagável.

As pessoas nos olham e eu já começo a me arrepender do que estou fazendo. Meu Deus, que cara irritada! Essa minha espontaneidade vai me trazer problemas, e estou vendo que não vai demorar muito. Mas, para minha surpresa, Eric põe as garrafas de água e a Coca-Cola no chão.

— Tudo bem, gatinha, você pediu!

Corre na minha direção, me rouba a mangueira e me encharca inteira. Eu grito, rio e corro em volta do carro enquanto ele se diverte com o que está fazendo. Por alguns minutos nos molhamos um ao outro, e nossa raiva se desfaz junto com a lama e a sujeira. As pessoas nos olham achando graça da cena, enquanto nós, como duas crianças, continuamos nos molhando e caindo na gargalhada.

Quando a água para de repente porque os três euros já acabaram, estou ensopada e apoiada na porta do carro. Eric solta a mangueira e se gruda no meu corpo antes de me beijar. Devora minha boca com verdadeira paixão e me deixa arrepiada.

— Alguém tão imprevisível como você está conseguindo emocionar um alemão rabugento.

— Jura? — murmuro como uma boba.

Eric faz que sim e me beija.

— Onde você esteve a minha vida toda?

Grande momento!

Cena de filme! Me sinto a heroína. Sou Julia Roberts em *Uma linda mulher*. Babi em *Tres metros sobre el cielo*. Nunca ninguém me disse algo tão bonito num momento tão perfeito.

Após um monte de beijos ardentes, decidimos ir embora. Estamos encharcados e colocamos toalhas nos bancos de couro do carro. Eric me entrega as chaves do Lotus outra vez.

— Continuemos a aventura — murmura.

Entre risadas, chegamos a Sitges. Estacionamos o carro, e não me surpreendo quando, depois de guardar as chaves na minha bolsa, Eric busca minha mão. E, como um casalzinho, caminhamos de mãos dadas pelas ruas dessa bonita região.

O calor seca nossas roupas e Eric me leva a um restaurante maravilhoso onde almoçamos enquanto observamos o mar. Nossa conversa flui com facilidade, ou, melhor, a minha conversa flui com facilidade. Não paro de falar e ele sorri. Poucas vezes o vi assim. Nessa hora, nem ele é meu chefe nem eu sou sua secretária. Somos apenas um casal que aproveita um momento agradável.

À tarde, por volta das seis, decidimos dar um mergulho. Assim que entramos na água, Eric me pega em seus braços e caminha comigo até mais para o fundo, depois me solta e eu acabo engolindo um pouco de água. Ah, isso não vai ficar assim! Disposta a fazê-lo pagar pela travessura, coloco uma perna entre as suas e, quando ele menos espera, eu vou lá e o afundo. Isso o surpreende, e agora preciso fugir dele, mas Eric me segura de novo e me afunda no mar.

Passamos um tempinho divertido na água e, quando saímos, nos atiramos sobre nossas toalhas na areia e nos secamos ao sol em silêncio. A moleza me domina e estou quase caindo no sono quando Eric se levanta e me propõe tomar alguma coisa gelada. Aceito imediatamente. Recolhemos nossas coisas e vamos a um quiosque.

Eric vai pedir as bebidas enquanto eu me sento numa mesinha e meu telefone toca. Minha irmã. Fico na dúvida se atendo ou não, mas ao fim decido que não e interrompo a chamada. O celular toca outra vez e eu acabo cedendo.

— Fala, sua chata.

— Chata? Como chata? Te liguei mil vezes, sua ingrata.

Sorrio. Não me chamou de "maninha". Está chateada. Minha irmã é uma figura, mas, como não estou a fim de ficar três horas conversando com ela, pergunto logo:

— O que houve, Raquel?

— Por que você não me liga?

— Estou muito enrolada. O que você quer? — pergunto enquanto observo Eric pedindo as bebidas e logo digitando alguma coisa no celular.

— Falar contigo, fofaaaaa.

— Raquel, querida, posso te ligar mais tarde? Agora não estou podendo falar.

Do outro lado da linha, ela suspira.

— Tudo bem, mas me liga mesmo, tá?

— Beijossss.

Encerro a ligação e fecho os olhos. A brisa do mar sopra no meu rosto e eu estou feliz. O dia está sendo maravilhoso e eu não quero que acabe nunca. O telefone toca outra vez e, convencida de que é minha irmã, respondo:

— Caramba, mas como você é mala, Raquel. O que te deu?

— Oi, gata, sinto dizer que não sou a mala da Raquel.

Logo percebo que é Fernando, o filho do Bicho. Mudo o tom da voz e solto uma gargalhada.

— Oi, Fernando, desculpa! Acabei de desligar com a minha irmã e você sabe como ela é chata...

Escuto sua risada.

— Onde você está? — pergunta.

— Em Sitges, Barcelona.

— Fazendo o quê aí?

— Trabalhando.

— No sábado?

— Nãããão... hoje não. Hoje estou curtindo o sol e a praia.

— Com quem?

A pergunta me pega tão de surpresa que nem sei o que responder.

— Com um pessoal da minha empresa — digo, por fim.

Eric se aproxima. Deixa em cima da mesa uma Coca com muito gelo e uma cerveja, e se senta ao meu lado.

— Quando você vem a Jerez? Já estou te esperando.

— Daqui a alguns dias.

— Vai demorar tanto assim?

— Acho que sim.

— Que merda — ele diz.

Incomodada com a forma como Eric me observa e escuta a conversa, respondo:

— Você aproveite bem aí. Já sabe que não precisa sofrer por mim.

Fernando suspira. Não gostou nem um pouco das minhas palavras, e acrescenta:

— Só vou aproveitar quando você chegar. As férias sem minha conterrânea preferida não têm a menor graça.

Seu comentário me faz rir. Eric olha para mim.

— Ah, Fernando, não seja bobo. Você vai ficar bem e, quando eu chegar aí, te dou um toque e a gente se vê, ok?

Após nos despedirmos, fecho o celular, deixo na mesa e pego a Coca-Cola. Estou morrendo de sede. Por alguns segundos, Eric me olha enquanto bebo.

— Quem é Fernando?

Deixo o copo em cima da mesa e tiro o cabelo do rosto.

— Um amigo de Jerez. Queria saber quando vou pra lá.

De repente me dou conta de que estou lhe dando explicações. O que estou fazendo? O que deu em mim?

— Um amigo... muito amigo? — insiste.

Sorrio ao pensar em Fernando.

— Digamos que só amigo.

O homem maravilhoso que está a meu lado balança a cabeça concordando e olha para o horizonte.

— Qual é o problema? Você não tem amigas?
— Tenho... e com algumas eu faço sexo. Você faz sexo com Fernando?

Se eu pudesse me ver, veria a cara de idiota que fiz ao ouvir a pergunta de Eric.

— Às vezes. Quando estamos a fim.
— É bom com ele?

Essa pergunta tão íntima me parece totalmente fora de lugar.

— É.
— Tão bom quanto comigo?
— É diferente. Você é você, ele é ele.

Eric crava os olhos em mim e me observa... me observa e me observa.

— Você está certa, Jud. Aproveite sua vida e o sexo.

Depois disso, não pergunta mais nada sobre Fernando. Nossa conversa continua, e o clima bom entre nós também.

Às sete da noite, decidimos voltar a Barcelona. De novo Eric me dá as chaves do Lotus e eu dirijo fascinada, curtindo o momento.

Mais tarde, quando chegamos ao hotel, Eric pede que nos tragam algo para comer no meu quarto e durante horas transamos de forma selvagem.

20

O fim de semana passa e na segunda-feira pegamos um avião até Guipúzcoa. A atitude de Amanda em relação a mim não mudou quase nada. Está mais distante e agressiva, mas com Eric ela não é assim. Fico irritada com o esforço que ela faz para que ele não preste atenção em mim. Mas o tiro sai pela culatra o tempo todo. Eric, em suas funções de chefe, me solicita continuamente, e isso tira Amanda do sério. As reuniões se sucedem e, após Guipúzcoa, vamos às Astúrias.

Durante o dia, Eric e eu trabalhamos lado a lado como chefe e secretária, e à noite brincamos e curtimos um ao outro. Sua luxúria parece algo inato, e cada vez que estamos juntos ele me enlouquece com a forma como me faz fantasiar e com seu jeito de me tocar e de me possuir. Adora olhar para mim enquanto me masturbo com o vibrador que ele me deu de presente — capricho que eu lhe concedo com muito prazer. O prazer que me faz sentir é tanto que sinto vontade de ir de novo a uma casa de swing e experimentar o mesmo da outra vez. Quando confesso isso, Eric cai na gargalhada e, ao me penetrar, imagina que outro homem está me possuindo enquanto ele observa. Essa fantasia me deixa louca.

Na quarta-feira, quando chegamos a Orense, vamos direto para uma reunião. No caminho, Eric fala por telefone com uma tal de Marta e se mostra irritado. O dia passa e ele termina se estressando pela falta de profissionalismo do chefe da sucursal. Não preparou nada do que era necessário, e Eric reage muito mal. Tento interferir para apaziguar os ânimos, mas Eric, meu chefe, acaba me repreendendo e me mandando calar a boca.

Na viagem de volta, o humor de Eric está péssimo. Amanda olha para mim com ar de superioridade e eu tenho vontade de matá-la. Quando chegamos ao hotel, Eric pede a Amanda que desça do carro e nos deixe um minuto a sós. Ela obedece e, assim que fecha a porta, Eric olha para mim com uma expressão que me magoa.

— Que esta tenha sido a última vez que você fala numa reunião sem que eu peça.

Entendo sua irritação. Ele está certo e, embora sua bronca tenha me magoado, quero pedir desculpas, mas ele me interrompe:

— No fim das contas a Amanda pode ter razão. Tua presença não é necessária.

Me dá muita raiva ouvir Eric mencionando essa mulher e saber que ela fala de mim.

— Não estou nem aí para o que essa idiota diz sobre mim.

— Mas talvez eu, sim, esteja aí — replica.

Passa a mão na cabeça e nos olhos. Sua cara não está nada boa. O telefone dele toca. Eric olha para o aparelho e interrompe a chamada. E, numa tentativa de amenizar o mal-estar entre nós, murmuro:

— Você está com uma cara péssima. Está com dor de cabeça?

Sem responder, me lança seu olhar impiedoso.

— Boa noite, Jud. Até amanhã.

Olho para ele, surpresa. Está me expulsando?

Com a dignidade que me resta, abro a porta do carro e saio. Amanda espera a poucos metros e prefiro não olhar para ela quando passo a seu lado, senão vou acabar partindo para cima dessa mulher. Vou direto para o quarto.

Na manhã seguinte, quinta-feira, quando o despertador toca às 7h20, eu solto um palavrão. Quero dormir mais.

Em meio a grunhidos, me levanto e ando até o chuveiro. Preciso da água fria no meu corpo para me acordar.

Debaixo d'água, me lembro de que já é quinta-feira e isso me deixa alegre. Em breve Eric e eu teremos o fim de semana inteiro para ficarmos juntos. Ótimo!

Quando volto para o quarto, enrolada numa toalha felpuda de cor creme que tem um cheiro maravilhoso, dou uma olhada na mesinha de cabeceira.

— Ah, vibradorzinho! Adorei nossa noite ontem.

Solto umas risadas.

Em cima de lenços de papel está o vibrador em formato de batom que usei ontem à noite para relaxar. Pego o presentinho de Eric. Suspiro enquanto me lembro da explosão de prazer que senti ao brincar com ele.

Bem-humorada desde cedo, pego o vibrador e volto ao banheiro. Passo uma água nele e o coloco na bolsa. Agora já não esqueço mais. Eu e o vibradorzinho, juntos até a morte. Abro a mala e pego uma calcinha. Enquanto a coloco, lembro que tenho que pedir a Eric que me devolva a que ele roubou de mim, ou então vai ficar faltando calcinha para os próximos dias. Minha irritação desapareceu completamente. Tenho certeza de que a dele também e de que temos um dia maravilhoso pela frente.

Dou uma olhada no armário e escolho um conjunto azul com saia e uma camisa aberta. Hoje quero estar sexy para que Eric sinta vontade de voltar logo ao hotel.

Às oito, alguém toca a campainha do meu quarto e, segundos depois, uma camareira muito gentil deixa um lindo carrinho com o café da manhã e em seguida vai embora.

Quando levanto as tampas das travessas, pulo de felicidade ao ver a quantidade de bolinhos que tenho diante de mim. Pego uma cadeira e me sento. Bebo um pouco de suco de laranja. Hummmm, que delícia! Tomo um café com um minissanduíche. Depois como um pão doce e, quando estou quase atacando uma rosquinha, me controlo e consigo vencer a tentação. Muita comida!

O celular apita. Recebi uma mensagem. Eric. "8h30 na recepção."

Que direto!

Nem um simples "Bom dia, pequena", "Jud" ou o que for.

Mas, sem tempo a perder e ansiosa para vê-lo de novo, pego minha pasta. Enfio nela o notebook e os documentos de ontem. Hoje vamos a outra sucursal das Astúrias, e só espero que o dia transcorra melhor do que ontem.

Ao chegar à recepção, vejo Eric apoiado numa mesa. Está incrível com seu terno cinza-claro e sua camisa branca. Noto que seu lindo cabelo ainda está um pouco molhado do banho e estremeço. Teria adorado tomar banho com ele.

Duas mulheres que passam a seu lado se viram e ficam olhando. Normal. É um homem muito atraente. Ao passarem a meu lado, observo suas caras e percebo que estão cochichando. Imagino sobre o que falam. Decidida, caminho em meus saltos altos na direção dele e passo a mão nas suas costas enquanto o observo lendo concentrado o jornal. Quando chego bem à sua frente, eu o cumprimento com voz melosa:

— Bom dia!

Eric não olha para mim.

— Bom dia, senhorita Flores.

Mas peraí... voltamos aos malditos sobrenomes?

Não esperava que ele me pegasse em seus braços e sorrisse para mim como se fosse meu namorado. Mas, por favor, um pouco mais de cordialidade após uma noite separados!

Sua indiferença me desconcerta.

Por que não olha para mim?

Mas, sem querer entrar no jogo de gato e rato, continuo a seu lado esperando que decida quando vamos sair. Dou uma olhada no relógio. Oito e meia. Olho para a entrada do hotel e vejo a limusine esperando. Por que continuamos parados aqui? Eric ignora minha presença e segue lendo o jornal com expresão tensa. Será que ainda está irritado? Tenho vontade de perguntar, mas não quero tomar a iniciativa. Não quero dar o primeiro passo.

Não me mexo. Minha respiração mal se ouve. Tenho certeza de que está esperando algum movimento da minha parte para logo soltar suas palavras ácidas.

As pessoas, em sua maioria executivos como nós, passam ao nosso lado. São 8h35. Me espanta que ainda estejamos aqui, já que Eric é obcecado com horário. Já são 8h40. Continua muito calmo, sem se importar com o fato de eu estar parada a seu lado como uma idiota, quando ouço uns saltos acelerados. Amanda, com um blazer e uma saia branca, se aproxima de nós.

Nem olha na minha cara. Só tem olhos para Eric, a quem se dirige em alemão:

— Desculpa a demora, Eric. Um probleminha com minha roupa.

Vejo que ele sorri.

Olha para ela, examinando-a de cima a baixo com seus olhos azuis.

— Não se preocupe, Amanda. A demora valeu a pena. Dormiu bem?

Ela sorri.

— Sim — responde, sem se importar com minha presença. — Consegui dormir um pouco.

Disse "Consegui dormir um pouco"? Peraí, o que esses idiotas estão dando a entender?

Ela sorri, toda boba após a farra da noite anterior, e toca na cintura dele. Essa intimidade me incomoda. Acho repugnante. E ao mesmo tempo seus sorrisos me revelam muitas coisas.

Respiro com dificuldade ao me dar conta do que houve entre esses dois, e tenho vontade de gritar e espernear. De repente, Eric apoia a mão nas costas de Amanda e, tocando rapidamente sua cintura, diz:

— Vamos, o motorista está esperando.

E, sem olhar para mim, começa a caminhar com essa mulher a seu lado e me ignora completamente.

Eu os observo petrificada.

Não sei o que fazer. Um ciúme incontrolável que até então eu não havia sentido se instala no meu estômago, e estou com vontade de pegar o lindo jarro de cima da mesa e quebrar na cabeça dele.

Meu coração está a mil. Sua batida é tão forte que tenho a sensação de que a recepção inteira consegue ouvir. Aquilo me humilha, me aborrece, e ele continua impossível.

Idiota!

A frieza de Eric continua e eu não entendo por quê. Mas não. Não vou aceitar isso. Eric não me conhece, e ninguém ousa me humilhar dessa forma.

Começo a caminhar atrás deles.

Se esse babaca alemão acha que vou armar um barraco, ele acertou. Não vou deixar por menos! Quando chegamos à limusine, o motorista abre a porta. Amanda entra, em seguida ele entra e, na minha vez de entrar, Eric faz um gesto com a mão.

— Senhorita Flores, sente-se na cabine da frente com o motorista, por favor.

Putz! Que golpe desgraçado que ele me dá bem na frente de Amanda. Mas, surpreendentemente, sorrio com frieza e digo:

— Como o senhor quiser, senhor Zimmerman.

Com minha máscara de indiferença, me sento ao lado do motorista. Que cara emburrada eu devo estar fazendo! Por alguns segundos eu os ouço falar e rir atrás de mim até que um ruído metálico soa em meus ouvidos. Com o canto do olho vejo um vidro opaco dividindo a parte de trás e a parte da frente do carro.

Estou furiosa. Irritada. Exasperada.

Não gosto desse joguinho e não entendo por que ele faz isso comigo. Instintivamente cravo as unhas nas palmas das mãos, até que o motorista me pergunta:

— Quer ouvir música, senhorita?

Faço que sim com a cabeça. Não consigo falar nada. Coloco meus óculos escuros e escondo meus olhos. De repente, começa a tocar a música de Dani Martín *Mi lamento* e eu sinto muita vontade de chorar.

Meus olhos estão ardendo e as lágrimas imploram para sair. Mas não. Não vou chorar. Engulo as lágrimas e tento curtir a música e a viagem. Chego até a cantarolar.

Durante os 45 minutos do trajeto, minha mente trabalha a toda velocidade. O que aqueles dois estão fazendo ali atrás? Por que Eric me pediu para sentar na frente? Por que continua chateado comigo? Quando o carro para, desço sem esperar que o motorista abra a porta para mim. Que ele faça isso aos dois lá de trás. Aos patrões.

Assim que desço, sorrio ao ver Santiago Ramos. É o secretário dessa sucursal e entre nós dois sempre rolou uma química. Mas uma química do bem.

Decente. O motorista abre a porta, e Eric e Amanda saem do carro. Não me viro para eles. Me limito a olhar para a frente com meus óculos escuros.

Eric cumprimenta Gutiérrez, o chefe da sucursal, e o pessoal da diretoria. Apresenta todos eles a Amanda e depois a mim. Com profissionalismo, aperto as mãos deles para depois acompanhá-los até uma sala. Mas agora, em vez de ir atrás de Eric e Amanda, me demoro para poder cumprimentar Santiago. Damos dois beijinhos e entramos na sala conversando.

Antes de nos sentarmos, umas senhoras nos oferecem café. Aceito com prazer. Preciso de café. Tomo três. Conforme o tempo vai passando, a distância de Eric e a conversa com Santiago começam a me acalmar. Nesse momento, percebo que Eric se vira. É só um instante, mas sei que olhou para mim. Me procurou.

Santiago e eu continuamos conversando e nós dois rimos, quando ele conta algumas coisas da filha dele. É um paizão e isso me comove. Dez minutos depois, todos nós passamos à sala de reuniões, nos acomodamos em nossos lugares e, como sempre, Eric senta à cabeceira da mesa. Amanda fica à sua direita e eu tento me colocar num segundo plano. Não quero olhar para ele. Não sinto vontade.

— Senhorita Flores — ouço meu chefe me chamar.

Sem hesitar, me levanto e me aproximo dele com profissionalismo.

Seu perfume invade minhas narinas e me desperta mil sensações, mil emoções. Mas consigo manter inabalada a expressão do meu rosto.

— Sente-se na outra ponta da mesa, por favor. De frente para mim.

Eu vou matá-lo... matá-lo e matá-lo.

Não quero olhar para ele, nem quero que olhe para mim.

Mas, disposta a ser a secretária perfeita, pego meu notebook e me sento onde ele indica. Do outro lado da mesa, de frente para ele.

A reunião começa e eu fico atenta a tudo que falam. Não olho para ele e acho que ele também não está me olhando. Estou com o notebook aberto diante de mim e temo receber alguma mensagem de Eric. Por sorte, não chega nenhuma. À uma da tarde, a reunião é interrompida. Hora do almoço. O chefe da sucursal reservou mesa num hotel próximo, e Santiago me convida para ir no carro dele. Aceito.

Sem olhar para meu Iceman, que está ao lado de Amanda, passo reto por ele, até que o ouço me chamar. Peço a Santiago que me dê um segundo e vou até meu chefe.

— Vai aonde, senhorita Flores?

— Ao restaurante, senhor Zimmerman.

Eric olha para Santiago.

— Pode vir conosco na limusine.

Ótimo. Agora o desconfiado é ele.

Que se dane!

Amanda nos olha. Não entende o que estamos dizendo. Falamos em espanhol, e imagino que isso a incomode.

— Obrigada, senhor Zimmerman, mas, se não se importa, irei com Santiago.

— Me importo — responde.

Não há ninguém ao nosso redor. Ninguém pode nos escutar.

— Pior para o senhor.

Dou as costas a ele e saio.

Dá-lhe, fúria espanhola!

Espanha 1 – Alemanha 0.

Sei que acabo de cometer a maior imprudência que uma secretária pode fazer. E ainda maior em se tratando de Eric. Mas eu precisava disso. Precisava fazê-lo se sentir como eu me sinto.

Sem pensar nas consequências, entre elas a demissão certa, ando até Santiago e seguro seu braço com intimidade. Entramos em seu Opel Corsa e nos dirigimos ao restaurante, enquanto começo a pensar no desemprego. Depois dessa, vou ser demitida com certeza.

Quando chego ao estabelecimento, corro com Santiago para tomar várias Coca-Colas.

Ai, meu Deus! Como gosto de sentir suas borbulhas na minha boca...

Mas até as borbulhas se desfazem quando vejo entrar Eric, seguido de Amanda e dos outros chefes. Olha na minha direção e posso perceber sua irritação. Os diretores entram no salão e rapidamente se acomodam em seus lugares. Eric faz menção de se sentar, mas logo se desculpa com seus colegas e me faz um sinal com a mão. Eu e Santiago o avistamos, e não posso me recusar a ir.

Dou mais um gole na minha Coca, que deixo no balcão e me aproximo de Eric.

— Diga-me, senhor Zimmerman. Em que posso ajudá-lo?

Eric abaixa a voz e, sem alterar a expressão de seu rosto, pergunta:

— O que você está fazendo, Jud?

Supresa por voltar a ser "Jud", respondo:

— Tomando uma Coca. Zero, por sinal, que engorda menos.

Minha resposta irreverente o desespera. Sei disso e gosto disso.

— Por que você está me irritando o tempo todo? — pergunta, me deixando desconcertada.

Que cinismo...!

— Eu?! — sussurro. — Mas que cara de...

Seu olhar é tenso. Duro e desafiador.

Suas pupilas se contraem e me dizem algo, mas hoje eu não quero entendê-las. Recuso-me.

— Vá para o salão — me diz, antes de se virar. — Vamos almoçar.

Quando eu e Santiago chegamos ao salão, nos sentamos na outra ponta da mesa. Meu celular toca: minha irmã! Decido ignorá-la outra vez, não estou a fim de escutar seus resmungos. Mais tarde ligo de volta. A comida está ótima e eu continuo de papo com meu amigo.

De vez em quando, lanço olhares na direção do meu chefe e vejo que ele sorri para Amanda. Minha desconfiança aumenta. Mas, quando seus olhos cruzam com os meus, me sinto arder. Meu corpo se incendeia. Seu olhar de Iceman consegue fazer com que todas as minhas terminações nervosas se agitem ao mesmo tempo e eu me queime inteira.

Às quatro e meia, voltamos à sede da empresa. Eu, claro, pego carona com Santiago. A reunião recomeça e só acaba às sete. Estou exausta!

21

Quando tudo acaba, Amanda, Eric e eu nos dirigimos até a limusine que nos espera e, sem dar tempo a Eric para me humilhar de novo, me sento logo ao lado do motorista.

Nem vem!

Eu os ouço falar. Inclusive escuto Amanda cochichando e rindo como uma galinha. Ouço o que falam e fico morrendo de raiva. Não gostaria de me sentir assim. Só de olhar para Amanda já dá para saber o que ela procura. Cadela!

Imagino que vão fechar os ambientes da limusine, mas desta vez Eric não dá essa ordem. Quer que eu fique a par de toda a conversa. Fala em alemão, e ouvi-lo me deixa agitada. Me provoca.

Ao chegar ao hotel, a limusine para. Abro minha porta, desço.

Desejo com todas as minhas forças perder de vista Eric e essa imbecil, mas espero educadamente que meu chefe e sua acompanhante desçam do carro. Depois me despeço e vou embora.

Quase corro até o elevador e, quando as portas se fecham, suspiro aliviada. Enfim, sozinha!

O dia foi horrível e quero desaparecer. Quando chego à suíte, jogo a pasta no lindo sofá. Ligo o som. Solto o cabelo, tiro o blazer e ponho a blusa para fora da saia. Preciso de um banho.

Então ouço batidas na porta. Minha mente me diz que é ele. Olho ao redor. Não tenho escapatória, a menos que me jogue do topo do prédio e morra espatifada em pleno asfalto. Que desgosto para o meu pobre pai! Nem pensar!

Decido ignorar as batidas. Não quero abrir, mas a pessoa do outro lado insiste.

Cansada, finalmente abro a porta e qual não é minha surpresa quando vejo Amanda na minha frente. Me olha de cima a baixo.

— Posso entrar? — pergunta em alemão.

— Claro, senhorita Fisher — respondo também em seu idioma.

A mulher entra. Fecho a porta e me viro.

— Você vai ficar por aqui no fim de semana, como fez em Barcelona? — pergunta, antes que eu possa dizer qualquer coisa.

Faço o que Eric costuma fazer. Contraio a expressão do meu rosto. Penso... penso e penso e por fim respondo:

— Vou.

Minha resposta a deixa irritada. Passa as mãos pelo cabelo e depois as coloca na cintura.

— Se sua intenção é ficar com ele, pode esquecer. Ele vai estar comigo.

Enrugo a testa, como se ela falasse chinês e eu não entendesse nada.

— Do que está falando, senhorita Fisher?

— Você e eu sabemos muito bem do que estou falando. Não se faça de desentendida. Vai me dizer que você não é uma espanhola sem um tostão furado que vê em Eric uma oportunidade?

Fico boquiaberta pelo que ela acaba de dizer. Pisco os olhos e deixo cair a máscara que carrego dentro de mim.

— Olha, querida, você está se confundindo comigo. E, se você continua por esse caminho, vai ter problemas, porque eu não sou de ficar de bico calado, não. Portanto, cuidado com o que diz, senão vai ter que passar por cima de uma espanhola sem um tostão furado.

Amanda se afasta um passo de mim. Deve ter levado a sério minha advertência.

— Acho que o mais inteligente da sua parte seria se afastar dele — acrescenta. — Eu própria vou me encarregar de tudo o que Eric precisar. Eu o conheço muito bem e sei como satisfazer suas vontades.

Aperto os punhos. Tão forte que acabo cravando as unhas neles. Mas estou consciente de que não posso agir como gostaria. Então conto até vinte, porque até dez não é suficiente, ando até a porta e a abro.

— Amanda — digo, com toda a gentileza de que sou capaz —, saia já do meu quarto porque, se continuar aqui, algo terrível vai acontecer.

Quando ela vai embora, bato com a porta enquanto solto os maiores palavrões. Tiro os sapatos e os atiro com fúria no sofá. Que ódio!

Minha indignação me enlouquece. Eric estava me usando para colocar ciúmes naquela boneca inflável. Xingo tudo e todos e dou um chute na poltrona chique. Como fui tão imbecil? Sem querer pensar em mais nada, tiro meu notebook da pasta, até que meu celular apita. Recebo uma mensagem. Eric. "Venha ao meu quarto."

Ler isso me deixa ainda mais irritada. Sempre me considerei uma bonequinha em seus braços, mas neste momento me dou conta de que sou uma boneca idiota. Digito com raiva: "Vai à merda."

A resposta chega rápido.

Ao fim de alguns segundos, ouço o barulho de uma porta se abrindo e, bem na minha frente, aparece Eric sem camisa, com cara de chateado e a chave na mão. Sem dizer nada, aproxima-se de onde estou sentada, me pega pelo braço, me levanta e me beija. Me beija de forma tão profunda, que sinto sua língua na entrada da minha garganta. Tento não corresponder. Me nego. Mas meu corpo me trai. Meu corpo o deseja. É incontrolável. E, instantes depois, sou eu quem o beija em busca de mais.

Com urgência leva suas mãos ao botão traseiro da minha saia, e nos chocamos contra a parede. Sem salto alto eu sou muito pequena a seu lado. Sempre gostei disso, assim como ele gosta de sentir sua superioridade. Com sua perna ele separa as minhas, enquanto uma de suas mãos chega em baixo da minha blusa e desliza pelo meu ventre. Fecho os olhos e me deixo levar. Deixo que ele continue. Sem tirar minha saia, sua mão continua o caminho até que se enfia por dentro da minha calcinha e me toca até chegar ao clitóris. Me estimula. Me excita.

Com seus dedos, sua experiência e minha lubrificação, ele me massageia e me inflama. Meu clitóris se incha e eu solto um gemido. Respiro ofegante. Enlouqueço e me esfrego contra ele ao sentir aquela invasão, até que, com sua mão livre, me dá um tapinha. Isso me excita mais ainda. Me deixa louca e, instantes depois, ele desabotoa a própria calça, tira a mão do meu sexo e me puxa até me levar ao centro do quarto. Fixa seus olhos em mim e murmura enquanto aproxima seus lábios dos meus:

— Pequena, você não faz ideia do quanto eu te desejo.

Abaixa o zíper da minha saia, e ela cai no chão. Agacha-se, encosta o nariz na minha calcinha e aspira. Dá uma leve mordidinha no meu púbis e eu respiro ofegante. Suas mãos possessivas me tocam e me acariciam. Sobem por minhas pernas e seguram a borda da minha calcinha. Ele a retira. Estou nua outra vez da cintura para baixo na frente dele e não falo nada. Não ofereço a menor resistência. Me deixo levar enquanto ele me estimula, me possui e me enlouquece.

Levanta-se. Me empurra até o encosto do sofá, me vira de bruços e me faz recostar ali. Meus braços e minha cabeça caem, enquanto meu traseiro continua totalmente exposto a ele. Por alguns segundos eu curto as mordiscadas que ele dá na minha bunda e sinto suas mãos invasoras sobre mim. De novo um tapa. Desta vez mais forte. Me arde. Mas a ardência diminui quando sinto Eric se apertar contra mim e seu pênis torturante me avisar de que vai me fazer sua.

Abre minhas pernas, enquanto com uma das mãos aprisiona minha barriga sobre o encosto do sofá para que eu não me mexa. Com a outra mão pega seu pênis ereto e passeia desde minha vagina quente até meu ânus e vice-versa. Brinca entre minhas pernas, encharcando-me ainda mais.

— Vou te foder, Jud. Hoje você está me deixando louco e eu vou te foder do jeito que fiquei o dia inteiro imaginando.

Ouvir isso me sufoca.

Aguça todos os meus sentidos e eu adoro isso.

Percebo que curvo meu traseiro disposta a recebê-lo. Me sinto como uma cadela no cio em busca de alívio. Eric deixa seu corpo cair sobre o meu. Morde meu ombro, depois minhas costas, e eu me contorço. Estou encharcada, pronta e molhada para recebê-lo. Meu corpo implora. Eric me penetra de uma vez só e exige:

— Preciso te ouvir gemendo. Agora!

Sem conseguir evitar, um gemido ruidoso sai da minha boca.

Sua ordem me deixa mais excitada.

Suas mãos exigentes me agarram pela cintura e me apertam contra ele até que estou completamente possuída. Grito. Me contorço. Vou explodir. Sai de mim uns centímetros, mas entra de novo várias vezes, me preenchendo com uma série de movimentos rápidos e fortes que me fazem gritar. Sinto seus testículos encostando na minha vagina a cada movimento e, quando seu dedo toca meu clitóris e o pressiona, eu grito de novo. Grito de prazer.

A cada estocada sinto que ele me rasga. Isso me excita e eu me abro ainda mais para que continue me rasgando e me faça totalmente sua. Fazemos sem preservativo, e sentir o contato suave e rugoso de sua pele estimula minha excitação. A dureza de suas palavras e sua vontade de me comer me enlouquecem de uma forma selvagem.

Minha vagina se contrai a cada investida e sinto como ela o absorve, o atrai, o deixa completamente rendido. Escuto sua respiração agitada em minha orelha e os ruídos *calientes* de nossos corpos se chocando, uma vez, outra vez... uma vez, outra vez. São viciantes.

Calor.

Estou morrendo de calor.

Uma quentura me sobe pelos pés e invade meu corpo todo. Quando chega à minha cabeça, explode e eu explodo junto. Grito. Me contorço e sinto convulsões, ao mesmo tempo que percebo fluidos escorrendo pelas minhas pernas. Tento me soltar. Mas Eric não deixa. Continua me penetrando enquanto meu orgasmo devastador nos enlouquece.

Meu corpo, esgotado de tanto prazer, se contorce e, após uma investida potente que me encaixa ainda mais no encosto da poltrona, Eric sai de dentro de mim, apoia a cabeça em minhas costas e, depois de um grunhido forte e viril, sinto algo escorrendo em meu traseiro. Ele goza em cima de mim.

Por alguns segundos, permanecemos nessa posição. Ele em cima de mim. Nas minhas costas. Nossos corações acelerados precisam voltar a seu ritmo normal antes que possamos dizer qualquer coisa, enquanto no som do quarto está tocando *Garota de Ipanema*.

Quando Eric se ergue e me solta, eu faço o mesmo.

Vestida só de blusa, eu olho para ele, e ele sorri satisfeito enquanto abotoa a calça. Acabamos de fazer um sexo selvagem, e ele gosta disso. Eu sei. Meu sangue ferve. Estou indignada. Sem conseguir me conter, minha mão me escapa e eu acabo lhe dando uma bofetada ruidosa.

— Sai daqui — exijo. — É o meu quarto.

Não fala nada. Apenas me encara.

Seus olhos, que há poucos minutos sorriam, agora estão frios. Iceman voltou e em sua pior versão. Incapaz de permanecer calada diante dele, depois do que acabo de fazer, grito:

— Quem você pensa que é para entrar no meu quarto?

Não responde e eu grito de novo:

— Quem você pensa que é para me tratar desse jeito? Acho... acho que você se enganou comigo. Não sou sua puta...

— O quê?!

— O que você ouviu, Eric — insisto, enquanto vejo o desconcerto em seus olhos. — Eu não sou sua puta para que você entre aqui e me coma sempre que te dá vontade. Para isso você tem a Amanda. A maravilhosa senhorita Fisher, que está disposta a continuar fazendo tudo o que você quiser. Quando você pretendia me contar que está ficando com ela? O que está acontecendo? Já estava planejando uma orgia entre nós três sem me consultar?

Não responde.

Apenas me encara, e vejo raiva, fogo e desconcerto em seu olhar.

Sua respiração é ritmada e profunda. Quero que ele vá embora. Quero que suma do meu quarto, antes que a víbora que há dentro de mim acabe ressurgindo e dizendo coisas piores. Mas Eric não se move. Tudo o que faz é me olhar, até que me dá as costas e sai. Quando a porta se fecha, levo minha mão à boca e, sem querer, começo a chorar.

Dez minutos depois, tomo um banho.

Preciso tirar o cheiro que está na minha pele.

E, quando saio do chuveiro, algo está bem claro para mim. Preciso ir embora daqui. Abro o notebook e reservo uma passagem de volta para Madri. Às onze da noite estou sentada dentro de um avião enquanto repasso mentalmente o bilhete que deixei em cima da cama e que tenho certeza de que Eric lerá.

Senhor Zimmerman:
Voltarei no domingo à noite para continuar nosso trabalho. Se o senhor resolveu me demitir, por favor me avise para me poupar a viagem.
Atenciosamente,
Judith Flores

22

Na sexta-feira, assim que acordo, olho para o relógio digital na mesinha de cabeceira. São 13h07. Dormi várias horas direto.

Como minha irmã não sabe que estou de volta, ela não apareceu aqui em casa e, por alguns segundos, isso me deixa feliz. Não quero dar explicações.

Quando saio do quarto, a primeira coisa que procuro é o celular. Está na minha bolsa, e no silencioso. Há duas chamadas perdidas da minha irmã, duas de Fernando e doze de Eric. Caramba!

Não respondo a nenhuma. Não quero falar com ninguém.

Minha raiva toma conta de mim outra vez e eu decido fazer uma limpeza geral. Quando estou de mau humor, faço uma faxina que é uma maravilha.

Às três da tarde, minha casa está uma bagunça.

Roupa de um lado, água sanitária de outro, móveis fora do lugar... mas não estou nem aí. Sou a rainha desta casa e quem manda aqui sou eu. De repente, sinto vontade de passar roupa. Inacreditável, mas é verdade. Pego a tábua, ligo o ferro na tomada e separo várias peças de roupa. Cantarolando a música que toca no rádio, acabo esquecendo o que me atormentava: Eric.

Passo um vestido, uma saia, duas blusas e, quando estou passando uma camisa polo, meus olhos se detêm numa bolinha vermelha que está no chão. Logo me lembro de Trampo, meu Trampo, e meus olhos se enchem de lágrimas até que solto um grito. Acabo de me queimar com o ferro no antebraço e está doendo à beça.

Olho nervosa para a queimadura.

Meu antebraço está vermelho como a camisa da seleção espanhola e consigo até ver o contorno e os furinhos do ferro na minha pele. Está doendo... está doendo... está doendo... Doendo muito! Fico na dúvida entre lavar com água ou botar pasta de dentes, enquanto caminho dando pulinhos pela casa. Sempre ouvi falar desses remédios, mas não sei se funcionam. Por fim, morrendo de dor, decido correr para o hospital.

Às sete da noite eu finalmente sou atendida.

Viva a rapidez dos prontos-socorros!

Minha dor é tanta que chego a ver estrelas. Uma médica adorável passa com delicadeza um líquido na queimadura e faz um curativo no meu braço. Me receita analgésicos e me manda para casa.

Com uma dor insuportável e o braço enfaixado, procuro uma farmácia. Como sempre nesses casos, a mais próxima fica a mil quarteirões de onde estou. Após comprar o que preciso, volto para casa. Estou exausta, irritada e cheia de dor. Mas, quando chego ao portão da frente, ouço uma voz atrás de mim.

— Não vá embora de novo sem me avisar.

Sua voz me paralisa.

Me irrita mas também me conforta. Eu precisava ouvi-la.

Me viro e vejo que o homem que me tira dos eixos está a apenas um metro de mim. Sua expressão é séria e, sem saber por quê, levanto o braço e digo, com os olhos cheios de lágrimas:

— Me queimei com o ferro de passar e está doendo pra caramba.

Sua cara muda.

Olha o curativo no meu braço. Depois olha para mim e eu noto que ele perdeu toda a seriedade. Iceman acaba de ir embora para dar lugar a Eric. O Eric que eu adoro.

— Meu Deus, pequena, vem cá.

Chega perto dele e sinto que me abraça com cuidado para não encostar na queimadura. Meu nariz fica impregnado de seu cheiro e me sinto a mulher mais feliz do mundo. Durante alguns minutos, permanecemos nessa posição até que eu me mexo e então ele aproxima sua boca dos meus lábios e me dá um beijo rápido mas doce e carinhoso.

Nunca me beijou assim, e isso me deixa completamente boba.

— O que houve? — pergunta.

Volto a mim e sorrio.

Me beijou com ternura!

Entrego as chaves da minha casa para que ele próprio abra.

— A fechadura do portão está quebrada... tem que puxar a porta.

Desvio os olhos de mim e faz o que peço. Depois pega minha mão e subimos juntos o elevador. Ao abrir a porta de casa, vejo que olha ao redor e murmura:

— Mas... o que aconteceu aqui?

Sorrio. Sorrio como uma idiota, como uma boba.

— Limpeza geral — respondo, olhando o caos que nos cerca. — Quando estou de mau humor, isso me relaxa.

Ele ri baixinho e depois eu ouço a porta se fechar. Quando deixo a bolsa no sofá, me esqueço da dor e me viro para ele.

— O que você veio fazer aqui?

— Eu estava preocupado. Você foi embora sem avisar e...

Te deixei um bilhete e, o mais importante, em boa companhia.

Eric olha para mim. Sinto seu rosto ficando tenso de novo.

— Não quero ouvir outra vez esse seu comentário humilhante de que você é minha puta. Porque é claro que você não é, Jud. Pelo amor de Deus! Nunca te vi nem vou te ver dessa forma, ok? — Vou concordando com a cabeça, e ele continua: — Mas, Jud, você ainda não entendeu que sexo pra mim é um jogo e que você é minha peça mais importante?

— Você disse: sua peça!

— Quando digo "peça"... quero dizer que você é a mulher que mais me importa neste momento. Sem você, o jogo perde a graça. Que coisa, Jud, pensei que eu já tivesse deixado isso claro.

Por alguns minutos, ficamos em silêncio. A tensão no ambiente é tão concreta que tenho a sensação de poder cortá-la com uma faca.

— Olha, Eric, isso não vai funcionar. É melhor sermos só amigos. Acho que, em termos profissionais, podemos trabalhar juntos, mas...

— Jud, eu nunca menti pra você.

— Eu sei — admito. — O problema aqui sou eu, não você. É que eu não estou me reconhecendo. Não sou a garota que você manipula como uma peça. Não... me recuso! Não quero. Não quero saber nada sobre seu mundo, seus joguinhos, nem nada disso. Acho... acho que o melhor é cada um voltar pra sua vida e...

— Tudo bem — diz.

Sua resposta me paralisa.

De repente quero discutir o assunto outra vez. Não quero que ele me leve a sério. Será que estou ficando louca?

Vejo a dor e a raiva em seus olhos, mas tento manter de pé o que acabo de dizer e me seguro para não abraçá-lo. Minha força de vontade desaparece quando estou perto dele, e preciso me manter firme, embora eu mesma me contradiga.

Sinto uma pontada no antebraço que me faz contrair o rosto, e dou um pulo.

— Meu Deeeeeus! Que dor! Porra! Poooooorra!

Ele enruga a testa e se levanta. Não sabe o que fazer enquanto eu continuo com minha sinfonia de gritos e palavrões. O braço está me matando.

— Está doendo muito?

— Sim. Vou tomar um analgésico senão te juro que vou ter um troço.

Meu braço lateja e a dor fica insuportável. Ando como uma louca pela sala até que Eric me detém.

— Senta — ordena. — Vou chamar um amigo.

— Quem você vai chamar?

— Um amigo meu que é médico, pra ele dar uma olhada no seu braço.

— Mas já me examinaram no hospital...

— Mesmo assim. Vou ficar mais tranquilo se o Andrés te olhar.

Estou com tanta dor que nem consigo falar direito. Vinte minutos mais tarde, o interfone toca. Eric atende e um minuto depois aparece o amigo dele. Cumprimentam-se e o recém-chegado fica observando o estado da casa. Em meio a risadas, Eric cochicha:

— Judith estava fazendo uma faxina.

Eles se olham e sorriem. E, nesse momento, irritada com a dor no braço, murmuro:

— Venham, não façam cerimônia. Se acham que está tudo bagunçado, dou permissão para vocês arrumarem. A escova e o esfregão estão à inteira disposição de vocês.

Minha cara emburrada os faz sorrir.

Que gracinhas, os dois!

Por fim, o recém-chegado se aproxima:

— Oi, Judith, meu nome é Andrés Villa. Então, o que houve?

— Me queimei com o ferro de passar e estou morrendo de dor.

Faz que sim com a cabeça e pega uma tesoura.

— Me dá o braço.

Eric senta ao meu lado.

Sinto sua mão protetora nas minhas costas e isso me reconforta. O médico abre o curativo com cuidado. Observa-o por um momento, pega uma espécie de soro e o despeja sobre minha ferida. Um alívio momentâneo me faz suspirar. Depois coloca umas gazes molhadas com esse líquido e fecha o curativo.

— Dói muito, né?

Balanço a cabeça concordando.

Não choro porque estou com vergonha, e ele percebe. Eric também.

— Vou te dar uma injeção de analgésico. É a melhor forma de acabar com a dor. Esse tipo de ferida é chato mesmo. Mas fique calma, vai passar logo.

Não dou nem um pio.

Que ele injete em mim o que quiser, desde que acabe com essa dor horrível de uma vez por todas.

Enquanto ele me dá a injeção, eu o observo. Ele me olha e pisca um dos olhos com cumplicidade. Deve ter uns 30 anos. Alto, moreno e dono de um sorriso lindo. Quando acaba, fecha sua maleta, tira um cartão e me entrega enquanto nos levantamos.

— Para qualquer coisa, à hora que for, me ligue.

Olho para o cartão e leio "Doutor Andrés Villa" e um número de celular. Balanço a cabeça como uma idiota e enfio o cartão no armário da copa.

— Tudo bem, pode deixar.

Nesse momento, Eric passa a mão pela minha cintura numa atitude que me parece possessiva, em seguida põe a mão no ombro de seu amigo e diz:

— Se ela precisar, eu te ligo.

Andrés sorri, Eric me solta e os dois se dirigem à porta. Por alguns minutos, eu os ouço murmurar algo, mas não consigo entender o que é. Quero que a dor vá embora e essa é a única coisa que me interessa agora.

Me atiro de novo no sofá. A dor do meu braço começa a diminuir e sinto que volto a ser uma pessoa. Eric retorna à sala e fala com alguém pelo celular enquanto olha pela janela. Fecho os olhos. Preciso relaxar.

Não sei quanto tempo fico nessa posição, até que ouço a campainha. É Tomás, motorista de Eric, que veio entregar várias sacolas. Quando a porta se fecha, Eric olha para mim.

— Pedi alguma coisa pra gente jantar. Não se mexa, eu me encarrego de tudo.

Sorrio. Ótimo! Preciso de paparicos.

Sem me levantar do sofá, ouço Eric se movimentando pela cozinha. Minutos depois, ele aparece com uma bandeja, pratos, talheres e copos.

— Pedi a Tomás que comprasse comida chinesa. Pelo que eu me lembre, você gosta, né?

— Adoro. — Sorrio.

— A dor diminuiu? — pergunta com expressão séria.

— Sim.

Minha resposta parece deixá-lo aliviado.

Observo Eric colocando na bandeja tudo o que ele trouxe e não consigo parar de olhar. Parece mentira que esse jovem que arruma pratos e copos seja o mesmo Iceman implacável de certas situações. Sua expressão agora está relaxada, e eu gosto disso. Gosto de vê-lo e de senti-lo assim.

Quando acaba o que estava fazendo, volta para a cozinha e aparece com a bandeja cheia de caixinhas brancas. Senta-se a meu lado e diz:

— Como eu não sabia do que você gostava, pedi a Tomás que trouxesse um pouco de tudo: arroz maluco, pão chinês, rolinhos primavera, yakisoba, salada chinesa, carne de vitela com broto de bambu, porco com champignon, lagostim frito, frango ao limão. E, de sobremesa, trufas. Espero que alguma coisa te agrade.

Surpresa com tudo o que ele descreveu, murmuro:

— Caramba, Eric. Aqui há comida para um regimento inteiro! Podia ter dito a Andrés que ficasse para jantar.

— Não.

— Por quê? Ele parece simpático...

— E é. Mas eu queria ficar a sós com você. Precisamos ter uma conversa séria.

Solto o ar bufando e sussurro:

— Mentiroso. Estou dopada e sou presa fácil.

Em resposta, ele apenas sorri.

— Come.

Passo os olhos por todas as embalagens e me sirvo com o que me apetece. Tudo está com uma cara ótima, e o sabor é ainda melhor.

— Onde Tomás comprou isso tudo? É de qual restaurante chinês?

— Quem preparou foi Xao-li. Um dos cozinheiros do hotel Villa Magna.

Fico olhando para ele, incrédula.

— Você está comendo autêntica comida chinesa. Não o que imagino que você coma de vez em quando.

Concordo com a cabeça, divertida com o que ele acaba de dizer. Ele e sua exclusividade.

Eric está de bom humor e isso me deixa alegre. Estar com ele assim, num clima leve, é uma maravilha. Na hora da sobremesa, ele vai até a cozinha, traz umas trufas e coloca diante de mim.

Pega uma colher, parte um pedaço de trufa e põe na frente da minha boca. Sorrio, abro a boca e, depois de fazer um monte de gestos, murmuro:

— Meu Deeeeeeus! Que delícia!

Eric sorri e me dá outro pedaço. Eu saboreio, me delicio e me preparo para pedir mais, até que ele se antecipa.

— Posso provar um pedaço?

Passa a trufa pelos meus lábios, aproxima-se da minha boca e a lambe com delicadeza por alguns segundos, depois diz, afastando-se de mim:

— Delicioso.

Olho para ele. Ele olha para mim e nós sorrimos.

Essa paquerinha boba é tão sensual que não quero ser sua amiga, quero ser algo mais. E, quando vou me lançar em seus braços, desesperada para que me beije, ele me interrompe:

— Jud, agora há pouco você disse que...

— Sei o que eu disse. Esquece.

Eric olha para mim... Pensa... pensa e finalmente continua sem alterar sua expressão:

— Não diga outra vez que eu te considero minha puta, por favor, Jud. Fico arrasado só de imaginar que você pensa isso de mim.

— Tá bom. Foi da boca pra fora. Desculpa.

Seus dedos percorrem meus lábios com delicadeza.

— Jud... você é especial pra mim, muito especial. — Nos olhamos fixamente durante alguns segundos. Por fim ele muda de tom e continua: — Você não pode ir embora sem me dar uma explicação e sem esperar que eu fique louco de preocupação. Quando for assim, prefiro que você bata na minha porta e diga "Tchau!" a ficar pensando que você está. Combinado?

— Se eu não fiz isso, foi porque eu não queria te chamar de babaca ou algo pior.

— Pode chamar, se quiser.

— Não me dá a ideia — brinco.

Seus lábios se comprimem.

— Por favor, não vá embora de novo sem me avisar.

— Tá booooom...! Mas que fique claro que eu pretendia voltar pra continuar com o trabalho.

— Não precisa.

— Não?

— Não.

— Por quê?

— Surgiu um problema.

— Você me demitiu? Mas se eu nem cheguei a te chamar de babaca!

Eric sorri e enfia mais uma trufa na minha boca. Para que eu fique quieta, suponho.

— Cancelei as reuniões da próxima semana e deixei pra mais adiante. Vou voltar pra Alemanha. Tenho algo a resolver lá e não dá pra esperar.

A trufa e a notícia se reviram no meu estômago.

Ele vai embora!

Penso em Amanda. Ele e ela juntos na Alemanha. O espinho do ciúme volta a me espetar.

— Vai voltar com Amanda? — pergunto, incapaz de manter a boca fechada.

— Não, acho que ela voltou hoje. E, em relação a Amanda, ela é apenas uma colega de trabalho e uma amiga. Só isso. Hoje de manhã ela me contou sobre a visita que fez ao seu quarto e...

— Você passou a noite com ela?

— Não.

Sua resposta não me convence.

— Brincou com ela esta noite?

Recosta-se no sofá e faz que sim com a cabeça.

— Isso sim.

Eu o imito. Mas meu humor mudou completamente.

— Gosto de brincar, não se esqueça disso. E você deveria fazer o mesmo.

Oh....! Que lindo escutar isso!

Fico tensa com seu comentário, mas não posso me queixar. Ele sempre foi claro a esse respeito, e eu não tenho como negar. Mas, como sou uma intrometida, insisto em interrogá-lo:

— Foi bom?

— Teria sido melhor com você.

— Ah, claaaaaro...

— Você me leva à loucura e me dá muito prazer. Atualmente, é a mulher que eu mais desejo. Não duvide disso, pequena.

— Atualmente?

— Sim, Jud.

Gosto disso, mas ao mesmo tempo não gosto. Será que estou ficando louca ou sou masoquista e, além disso, uma desequilibrada?

— Entre todas as mulheres com quem você brinca — pergunto —, há alguma especial?

Eric olha para mim.

Entende perfeitamente minha pergunta. Põe a mão na minha coxa e diz:

— Não.

— Nunca houve?

— Houve, sim.

— E?

Crava em mim seu olhar intenso.

— Já não faz parte da minha vida.

— Por quê?

— Jud... não quero falar disso... Mas quero, sim, que você saiba que só você conseguiu me fazer pegar um avião e ir desesperado à sua procura.

— Isso deveria me deixar feliz? — pergunto, sarcástica.

— Não.

Sua resposta volta a me desconcertar. Que jogo é esse que estamos jogando?

— Por que não deveria me deixar feliz?

Eric para e reflete bem antes de responder.

— Porque não quero te fazer sofrer.

Aquilo me deixa sem palavras. Não sei o que responder.

— Talvez seja eu quem esteja fazendo você sofrer — digo, com toda a petulância de que sou capaz.

Olha para mim... eu olho para ele...

Após um silêncio incômodo, meu celular toca. É Miriam, minha amiga de Barcelona. Me levanto, atendo o telefone, digo a ela que estou em Madri e que daqui a pouco ligo de volta. Eric não se move. Limita-se a olhar para mim quase sem piscar. Meu braço está melhor. Já não está doendo, então volto ao ataque.

— Por que você acha que pode me fazer sofrer?

— Eu não acho... eu *sei*.

— Essa resposta não vale. Me diz: por quê?

Eric me observa em silêncio. Tenho a sensação de que estou prestes a explodir, como uma cafeteira italiana.

— Você é uma garota ótima que merece alguém melhor.

— Alguém melhor?

— Sim.

Me mexo inquieta. Sei do que ele está falando, mas quero que se expresse com clareza.

— Quando você se refere a alguém, é...

— Me refiro a alguém que cuide de você e que te trate como você merece. Talvez esse tal de Fernando...

Escutar esse nome me deixa sem palavras.

— Não coloque Fernando nessa história, ok?

Eric faz que sim com a cabeça. Um silêncio constrangedor volta a se instalar entre nós.

— Você merece alguém que te diga lindas palavras de amor.

— Você já faz isso, Eric.

— Não, Jud, não minto, você sabe que não faço isso.

Tento relaxar o ambiente, que está ficando pesado.

— Tá bom... você nunca me disse coisas carinhosas, mas me trata bem e vejo que se preocupa comigo. Por que está dizendo isso tudo?

— Jud... seja realista — Eric endurece a voz. — A palavra "sexo" te dá alguma pista?

Sorrio com amargura. Ele percebe.

— Sim, claro que me dá pistas — digo, interrompendo o que ele estava a ponto de dizer. — Me indica que foi o sexo que nos uniu. Mas, quando duas pessoas se conhecem e se atraem, a primeira coisa que precisa surgir entre elas é química. E nós dois temos química.

— Com esse tal de Fernando também rola química?

De novo menciona Fernando. Isso me incomoda. Me enfurece. Por que não para de falar no Fernando?

— Estou aguardando sua resposta, Jud — insiste, quando vê que eu não respondo.

— Vem cá, você pode esquecer o Fernando de uma vez por todas? Isso é da minha vida particular. Por acaso eu te pergunto sobre sua vida particular? — Ele nega com a cabeça e continuo: — Não entendo aonde você quer chegar, não acho que eu tenha te pedido nada e...

— Não vou te dar nada que não seja sexo.

Sua resposta é irrebatível e minha respiração fica entrecortada. Não entendo suas mudanças de humor. Uma hora ele me olha com devoção e logo depois diz que entre nós só haverá sexo.

— Não tem problema, Eric. Sou suficientemente crescida para poder escolher com quem vou pra cama e com quem não vou.

— Claro, e espero que você faça isso mesmo. Mas eu não te dei opção.

— Ah, não?

— Não, Jud. Simplesmente gostei de você e te procurei. É o que sempre faço quando alguém me atrai.

Essa resposta me atinge em cheio.

— Babaca! — grito enfurecida. — Agora você está se comportando como um verdadeiro babaca.

Não se move. Não responde.

Eric se limita a me olhar e a aceitar meus insultos.

— Jud... pode me xingar se quiser, mas você sabe que é verdade. Fui eu que desde o primeiro dia que te vi provoquei tudo o que houve entre a gente. No arquivo. No restaurante aonde te levei. No quarto do meu hotel, quando fiquei assistindo enquanto outra mulher te possuía. Na casa de swing de Barcelona. Você nunca tinha feito nada disso. Mas eu te levei pro meu mundo. Admite, pequena.

— Mas Eric...

— Há pouco tempo você disse que não quer participar das minhas brincadeiras, esqueceu?

Está certo... de novo ele está certo.

— Gosto de tudo que faço com você — respondo, perdendo toda a razão que ele disse que tenho. — Seu jogo me atrai e...

— Eu sei, pequena, eu sei — diz, colocando a mão na minha perna. — Mas isso não me impede de pensar que não sou o homem que te merece e que talvez outra pessoa te faça mais feliz. — Está claro em quem Eric está pensando, mas desta vez não toca no nome dele. — Olha, Jud, gosto de sexo, gosto de jogos eróticos e pervertidos, e adoro ver uma mulher sentir prazer. Neste momento, essa mulher é você, mas algo me diz que preciso parar, que você não deveria entrar no meu jogo ou...

— Não sou a santa que você supõe. Já tive várias relações e...

Meu comentário o faz sorrir e ele me interrompe:

— Jud... para mim você é uma santa, sim. O que você fez nas suas relações anteriores não tem nada a ver com o que quero que você faça comigo.

Meu estômago se contrai.

Só de pensar no que ele quer fazer comigo, fico com a boca seca.

— O que você quer fazer comigo?

— Tudo, Jud, com você eu quero fazer de tudo.

— Estamos falando só de sexo?

A pergunta o pega de surpresa.

Seus olhos não me enganam. Sei que há algo que guarda para si e preciso saber o que é.

— Não. E esse é o problema. Não posso permitir que você fique muito envolvida comigo.

— Mas por quê?

Não responde.

Apenas encosta sua testa na minha e fecha os olhos. Não quer olhar para mim. Não quer responder. Sei que está acontecendo com ele o mesmo que comigo. Sente algo mais, mas não quer admitir.

Permanecemos assim por alguns minutos, até que aproximo minha boca da sua e sussurro:

— Eu te desejo.

Eric continua com os olhos fechados. De repente, parece muito cansado. Não entendo o que está acontecendo com ele.

— Hoje não, pequena. Um movimento errado e posso acabar machucando seu braço.

— Mas nem está doendo mais... — explico.

— Jud...

— Eu te desejo e quero fazer amor com você. É pedir muito? Daqui a pouco você vai embora e, considerando tudo o que disse, não sei se quando você voltar estaremos juntos de novo.

Minhas palavras o comovem. Consigo ver em seu rosto.

Finalmente aproxima seus lábios dos meus e me dá um beijo doce e cheio de carinho.

— Posso ficar com você esta noite?

Claro. Quero que ele fique sempre.

Mas suas palavras e em especial seu olhar me soam a despedida e, inexplicavelmente, meus olhos se enchem de lágrimas. Eric as enxuga, mas não diz nada. Depois se levanta e me estende a mão. Eu a pego e vamos juntos até meu quarto.

Ali dentro, ele tira a roupa e eu o observo.

Eric é grande, forte e sensual.

Seu porte é magnífico e viril, e isso umedece não apenas minha boca.

Quando ele já está nu, pega debaixo do travesseiro meu pijama do Taz, senta na cama e eu me aproximo. Deixo que tire minha roupa. Ele o faz lentamente e com ternura, sem parar de me olhar nos olhos. Quando estou completamente nua, Eric se levanta e me abraça. Me abraça e me aperta com delicadeza contra seu corpo, e eu sinto que, apesar de seu tamanho todo, ele se refugia em mim.

Estamos nus. Pele com pele. Pulsação com pulsação.

Ele baixa a cabeça à procura da minha boca. Eu a dou. Eu a ofereço. Sou sua sem que ele me peça.

Seus lábios saborosos encostam nos meus com uma delicadeza que me provoca arrepios, e depois faz aquilo de que tanto gosto. Passa a língua pelo meu lábio superior, em seguida o inferior, e, quando espero o ataque à minha boca, faz algo que me surpreende. Pega minha cabeça com as duas mãos e me beija com suavidade.

Sua língua molhada passeia com deleite por dentro da minha boca e eu deixo enquanto sinto entre as pernas minha própria umidade e a ereção dele. Quando seu beijo doce e pausado está me tirando o fôlego, Eric se separa de mim e senta de novo na cama. Não para de me olhar e, atraída como um ímã, eu monto nele.

— Pequena... — diz com sua voz rouca. — Cuidado com seu braço.

Hipnotizada, minha cabeça concorda e sinto as pontas de seus dedos subindo por minha coluna e desenhando círculos em minha pele. Fecho os olhos e desfruto do contato e da delicadeza de seus desenhos. Quando os abro, sua boca procura a minha e me beija com carinho enquanto ele me aperta contra si. De um jeito calmo e pausado, ficamos uns dez minutos trocando mil carícias, até que minha impaciência me faz levantar sobre suas pernas e eu mesma enfio em mim seu pênis duro e excitado.

Minha carne se abre para recebê-lo e eu solto um gemido ao sentir sua invasão. Eric fecha os olhos com força e sinto que se contrai para manter o autocontrole. Lentamente movo meus quadris pra frente e pra trás em busca de nosso prazer. Espero um tapa, um forte golpe que me atravesse, mas não. Eric apenas me olha e se deixa levar por meus movimentos como uma onda em calmaria.

— O que houve? — sussurro inquieta. — O que você tem?

— Estou cansado, querida.

Sua voz sensual me chamando de "querida", suas palavras e a suavidade de seus dedos ao passar pelo meu corpo me envolvem.

Agora eu estou entendendo!

Ele está tentando fazer o que lhe pedi. Fazer amor. Nada de tapinhas. Nada de penetrações fortes. Nada de exigências. Mas neste momento, com ele dentro de mim, eu não quero isso. Quero ceder aos seus caprichos, às suas ordens. Quero que seu prazer seja meu prazer. Quero... quero... quero.

Comovida pelo controle que vejo em seu olhar, me deixo levar pelo prazer, decido aproveitar o que ele está fazendo por mim e convencê-lo a mudar de ideia para que me possua como quero que ele faça. Levo sua boca aos meus seios. Eric aceita e os lambe com doçura, com ternura. O calor se apodera de mim, e ao mesmo tempo sinto que Eric deixou o momento por minha conta. Me reviro em busca do meu próprio prazer e consigo alcançá-lo. Respiro ofegante. Me aperto contra ele. Grito e solto um gemido. Seu corpo estremece enquanto o meu vibra enlouquecido porque seu lado bruto e selvagem assume o comando da situação e me penetra com avidez.

Preciso disso!

Desejo isso!

Quero que minhas vontades sejam as suas, mas Eric se recusa. Não quer entrar no meu jogo e, finalmente, quando o calor inunda meu desejo inflamado, apoio os braços em suas coxas e sou eu que me movo de forma brusca.

Estou à procura do meu prazer, louca para encontrá-lo. Quando o orgasmo vem, grito e me contorço em cima dele e, então, apenas então, Eric agarra minha cintura. Sinto a tensão de suas mãos, ele me aperta uma só vez contra seu corpo e logo se deixa levar em silêncio.

Permaneço abraçada a ele alguns minutos.

Não entendo por que se comportou desse jeito.

— Jud... é disso que eu estava falando. Para eu conseguir ter prazer no sexo, preciso de muito mais.

Me recuso a olhar para ele.

Me recuso a soltá-lo.

Não quero que isso acabe e menos ainda perdê-lo.

Mas, por fim, Eric se levanta da cama e me arrasta com ele. Pega um lenço de papel da mesinha de cabeceira e me limpa. Depois se limpa. Sem dizer nada, pega o pijama do Taz. Põe o short em mim e depois a blusa de alcinha. Ele veste a cueca. Apaga a luz e me obriga a deitar ao seu lado. Desta vez me vira e me abraça por trás. Está preocupado em não machucar meu braço. Não falamos nada. Apenas tentamos descansar enquanto ouvimos o som das nossas próprias respirações em nossa despedida.

23

Acordo sobressaltada.

Olho a hora. São 4h38.

Estou sozinha na cama. Onde está Eric?

Me assusto. Não quero que ele tenha ido embora. Levanto com rapidez. Quando chego à sala, está pingando umas gotas nos olhos, enfiando algo na boca e dando um gole num copo d'água. Depois se senta, põe nos ouvidos os fones do meu iPod e fecha os olhos. Eu o observo por alguns minutos e sorrio. Está ouvindo música!

Ao sentir minha presença, abre os olhos e se levanta.

— Está tudo bem?

Enquanto seguro lágrimas de felicidade por ver que ele ainda está ali, toco em seu braço e respondo:

— Sim. É só que, quando não te vi, pensei que você tivesse ido embora.

Eric sorri.

— Durmo pouco. Já te falei.

— Vi que você tomou algo. O que era?

— Uma aspirina. Estou com dor de cabeça — responde com um sorriso encantador.

Satisfeita com sua resposta, ando até a cozinha. Preciso de água.

Quando abro a geladeira, vejo as trufas e sinto vontade de comer algumas. Bebo a água, ponho duas trufas num prato e volto para a sala. Eric, sentado no sofá, sorri ao me ver.

— Gulosa.

Divertindo-me com seu comentário, lhe devolvo o sorriso e percebo sua expressão cansada. Normal, ele não dorme. Sento a seu lado.

— Adoro essa música.

Tiro um dos fones de seu ouvido, aproximo da minha orelha e ouço a voz de Malú.

— Eu também. A letra me faz lembrar nós dois.

Ele faz que sim. Pego uma das trufas e começo a mordiscá-la.

Sorri.

Meu Deus! Adoro vê-lo sorrir!

— Posso provar sua trufa?

— Claro.

E, quando vejo que ele vai dar uma mordida na trufa que tenho nas mãos, eu a aproximo da minha boca, a esfrego em meus lábios e murmuro:

— Já pode provar.

Sorri de novo. Seu olhar se ilumina e ele obedece sem hesitar. Seus lábios encostam nos meus e, com uma calma e uma meiguice que me deixam a mil, ele os chupa, os lambe e finaliza com um beijo doce.

— Deliciosa... a trufa também.

Quando diz isso, eu largo o resto da trufa no pratinho que deixei em cima da mesa e me levanto. Tiro o pijama e, só de calcinha, monto sobre ele.

Antes eu tinha três vícios. Coca-Cola, morangos e chocolate. Agora acrescento um mais forte e poderoso chamado Eric. Eu o desejo... desejo e desejo. Não importa a hora, o momento ou o lugar... eu o desejo.

Surpreso com minha iniciativa, ele tira os fones de ouvido.

— O que você está fazendo, Jud?

— O que você acha?

— Estou com dor de cabeça, pequena...

Como resposta, eu o beijo. Um beijo *caliente*, repleto de erotismo e de desejo.

— Jud...

— Eu te desejo.

— Jud, agora não...

— Eric, agora sim. Te desejo com tuas ordens. Com vontade. Com desejo. Quero que você me coma. Quero que usufrua de mim. Quero tudo o que você quiser e quero agora.

Acomoda-se no sofá e, com cuidado, envolve seus braços na minha cintura. Eu olho para ele e percebo que não esperava meu comando e que isso o deixa louco. Meus quadris ganham vida própria e se movem sobre ele. Sua resposta é imediata. Noto seu pênis crescendo e isso me estimula ainda mais.

Uma de suas mãos abandona minha cintura para subir pelas minhas costas até chegar aos meus cabelos. Ele os segura e me puxa para si. Sim... esse é o Eric!

Meu pescoço fica totalmente exposto à sua boca, e ele o chupa, lambendo com ansiedade, com capricho, e me fazendo suspirar de prazer.

Sua outra mão abandona minha cintura e chega até meus peitos, que ficam bem diante dele. Seus lábios carnudos se dirigem a eles e os chupam, os devoram. Eric morde meus mamilos que ficam duros. Me provoca.

Solta meu cabelo e eu consigo olhar seu rosto novamente. Suas mãos estão junto aos meus seios e, com sofreguidão, ele os junta e os aperta para enfiar os dois mamilos na boca.

— Você me deixa louco...

— E você me deixa mais ainda, apesar de às vezes ser um babaca.

Sorri. Me grudo a ele.

— Jud... seu braço. Cuidado. Vai se machucar.

Sua preocupação me faz suspirar. Quando vai tomar as rédeas da situação, eu seguro suas mãos e sussurro perto de sua boca:

— Não... Eric... eu é que mando agora. Esse é seu castigo por não ter cooperado comigo há algumas horas na minha cama.

— Meu castigo?

— É. Acho que vou ter que começar a te castigar, como você faz comigo.

— Nem pense, pequena.

Seu olhar carregado de erotismo me deixa extasiada.

Por alguns segundos, resiste a permitir que eu controle a situação, que eu o possua, mas afinal noto suas mãos voltando às minhas pernas e, enquanto as desliza por elas, murmura:

— Tudo bem... mas só hoje.

Decido jogar seu jogo e me deixo levar pela excitação. Pego suas mãos e as retiro das minhas coxas, e ao mesmo tempo ordeno:

— Está proibido de tocar.

Ele gesticula. Quer protestar e enruga a testa.

Quando vejo que permanece quieto, eu seguro meus peitos e levo à sua boca. Ofereço a ele. Obrigo-o a primeiro chupar um e depois o outro e, quando meus mamilos ficam duros novamente, eu os retiro de sua boca e sorrio. Eric geme.

— Me dá sua mão — peço.

Passeio sua mão por minha perna até chegar à parte interna das coxas. Deixo que ele me toque e logo ele enfia um dedo por dentro da minha calcinha. Permito que se dedique ainda mais e, quando ele se anima, eu o obrigo a tirar o dedo e o levo à sua própria boca.

— Escorregadia e molhada, como você gosta.

Tenta me segurar de novo pela cintura, mas eu o afasto.

— Proibido tocar, senhor Zimmerman.

— Senhorita Flores... modere suas ordens.

Sorrio, mas ele não. E eu gosto disso.

Subo minha mão esquerda até seu pescoço, coloco-a entre o sofá e ele e o seguro pelo cabelo com cuidado. Não quero aumentar sua dor de cabeça. Seu pescoço fica totalmente exposto a mim, enquanto sinto seu coração bater entre minhas pernas.

— Senhor Zimmerman, não esqueça que agora quem manda sou eu.

Ponho minha língua para fora e chupo seu pescoço. Me delicio com seu sabor e finalmente acabo em sua boca. Adoro sua boca. Devoro seus lábios e ouço um gemido profundo sair de dentro dele.

— Adoro seus olhos — murmuro. — São lindos.

— Eu odeio.

Seu comentário me faz rir. Eric tem olhos azuis maravilhosos que certamente causam furor por onde quer que ele passe. A cada segundo me sinto mais alterada, de novo coloco meus seios perto da sua boca e, quando ele está prestes a chupá-los, eu os retiro. Sem deixar de olhá-lo nos olhos, deslizo entre suas pernas e, com cuidado para não forçar o braço, enfio minha mão dentro de sua cueca, agarro seu pênis e seus testículos quentes e os ponho para fora.

Ai, meu Deus! É incrível.

A pulsação poderosa daquela glande grossa e inchada faz minha vagina estremecer de impaciência. E, quando aproximo meus lábios de seu prepúcio rosado e o introduzo em minha boca, sinto que é Eric quem estremece agora. Minha língua, desejosa, passeia por seu pênis e o enche de doces beijos carregados de erotismo e desejo. Brinco de forma carinhosa com seu pênis até que os gemidos de Eric me fazem olhar pra ele. Ele está com a cabeça recostada no sofá e os olhos fechados. Seu rosto está tenso e treme de prazer. Ah, sim... sim! De repente, noto suas mãos em minha cabeça e digo alto para que me escute:

— Imagine que estamos no clube de swing e alguém nos olha e você permite que essa pessoa me toque enquanto você me chupa. Gosta disso?

— Siiiiim... — consegue dizer enquanto enfia seus dedos nos meus cabelos.

Sinto seu quadril se mover e seu pênis se acomodar ainda mais em minha boca. Isso me dá forças para continuar enquanto eu vejo que ele todo se contrai de prazer. Com delicadeza, dou mordidinhas ao redor de seu prepúcio e me detenho num trecho bem fino da pele. Minha língua desliza por ela, fazendo

Eric se mover e respirar ofegante, principalmente quando eu a seguro com meus lábios e a puxo.

Como se fosse um sorvete, eu o chupo e me delicio. Me lembro da trufa que está sobre a mesa e sorrio. Pego um pouco com meu dedo, passo em seu pênis enquanto me divirto e murmuro que na próxima vez será ele que passará essa trufa no meu clitóris para que outros homens me chupem. Eric respira ofegante, morrendo de prazer.

Com a outra mão, agarro seus testículos e os massageio. Eric tem um espasmo, depois outro, e sorrio ao ouvi-lo suspirar.

Sedenta por seu pênis, volto a ele. Eu o enfio com delicadeza em minha boca, mas está tão grande e inchado que já não cabe, então decido subir e descer minha língua por ele enquanto o sabor da trufa me faz aproveitar ainda mais. O que eu faço e digo o deixa louco, então repito minhas palavras algumas vezes até que seus gemidos ficam mais contínuos e fortes. Seus quadris me acompanham, seus dedos em meu cabelo ficam tensos e ele dá solavancos em minha boca.

A sensação me embriaga. Estou possuindo Eric com minha boca e gosto de tê-lo em minhas mãos e em meu poder. Ponho uma das mãos em seu abdômen definido e cravo as unhas nele. Isso o faz respirar ofegante enquanto seus quadris não param de se mover. Agarro sua glande endurecida com minhas mãos e começo a masturbá-lo com movimentos potentes, do jeito que ele gosta, enquanto fantasio sobre o que outro homem estaria fazendo comigo.

O corpo de Eric se contrai uma e outra vez, mas ele se nega a deixar-se levar.

— Sobe em mim, Jud. Por favor.

Sua voz suplicante e meu desejo por ele me levam a lhe obedecer.

Monto sobre Eric, e ele então me penetra. Estou molhada e escorregadia. Ele se encaixa totalmente em mim e nós dois gritamos.

— Nossa, pequena, fico louco com o que você diz.

Disposta a tudo, eu olho para ele.

— É isso que eu quero... Participar do seu jogo e fazer tudo o que você quiser, porque seu prazer é meu prazer e eu quero experimentar tudo com você.

— Jud... — diz, ofegando.

— Tudo... Eric... tudo.

Sinto-o abrindo caminho dentro de mim. Enlouquecida, me seguro em seus ombros enquanto ele me agarra impaciente pelo pescoço e me faz subir e descer para que se encaixe em mim uma vez depois da outra, ao mesmo tempo que me olha e me devora ávido.

Sua glande dura e quente entra e sai de mim com desespero, enquanto minha vagina se contrai e suga seu pênis. Mexo os quadris freneticamente e estremeço enquanto Eric, com movimentos fortes e devastadores, continua me levando ao clímax.

Meus seios pulam diante dele e, quando sua boca agarra um mamilo e o morde ao mesmo tempo que ele me penetra, um orgasmo avassalador invade meu corpo. Enquanto isso, ele me come com força até que não consigo mais segurar e eu o escuto sussurrar meu nome entre gemidos e contrações. Quando tudo acaba e eu fico em cima dele, extasiada e suada, me dou conta de uma grande verdade. Estou completamente entregue a Eric e apaixonada por ele.

24

Depois de um maravilhoso sábado juntos, na madrugada de domingo eu acordo por volta das seis da manhã e ouço uns barulhos estranhos no banheiro. Levanto e me surpreendo ao ver Eric vomitando. Quando nota minha presença, me pede irritado que eu saia e que o espere do lado de fora. Obedeço e, assim que ele finalmente sai, com expressão de dor, se atira no sofá e fecha os olhos.

— O que houve?

— Alguma coisa que comi ontem à noite.

— Quer um chá de camomila para acalmar o estômago?

Eric, com os olhos fechados, recusa com um gesto e murmura:

— Por favor... apaga a luz e volta a dormir.

— Mas...

— Jud — sussurra, irritado.

— Mas como você é resmungão, nossa! — insisto.

— Tá bom... sou resmungão. Agora, por favor, faz o que te pedi.

Sem dizer mais nada, desapareço e me deito na cama. Não quero dar muita importância a isso. Me esforço para entender que, se ele está mal, o que ele menos quer é que eu fique ao seu lado fazendo perguntas. Adormeço de novo e só acordo por volta das dez. Assim que abro os olhos, vejo Eric ao meu lado. Sorri e está com uma aparência boa.

— Bom dia.

— Bom dia... está melhor?

— Estou ótimo. Como eu te disse, alguma coisa que eu comi deve ter caído mal. — Quando vou responder, ele acrescenta: — Olha o que preparei pra você.

A meus pés há uma bandeja com o café da manhã. E, sobre ela, uma flor de papel. Como uma boba, eu a pego e sorrio. Ele me beija e murmura:

— Me dá um lugar na cama. Depois tomamos o café. O que acha?

— Ótimo.

Por volta do meio-dia, após fazermos amor, eu o vejo tão bem, tão recuperado, que lhe sugiro mostrar o mercado popular Rastro de Madri. Eu o levo até o metrô, um lugar em que Eric nunca esteve.

— Por fim sou a primeira em alguma coisa — digo, fazendo-o rir. — A primeira a te levar ao metrô de Madri.

Quando descemos na estação de La Latina, sua surpresa é enorme. Ver tanta gente de todo tipo o deixa atordoado.

Insiste em me comprar uns colares de prata que eu fiquei olhando numa barraca. Para mim, quarenta euros é caríssimo. Para ele, é uma bagatela. Acabo aceitando. Mas, em troca, em outro lugar eu lhe compro uma camiseta de Madri com a frase "O melhor de Madri... você". Faço-o tirar a blusa no meio do mercado e tento convencê-lo a vestir a camiseta que lhe dei de presente. Ele cede e fica lindo com a roupa nova.

Tiramos fotos com meu celular e eu as guardo como meu maior tesouro.

Animados, passeamos de mãos dadas como um casal comum, até que, ao chegar em frente a uma barraca de luminárias hippies, ele quer comprar duas para levar à Alemanha e se lembrar de sua visita ao mercado. Pede que eu escolha e eu escolho duas de cor lilás. Depois de pagar, confessa que uma delas é para mim. Fico emocionada. Cada um de nós terá uma dessas luminárias em sua própria casa e, sempre que olharmos para ela, nos lembraremos um do outro.

Depois caminhamos um pouco mais pelo mercado até que Eric se recusa a continuar. As pessoas esbarram acidentalmente no meu braço e ele não quer que eu me machuque. Fica horrorizado com a possibilidade de eu sentir dor outra vez. Acabo cedendo e pegamos um táxi. Eu o levo para almoçar no Retiro.

Sugiro alguns restaurantes, mas ele prefere algo mais íntimo.

Por fim, compro uns sanduíches e nos sentamos na grama para comer, enquanto rimos e revemos as lindas luminárias.

— São maravilhosas. Adorei!

— Sim. São muito bonitas.

Eric sorri.

— Você trouxe batom na bolsa?

Ao escutar isso, olho para ele e enrugo a testa.

— De que tipo de batom você está falando? Gostaria de te lembrar que estamos num parque e eu não quero parar na cadeia por atentado ao pudor.

Sua gargalhada me anima e ele responde me dando um beijo impulsivo na ponta do nariz.

— Não me refiro a isso que você está pensando, safadinha. Me refiro a um batom comum, entende?

Abro a bolsa. Tiro uma pequena nécessaire e, satisfeita, mostro a ele.

— Passe o batom nos lábios — pede.

Surpresa, começo a fazer o que ele sugere, mas paro no meio.

— Pra quê?

— Faz o que estou pedindo.

— Não. Primeiro quero saber pra quê.

Ele dá de ombros e suspira.

— Quero que seus lábios fiquem marcados na cúpula da minha luminária, junto com seu nome.

— Uau! Adorei a ideia! Mas então quero a mesma coisa na minha.

— Quer que eu passe batom?

— Quero — respondo, rindo.

— Nem pensar!

— Que bobagem, cara — protesto. — Eu também quero seus lábios na minha luminária junto com seu nome.

Por alguns minutos brincamos um com o outro. Rimos. Mas terminamos nós dois passando batom e deixando nossas marcas nas luminárias. Limpamos nossas bocas com um lenço de papel e Eric me entrega uma caneta. Sob a marca dos meus lábios eu escrevo "Judith", e sob a dos seus, "Eric".

— Agora ficou mais bonita — diz, rindo. — Seus lábios dão mais valor à luminária e, sempre que eu olhar pra ela na Alemanha, vou me lembrar de você.

Seu comentário me deixa triste. Ele voltará à Alemanha em seu jatinho particular e se afastará de mim. Já estou sentindo saudades, e ele ainda nem foi embora.

Quando termino o sanduíche, me deito na grama e ele faz o mesmo.

— Você vai voltar, né? — pergunto, incapaz de ficar quieta.

Como sempre, ele pensa antes de responder.

— Claro que sim, pequena. Parte da minha empresa está na Espanha.

Respiro aliviada.

— O que é isso de tão importante que te faz interromper a viagem? — continuo perguntando.

Não responde. Apenas me olha.

— É uma mulher — digo. — Não é?

— Não.

— Então é o quê?

— Tenho obrigações que não posso deixar de cumprir e vou voltar.

Sua resposta é tão fria que decido me calar.

Estou passando dos limites!

Observo as copas das árvores. Está ventando e eu adoro vê-las se movendo. Isso me relaxa. Eric põe sua cabeça no meu campo de visão e me beija.

— Jud... — começa a dizer, enquanto se afasta de mim.

— Tudo bem. Eu passei da conta. Sou muito curiosa.

— Jud...

— Tá bom... já entendi. Quem sou eu pra te fazer essas perguntas?

— Jud, me ouve, por favor.

Seu tom de voz faz com que eu olhe para ele.

— Promete que vai continuar com sua vida exatamente como era antes de eu aparecer.

Faço menção de responder, mas ele põe a mão na minha boca para continuar:

— Quero que me prometa que sairá com seus amigos e que vai ficar bem. Inclusive que vai voltar a ficar com aquele cara com quem se enfiou no banheiro do bar e com aquele tal de Fernando, de Jerez. Quero que o que houve entre a gente fique na lembrança como algo que aconteceu e nada mais. Não quero que você dê tanta importância a isso e...

— Vamos lá. — Tiro bruscamente sua mão da minha boca. — Por que isso tudo agora?

— Estou retomando a conversa que tivemos na sua casa.

Ao me lembrar disso, fica indignada.

Tento me levantar do chão, mas ele monta sobre mim, segura meus braços por cima da minha cabeça e me imobiliza.

— Preciso que você prometa o que eu pedi.

— Mas, Eric, eu...

— Promete!

Não entendo o que está havendo.

Não entendo por que ele quer que eu prometa o que ele pede. Mas a determinação em seus olhos me faz dizer:

— Tá bom, eu prometo.

Sua expressão se descontrai, ele desce até minha boca e tenta me beijar. Eu viro o rosto.

— Você acabou de me desviar a cara, senhorita Flores?

— Sim.

— Por quê?

— Simplesmente porque não quero te beijar.

Divertido, ele comprime os lábios.

— Neste momento você me acha um babaca?
— Acho. Um completo babaca, senhor Zimmerman.

Eric me solta e se deita ao meu lado. Contemplamos as copas das árvores e não trocamos nenhuma palavra. Minutos depois, ele pega minha mão, a aperta e eu aceito.

Uma hora mais tarde, seu celular toca. É Tomás. Nos espera na saída do Parque do Retiro que fica em frente à Puerta de Alcalá. Em silêncio, de mãos dadas, caminhamos até o carro. Ao nos avistar, Tomás abre a porta do automóvel e entramos. Já do lado de dentro, noto o olhar pensativo de Eric. Quero saber o que está pensando. Mas não vou perguntar. E, quando chegamos à minha casa, ele tira minha luminária da bolsa, me entrega e me dá um beijo suave nos lábios, ao mesmo tempo que afasta o cabelo do meu rosto.

— Sempre que eu olhar pra ela, vou me lembrar de você — murmura.

Não consigo falar. Isso é uma despedida.

Se eu falar, vou chorar, e não quero que ele me veja chorando. Por fim sorrio, ele fecha a porta e vai embora.

25

Segunda-feira

O despertador toca às sete da manhã.

Odeio acordar tão cedo!

Levanto e entro no banho sem muita vontade. Estou exausta. Não consegui dormir direito porque fiquei pensando no Eric. Quando volto ao quarto para me vestir, olho para a pequena luminária que ele me deu. Sento na cama e, com saudades, passo meus dedos pelo contorno de seus lábios e seu nome. Fico um bom tempo observando a luminária e pensando nele.

Por fim saio da cama. Tenho que ir trabalhar. Me visto e pego o carro.

Quando chego ao escritório, deixo a bolsa sobre a mesa e sinto alguém se aproximar de mim por trás. É meu colega Miguel.

— Bom dia, linda.

— Bom dia.

Ao ver minha expressão de desânimo, chega ainda mais perto e me observa.

— Nossa... — murmura. — Iceman te fez trabalhar mais do que deveria? Você está com uma cara péssima.

Seu comentário me desperta.

— Pois é — digo, sorrindo. — Ele é meio cruel no trabalho. Mas de resto é tranquilo.

De repente Miguel repara no curativo do meu braço.

— Mas o que houve aí?

Sem vontade de lhe dar muitas explicações, digo entredentes:

— Me queimei com o ferro de passar roupa.

Miguel faz que sim e pergunta:

— Quando você voltou de viagem?

— Sexta à noite. Cancelaram as reuniões que teríamos porque o senhor Zimmerman precisou voltar pra Alemanha.

Miguel me pega pelo braço e diz:

— Vamos. Te levo pra tomar café da manhã e você me conta o que está acontecendo.

No café, para justificar minhas olheiras, falo de Trampo. A simples menção de seu nome enche meus olhos de lágrimas e é um bom pretexto para que ele não descubra o que está havendo de verdade. Vinte minutos depois, ao terminarmos de comer, voltamos às nossas salas. Há muito trabalho pela frente.

Minha chefe me cumprimenta ao passar a meu lado e pede que vá até sua sala. Quer saber como foi tudo na viagem, e o que lhe digo parece deixá-la satisfeita. Em seguida, me enche de trabalho. É assim, me entupindo de tarefas, que ela me mostra o quanto ficou irritada com o fato de o chefe ter escolhido a mim, e não a ela, para acompanhá-lo. Quando saio do escritório à tarde, estou exausta, mas decido ir à academia. Preciso relaxar e lá eu consigo.

26

Terça-feira
    Envio um e-mail para Eric... Não responde.
    Minha chefe me enche a paciência. Ela está insuportável.
    Qualquer dia vou mandá-la à merda e serei demitida na hora.
    Fernando me liga. Nos falamos e ele insiste que eu antecipe a viagem a Jerez.

27

Quarta-feira

Mando outro e-mail para Eric... De novo não responde.

Hoje minha chefe escapou por pouco.

Gerardo, o chefe do RH, chegou de repente e eu tive que me desdobrar para que ele não flagrasse minha fogosa chefe e Miguel numa atitude não muito profissional na sala.

28

Quinta-feira

    Me recuso a escrever mais e-mails para Eric. Mas por fim não consigo resistir e mando uma mensagem com apenas uma palavra: "Babaca!"

29

Sexta-feira

O desespero tomou conta de mim.

Nenhuma notícia. Nenhum telefonema. Nada.

Não sei absolutamente nada sobre ele. E isso me faz concluir que de fato fui seu brinquedinho durante alguns dias, e tudo o que quero agora é esquecê-lo.

Minha chefe é um saco. Hoje fez uma ceninha na frente de vários colegas. Não a mandei à merda porque o desemprego está alto, senão... ela ia saber quem é Judith Flores García.

À tarde, minha amiga Azu me liga e marcamos um cinema. Vamos ver o filme *Tengo ganas de ti* e eu choro... Me acabo de tanto chorar. É lindo e triste ao mesmo tempo. Me sinto como Ginebra, uma guerreira lutadora e incompreendida, e totalmente apaixonada por um homem cheio de segredos.

Na saída, uns amigos que nos esperam riem de mim. Ninguém entende por que eu choro com os filmes, e sugerem que a gente vá beliscar alguma coisa nos bares da Plaza Mayor. A sugestão me deixa contente.

Entre uma bebidinha mais forte e outra, tomamos muitas cervejas e por fim consigo sorrir. Depois emendamos em outro bar e, às quatro da manhã, finalmente volto a ser eu mesma! Rio, me divirto e danço como uma louca, ainda que para isso eu tenha bebido o estoque de rum com Coca-Cola de toda a Madri.

Na manhã seguinte, o barulho da porta me acorda.

Tapo a cabeça com o travesseiro, mas o barulho continua e continua... Irritada, me levanto e atendo o interfone.

— Quem é?

— Oi, tia. Sou eu e a mamãe.

Era o que me faltava.

Minha irmã!

Abro a porta para elas com má vontade. Começar o dia aturando o pessimismo da minha irmã me deixa desesperada, mas não tenho escapatória. Minha pequena sobrinha se atira em meus braços assim que me vê, e minha irmã, ao reparar em meu estado, passa batido e liga logo a tevê. Procura o canal infantil e, quando Bob Esponja aparece na tela, minha sobrinha desaparece do nosso lado. Como gosta desses desenhos ridículos...

Entro na cozinha, feito um zumbi, preparo um café e minha irmã me segue. Sua expressão é séria, e eu já imagino que ela vai me encher de perguntas. Vejo como está tensa.

— Primeiro, me devolve a cópia das chaves da tua casa.

Com vontade de matar Raquel, vou até o aparador, pego as chaves e ponho na sua mão.

— Segundo — continua —, você é uma péssima irmã. Te liguei milhões de vezes nos últimos dias e nada de você ligar de volta. E se tivesse acontecido alguma coisa grave comigo?

Não respondo. Ela tem razão. Às vezes sou muito avoada e admito que dessa vez exagerei.

— E terceiro: que diabos aconteceu para você estar com essa cara péssima?

— Raquel, ontem à noite eu saí com uns amigos e só fui dormir às sete da manhã. Estou destruída.

Minha irmã se serve de outro café e senta na minha frente.

— Bom, a noite deve ter sido maravilhosa. Sua cara diz tudo.

— Foi, sim — murmuro, enquanto pego uma aspirina. Estou precisando.

— Foi com aquele gato com quem você está saindo?

— Não.

Faz cara de decepção, e eu mais ainda ao pensar em Eric.

Minha irmã não gosta de Azu e meus amigos. Acha coisa de marginal usarem piercing na sobrancelha e terem tatuagens. Está muito enganada, mas, como já tentei explicar várias vezes e não deu em nada, deixo pra lá. Que ela pense o que quiser.

— Manaaaa... não me diga que a saída de ontem foi com aqueles seus amigos, porque senão vou ficar irritada.

Dou de ombros e respondo:

— Então pode ficar irritada. Assim você terá dois trabalhos: se irritar e se "desirritar".

— E Eric? Esse é o nome dele, né?

— É.

— Você continua com ele?

— Não.

— Por que não?

— O que você tem a ver com isso, Raquel?

— Poxa, Judith, ele parecia um homem com H maiúsculo. Como você deixou escapar?

Esse é um comentário típico do meu pai, mas, não satisfeita e apesar de eu olhar para ela com minha expressão de "Cala a boca senão te dou um tapa!", ela continua:

— Eu realmente não te entendo, Judith. Fernando é louco por você, e você não está nem aí pra ele, e agora você ainda perde aquele homem interessante, decente e com cara de sério que te dá a maior bola.

— Que saco... quer calar a boca?

Minha irmã balança a cabeça, me reprovando. Mau sinal.

— Não. Não vou calar a boca. Fico dias sem te ver e quando ligo você não atende. E hoje eu venho te ver e te encontro feito um trapo por ter saído com seus amiguinhos. E ainda por cima não está mais com Eric.

Solto o ar bufando. Bufando e bufando.

E, quando acho que já esgotei todos os meus suspiros e paciência, olho para a chata da minha irmã.

— Olha só, Raquel, não quero falar sobre Eric, nem sobre meus amigos, nem sobre Fernando, nem sobre nada. Não estou nem aí pra nada disso! Estou tendo uma semana infernal no trabalho e ontem saí porque precisava me divertir e esquecer todas as coisas que estão me estressando. E agora vem você e fica gritando como uma louca, sem querer entender que minha cabeça está explodindo... E, como você não cala a boca, juro que sou capaz de fazer uma coisa horrível.

Minha irmã mexe o café, toma um gole e, fazendo cara de coitadinha, começa a chorar.

Ótimo...! Era o que me faltava!

Por fim, abandono a cadeira e vou abraçá-la.

— Ah... desculpa, Raquel. Desculpa por ter gritado desse jeito. Mas você já sabe que não suporto que você se meta na minha vida e...

— Preciso te contar uma coisa e não sei como, maninha.

A mudança de assunto me desconcerta.

— Deixa eu ver... outra vez a história do José estar enganando você?

Minha irmã enxuga os olhos. Levanta-se. Observa minha sobrinha de longe e, aproximando-se de novo de mim, murmura:

— Judith. Te liguei mil vezes pra te contar.

Fico concordando com a cabeça. Vi suas chamadas perdidas, mas decidi ignorar. Me sinto péssima.

— Eu... eu não sei por onde começar — cochicha. — É tudo tão... tão...

Isso me deixa nervosa, e meu pescoço começa a coçar. Será verdade que o idiota do meu cunhado está traindo minha irmã? Convencida de que dessa vez o assunto é sério, pego as mãos dela.

— Tão o quê?

Minha irmã tapa o rosto com as mãos e quero morrer de angústia. Pobrezinha. Sou pior que uma bruxa. Conheço ela e sei que está sofrendo.

— É que tenho vergonha.

— Deixa disso. Sou sua irmã.

Raquel fica vermelha como um tomate. Leva a mão ao pescoço, abaixa a voz e cochicha:

— José e eu conversamos seriamente na semana passada, quando ele voltou de viagem. — Balanço a cabeça e faço cara de compreensão. Esse é um bom começo. — Me disse que não tem amante nenhuma e que gosta de mim, mas...

— Mas?

— No dia seguinte, quarta-feira da semana passada, quando Luz foi dormir, ele fechou a porta da sala e... e... colocou um filme de mulher vadia.

— Um filme pornô?

— Sim. Ai, meu Deus...! Você não imagina as coisas que vi!

Solto uma risada. Não consigo evitar.

— Ah, Raquel, não seja careta. Pessoas transando.

— ... E trios e orgias e...

— Caraca... pelo visto o Zezinho te deixou bem informada.

Ambas caímos na gargalhada.

— Reconheço que isso fez minha libido ir a mil e... bem... — sussura. — Uma coisa levou à outra e fizemos amor na sala. No chão!

— Não acredito!

— Exatamente isso que você ouviu.

Achando graça no fato de que, para minha irmã, fazer sexo no chão é algo proibido, digo:

— Bom... e que tal?

Ela sorri. Morre de vergonha e murmura sem olhar para mim:

— Ah, Judith...! Foi como na época em que éramos namorados. Paixão em estado puro.

Pego suas mãos e a faço olhar nos meus olhos.

— Isso é maravilhoso. Não é o que você queria? Paixão?

— Sim.

— Então qual é o problema? Por que me olha com essa cara?

— Porque a história não termina aí. No sábado eu quis lhe fazer uma surpresa. Falei com a mãe de Alicia e levei Luz para dormir na casa dela. Preparei um jantarzinho, fui ao cabeleireiro e... e...

— E?

— Ai, querida, tenho até vergonha de falar.

Faço cara de impaciência e solto um longo suspiro.

— Tá bom, se você vai me dizer que assistiu a outro filme pornô com seu marido e que vocês transaram encostados na porta, o que há de errado?

Minha irmã põe a mão no peito.

— Judith... é que não só fizemos no sofá e no chão, mas também em cima da máquina de lavar e no corredor.

— O José tá que tá... Que garanhão você tem em casa, hein?

Por fim minha irmã solta uma gargalhada.

— Ele me comprou uma lingerie vermelha muito sexy e me fez vestir.

— Que máximo, Raquel...

— E depois... quando eu menos esperava, me deu outro presente e...

— E?

Raquel bebe um gole de seu café. Pega seu leque, se abana e acrescenta, vermelha como um tomate:

— Me deu um... um... um... vibrador. Pronto, falei! Disse que quer que a gente brinque na cama, que nossa relação precisa disso e que devemos realizar fantasias.

Solto uma risada outra vez. Não consigo me conter!

Minha irmã olha para mim e, chateada, murmura:

— Não sei qual é a graça. Estou te dizendo que...

— Desculpa... desculpa, Raquel. — Fico séria e abaixo a voz, assim como ela. — Acho muito legal que José tenha te dado de presente um vibrador e que vocês fantasiem. Se isso vai apimentar a vida sexual de vocês, ótimo! Fantasiar é bom... A imaginação tem que servir para alguma coisa, não acha?

Ela concorda, vermelha como um tomate.

— Ai, Jud...! Fico vermelha só de lembrar as coisas que José me dizia.

Tento entendê-la. Tento imaginar o que José lhe dizia, e isso me faz sorrir. No fim das contas, os seres humanos são mais parecidos uns com os outros do que pensam. Sussurro no seu ouvido.

— Tudo bem... não precisa me contar o que ele te dizia, mas que tal o Dom Vibrador?

— Judith!

— Você lhe deu um nome?

— Maninha, por favor!

— Ah, vai... você gostou ou não?

Minha irmã fica como um tomate de novo, mas, ao ver que continuo olhando para ela à espera de uma resposta, faz que sim com a cabeça.

— Ah, Judith, foi maravilhoso. Nunca pensei que um aparelhinho desses que vibram e funcionam com pilhas juntos com a imaginação pudesse ter tanta utilidade. Só posso dizer que desde sábado não paramos mais. Estou assustada. Será que tanto sexo assim faz mal? E vou te dizer que até minha virilha está doendo...

Achando graça da confidência que minha irmã acaba de fazer, eu rio de novo. Não consigo evitar.

— Diga a ele que dê um vibrador para o clitóris — cochicho. — É fantástico!

A cara da minha irmã agora é impagável.

Eu... sua irmãzinha, acabo de lhe revelar que nada do que ela me contou é novidade para mim. Deixa o leque em cima da mesa.

— Mas... desde quando você usa essas coisas?

— Há muito tempo — minto.

— E por que você nunca me disse?

Assustada com a pergunta, fico olhando para ela.

— Convenhamos, Raquel, o fato de que você precisa me contar suas intimidades na cama com seu marido não significa que eu precise contar as minhas. Eu uso essas coisas e ponto. E agora, se você descobriu que te excitam, te deixam com tesão ou como queira chamar, aproveite o momento e tenho certeza de que sua vida será mais feliz.

Minha irmã faz que sim e toma outro gole de café.

— Você é minha melhor amiga e eu precisava te contar isso tudo. Eu sabia que você não ficaria escandalizada e que me incentivaria a continuar esses joguinhos sexuais com José.

Sorrio, pego sua mão, e ela sorri também. Às vezes eu é que pareço a irmã mais velha, e eu gosto disso.

— Essas coisas, como você chama, são brinquedos eróticos e tudo bem usar — cochicho, finalmente, em meio a risinhos. — E sim... eu também brinco com eles e com a imaginação. Acho que noventa por cento do planeta faz o mesmo, mas poucos admitem. Você sabe muito bem que sexo é tabu e, apesar de todo mundo fazer, ninguém fala disso. Mas o sexo é o sexo e devemos aproveitar tudo dele.

Volto a pensar em Eric e, com um sorrisinho bobo, vou em frente:

— Lembro que a pessoa que me deu meu primeiro brinquedinho me disse que, quando um homem dá um objeto desses a uma mulher, é porque deseja brincar com ela e curtir. Então, irmãzinha, aproveite, pois a vida é curta!

De repente, minha irmã explode numa gargalhada e eu também. Ainda não consigo acreditar que estou falando de vibradores com minha irmã e usando a palavra "brincar" nesse contexto. Até que minha sobrinha entra na cozinha.

— Do que vocês estão rindo?

Inesperadamente, Raquel pisca um olho para mim e diz, enquanto continuo rindo:

— De como eu e sua tia adoramos brincar.

Nessa noite, após uma tarde de risadas e confidências com a agora safadinha da minha irmã, ligo o computador assim que as duas vão embora e fico boquiaberta. Um e-mail de Eric! Nervosa, abro a mensagem e vejo uma foto minha da noite anterior, dançando como uma louca com os braços para o alto. Isso me dá raiva. Por acaso ele voltou a me espionar? Mas minha irritação aumenta, quando leio o texto do e-mail.

De: Eric Zimmerman
Data: 21 de julho de 2012 08:31
Para: Judith Flores
Assunto: Linda quando dança
Gostei de te ver feliz e mais ainda de saber que você está cumprindo o prometido.
Atenciosamente,
Eric Zimmerman (o babaca)

O sangue me sobe à cabeça. Ter consciência de que ele fica me vigiando, de que leu a mensagem em que o insultei e de que não me respondeu — isso tudo me irrita a um ponto indescritível. Por que não me liga? Por que não responde meus e-mails? Por que fica me seguindo?

Penso em responder. Começo a digitar, escrevendo um monte de grosserias. Mas não... me recuso a lhe dar esse gostinho e deleto a mensagem em um só toque. Por fim, desligo o computador e, morrendo de raiva, vou para a cama. Mais uma noite em claro.

30

No sábado à tarde decido sair de novo com meus amigos. Bebemos umas cervejas no bar do Asensio, jantamos numa pizzaria e depois seguimos para a boate Amnesia. Dou uma olhada à procura do detetive que Eric com certeza pôs na minha cola. Mas, claro, não descubro ninguém. Apenas gente se divertindo como eu.

Quando já faz mais de uma hora que estou lá, Fernando aparece. Olho para ele surpresa e ele sorri para mim.

— O que você está fazendo aqui?

— Jerez sem você é muito chato.

Estranhando sua presença, volto a olhar para ele.

— Fernando... você está se iludindo comigo. Nunca menti pra você e...

Põe um dedo na minha boca para me fazer ficar quieta.

— Eu sei, mas não consegui me segurar. Vamos... venha ao meu hotel. Temos que conversar.

Me despeço dos meus amigos e de Azu e prometo voltar logo. Sei que voltarei. A conversa que vou ter com Fernando vai ser rápida e na certa não muito agradável.

Quando chegamos ao hotel, podemos sentir a tensão no ambiente. Me recuso a subir até seu quarto. Vamos ao bar e pedimos uma bebida. Conversamos durante uma hora, discutimos, deixamos claros nossos sentimentos. E, quando por fim tudo parece esclarecido e eu me preparo para ir embora, ele me pega pelo braço.

— Me dá uma chance, por favor. Você mesma acabou de dizer que não sabe se quer algo mais. Deixa eu te mostrar de uma vez por todas o que sou capaz de te dar. Você é linda, eu te adoro, sua animação para fazer as coisas me enlouquece, e quero que saiba que eu faria tudo por você.

Preciso de carinho e suas palavras são, nesse momento, um alívio para minhas feridas. Não posso deixar de pensar no desgraçado safado do meu chefe. Fecho os olhos, e o olhar possessivo e misterioso de Eric Zimmerman aparece. Sem saber por quê, eu beijo Fernando. Eu o beijo com tanto erotismo e vontade que até eu mesma me surpreendo.

Sem hesitar, Fernando me arrasta até o elevador. Sei o que ele quer. Sei aonde me leva e eu deixo. Subimos até seu quarto. Por alguns minutos nos beijamos, enquanto eu o deixo percorrer meu corpo com as mãos. Mas me sinto uma traidora, não consigo parar de pensar em Eric. Quando ele começa a levantar minha saia jeans até a altura dos quadris, eu suspiro e, para sua surpresa, pego sua mão e o incentivo a me tocar.

Excitado com minha empolgação, Fernando me joga na cama, deita em cima de mim se esfregando. É cauteloso. Sempre foi assim. Seu jeito de fazer amor não tem nada a ver com o de Eric. No sexo, Fernando é devagar e delicado. Eric é rude e possessivo.

Dois homens diferentes, com duas formas diferentes de fazer amor.

Meu coração bate com força. Penso em Eric e isso me excita. Tenho certeza de que, se ele visse o que estou fazendo, ficaria tão excitado quanto eu. Seu jogo se transformou no meu. Neste momento, embora seja Fernando quem me toca, é Eric quem me possui.

Pego o celular e, disfarçadamente, tiro algumas fotos enquanto ele me beija.

Enlouquecido pela minha entrega, ele tira minha calcinha e se surpreende ao me ver de pernas abertas para ele. Sem demora, me lambe e, instantes depois, meu gemido toma conta do quarto enquanto deixo que ele me coma, me chupe, me penetre com seus dedos.

Estou de olhos fechados e sinto o olhar de Eric. Seus olhos ardentes me censuram, mas ao mesmo tempo são cheios de desejo. Não quero abrir os olhos. Não quero ver Fernando. Quero continuar de olhos fechados e sentir a presença de Eric sobre mim.

De repente, Fernando para e abro os olhos. Abriu a calça e está colocando um preservativo.

— Tem certeza?

Faço que sim com a cabeça. Não consigo falar.

Ele sorri, mas não diz nada. Instantes depois, com delicadeza, começa a entrar em mim. Um pouco... mais um pouco... mais um pouco, mas a impaciência me domina e sou eu quem vai em sua busca. Pressiono meus quadris e me encaixo nele, desejando que goze em mim. Esse ataque o pega de surpresa. Escuto-o suspirar. Ele me agarra pela cintura e move-se para dentro e para fora. Gosto disso. Isso... continua... continua... mas preciso de mais. Minha vagina se abre para recebê-lo, mas esse pênis não é o que eu desejo. Meus músculos se contraem, à espera de mais profundidade, mais voracidade, mas Fernando, após várias investidas, goza e cai sobre mim.

Fecho os olhos e sinto vontade de chorar. Quero Eric. Quero fazer sexo com ele e que ele me faça estremecer. O que até um mês atrás era ótimo com Fernando ou qualquer outro homem; agora, depois de Eric, ficou sem graça e monótono. Preciso de mais, e só Eric sabe me dar o que quero.

Sinto a cabeça de Fernando em meu pescoço. Ouço-o respirar forte pelo esforço. Quando se afasta de mim, pergunta se estou bem. Minto e digo que sim. Não quero magoá-lo.

Ele me ajuda a me levantar e vou até o banheiro. Fecho a porta e jogo água no rosto, me olho no espelho e sussurro ao pensar em Eric:

— O que você fez comigo, seu babaca?

Depois de me lavar, saio do banheiro e encontro Fernando sentado numa cadeira. Nos olhamos.

— Estou indo.

Sua expressão se contrai.

— Não, Judith... fique aqui.

Consciente de que estou me comportando como uma pessoa sem caráter, como uma idiota filha da puta, me aproximo e lhe dou um beijo na boca.

— Por favor, Fernando, continue com sua vida e me deixe continuar com a minha. Nos vemos em Jerez.

Dito isso, me viro e saio. Quando fecho a porta atrás de mim, fecho os olhos e suspiro. Sinto-me péssima. Ando até o elevador e, já na rua, ligo para minha amiga Azu. Me diz onde estão e eu corro para lá. Preciso encher a cara e esquecer o que acabei de fazer.

31

Quando chego à boate Amnesia, meus amigos me perguntam por Fernando. Minha cara demonstra que não quero falar disso. Respeitam meu silêncio e não perguntam mais. Meu querido amigo Nacho me oferece uma Coca-Cola.

— Bebe... Vai se sentir melhor.

Uma hora depois, já estou mais relaxada. Nacho conseguiu me fazer sorrir e só me deixou tomar Coca-Cola. Segundo ele, o álcool não é bom para curar a tristeza. Enquanto todos conversamos, fico observando seu braço. Sua tatuagem me chama a atenção. Então eu o seguro perto de mim.

— É nova?

— É, sim. Gostou?

Concordo com um gesto.

Sempre gostei de tatuagens e dos homens tatuados.

Algo que Eric não tem de jeito nenhum. Sua pele é suave e sem marcas, ao contrário de Nacho, que é tatuador e adora ter a pele cheia de desenhos. De repente, tenho uma ideia.

— Nacho, você me faria uma tatuagem?

Ele me crava seus olhos amendoados.

— Claro. Quando você quiser.

— Quanto você me cobraria?

Nacho sorri.

— Nada, meu amor. Pra você eu faço de graça.

— Sério?

— Claro que sim, sua boba.

— Você faria agora?

Surpreso, deixa sua cerveja no balcão e repete:

— Agora?

— É.

— São cinco da manhã.

Sorrio. Mas, muito a fim de ter uma tatuagem, chego mais perto dele.

— Não acha que é uma hora perfeita pra isso?

Não preciso dizer mais nada. Nacho pega firme na minha mão e saímos. Subimos na moto e vamos até seu estúdio. Ao entrar, acende as luzes e olho ao redor. Centenas de desenhos pendurados nas paredes, o trabalho de Nacho ao longo de todos esses anos. Tribais, nomes, caricaturas, dragões...

— Bem, Dona Impaciência. Que tatuagem você quer?

Sem me mexer, continuo observando as fotos até que vejo algo e então sei exatamente o que quero. Ele se surpreende quando digo o que é, mas procuramos em seus moldes o que eu quero. Decidimos o tamanho. Não muito grande, mas o suficiente para ser notada. Nacho começa a trabalhar no molde. Vinte minutos depois, olha para mim.

— Já está pronto, minha linda.

Nervosa, faço que sim com a cabeça. Ele me mostra.

Observo seu desenho e sorrio. Me convida a me sentar na maca onde faz seus trabalhos.

— Onde você quer a tatuagem?

Hesito por alguns instantes. Quero que a tatuagem seja algo muito íntimo, que só quem eu queira possa ver e que sempre... sempre me faça lembrar dele. De Eric. Por fim, convencida do que quero, aponto o dedo para meu púbis depilado e sussurro:

— Aqui, quero que você tatue aqui.

Nacho sorri. Eu também.

— Menina, vai ser uma tatuagem muito sensual. Você sabe disso, né?

— Sim, eu sei — respondo.

Nacho faz que sim e pergunta, enquanto pega uma agulha:

— Tem certeza, Jud?

— Tenho — afirmo determinada.

— Tudo bem, linda. Então deite aí.

Enquanto conversamos e escutamos Bon Jovi, Nacho trabalha sobre meu corpo. As picadas da agulha são dolorosas, mas nada se compara com a dor que sinto em meu coração por culpa de Eric. Por volta das sete da manhã, Nacho larga a agulha na mesinha e lava minha pele com água.

— Prontinho, linda.

Levanto, ansiosa para ver o resultado.

De calcinha, ando até o espelho e meu coração se contrai quando leio em meu púbis: "Peça-me o que quiser."

Ao chegar em casa, em torno das oito da manhã, estou exausta e um pouco dolorida por causa da tatuagem. Mas abro o notebook. Passo as fotos

que tirei com o celular e fico decidindo qual delas enviar. Depois abro meu e-
-mail e escrevo:

De: Judith Flores
Data: 22 de julho de 2012 08:11
Para: Eric Zimmerman
Assunto: Noite agradável
Para que você veja que estou me divertindo e fazendo o que te prometi.
Atenciosamente,
Judith Flores

Anexo à mensagem uma foto em que estou deitada na cama e Fernando me beija. Nem menciono a tatuagem. Ele não merece. Quero que se sinta mal. Que veja que minha vida continua mesmo sem ele. Após ler a breve mensagem umas cem vezes, aperto "enviar". Fecho o computador e vou dormir.

32

É segunda: outra semana de trabalho começa. Não soube mais nada de Fernando e é quase melhor assim. Cada vez que penso no que fiz, sinto vergonha. Sou uma completa idiota. Aproveitei a quedinha dele por mim e, quando consegui o que queria, fui embora sem levar em conta seus sentimentos.

Checo meus e-mails mil vezes, duas mil, três mil, mas Eric não responde. Ele me deixa num vazio e isso me deixa louca. Definitivamente, ele não está nem aí pra mim. Fui apenas mais uma transa para ele, e preciso aceitar isso. Sou uma imbecil mesmo!

Minha chefe chega e está especialmente chata hoje. Miguel tenta tirá-la do meu pé e faz isso da melhor forma que sabe. Sexo! Eu me faço de boba e finjo não saber de nada. No fundo, sou grata a Miguel por mantê-la ocupada.

Os dias passam e minha tatuagem está me incomodando. Segui todas as recomendações de Nacho e ainda uso um plástico para proteger.

Continuo sem notícias de Eric.

Minha chefe está com aquela simpatia de sempre. Enche minha mesa de trabalho até não poder mais, e eu, como boa escrava que sou, mergulho nele. Se tem uma coisa que meu pai me ensinou, é não deixar nada pela metade.

Na quinta-feira saio com os amigos para tomar cerveja. Nacho vai também e me pergunta sobre a tatuagem. É a única pessoa que sabe, e eu não quero contar para ninguém mais. Combino de passar no seu estúdio na sexta-feira para ele ver como está.

Afinal é sexta-feira!

Dentro de algumas horas estarei de férias.

Continuo sem saber nada de Eric e da suposta viagem às sucursais, então procuro esquecer o assunto. Depois de dar mil voltas na cabeça, decido não pensar mais nisso. Impossível, porque Eric não me abandona.

Quando desligo o computador e me despeço dos colegas, quase não acredito. Vou ficar praticamente um mês fora do escritório, desse ambiente, e isso me deixa muito feliz. Quando saio, vou direto ao estúdio de Nacho. Ele vê minha tatuagem e diz que já posso tirar o plástico de proteção.

Ao chegar em casa, vejo que há uma mensagem da minha irmã na secretária eletrônica.

Pede que eu fique duas noites com minha sobrinha. Tem planos com José. Sem conseguir recusar, digo que sim. Minha irmã está eufórica e isso me faz sorrir.

Às nove da noite, minha sobrinha levada chega à minha casa e se apossa da tevê, enquanto minha irmã, toda afobada, me conta suas últimas façanhas sexuais. Quando ela vai embora, Luz insiste que eu peça uma pizza, e nós duas comemos uma pizza de presunto enquanto sou obrigada a aturar os ridículos desenhos do Bob Esponja. Por que será que ela gosta tanto?

À meia-noite, exausta de tanto Bob Esponja, Lula Molusco e seus hambúrgueres de siri, vamos para a cama. Luz quer muito dormir ao meu lado e eu deixo numa boa.

Na manhã de domingo, minha irmã aparece mais feliz que pinto no lixo e, após dizer "Depois te conto!", vai embora apressada com minha sobrinha. Meu cunhado a espera com o carro parado em fila dupla.

Nessa noite, depois de um dia inteiro jogada no sofá, eu olho para minha mala. Amanhã vou para Jerez passar uns dias com meu pai. Tomo um copo d'água e me enfio na cama, mas, antes de apagar a luz do abajur, vejo os lábios de Eric marcados ali. Apago a luz e decido dormir. Estou precisando.

Como sempre, minha chegada a Jerez, à casa do meu pai, é motivo de animação na vizinhança. Lola, da quitanda, me abraça; Pepi, do armazém, me enche de beijos. O Bicho e o Lucena, quando me veem, dão pulos de alegria. Todo mundo gosta de mim. Meu pai é um homem muito querido na cidade. A vida toda teve uma típica oficina de carros e motos, "Oficina Flores", e é mais conhecido que o vinho do lugar.

À tarde, na hora em que estou dando um mergulho na piscina maravilhosa que meu pai construiu na casa, Fernando aparece. Vou nadando até a borda, observo sua calça branca e a camisa de linho laranja que ele está usando. Está tão bonito como sempre, e essas cores combinam muito bem com seu tom de pele. Ele sorri. Parece um bom sinal.

— Olá, conterrânea.
— Oláááá!
— Já estava mais do que na hora de você voltar pra casa, sua ingrata.

Suas palavras e seu sorriso me dão a entender que ele está bem, que a mágoa comigo já passou. Isso me reconforta. Saio da piscina com meu biquíni verde militar e vejo os olhos de Fernando percorrendo meu corpo de cima a baixo. Meu pai, que não repara no olhar dele, vem chegando por trás.

— Olha quem veio te ver, moreninha. Vai uma cervejinha, Fernando?
— Obrigado, Manuel. Vou adorar uma.

Meu pai sai e nos deixa sozinhos. Nos olhamos e eu lhe pergunto, rindo:

— Que foi?
— Você está linda.

Feliz com o elogio, murmuro enquanto enxugo o rosto com uma toalha:

— Obrigaaaada... você também está.

Dou dois beijinhos nele. Sinto suas mãos na minha cintura molhada e, ao ver que ele não me solta, replico:

— Me solta ou meu pai vai contar tudo pro seu e eles marcam o casamento pra daqui a dois dias.

— Se assim eu puder te ver mais vezes, tudo bem!

Dou uma risada e ele me solta. Sentamos numa das cadeiras.

— Como estão as coisas?
— Tudo bem e com você?

Fernando faz que sim com a cabeça. Não quer falar muito sobre o que aconteceu. Nesse momento, aparece meu pai com duas cervejas e uma Coca--Cola para mim.

Por algum tempo, nós três conversamos na beira da piscina. Às oito, Fernando me convida para jantar. Vou dizer que não, que não estou a fim, mas meu pai vai logo aceitando por mim. Às nove, já arrumada, saio com Fernando do chalé do meu pai e entro no seu carro.

Ele me leva a um restaurante recém-inaugurado em Jerez e temos um jantar agradável. Fernando é simpático e com ele nunca falta assunto. Quando saímos, vamos a um barzinho tomar algo.

— Judith — ele diz quando eu menos espero —, se eu te chamasse pra passar uns dias comigo no Algarve, você iria?

Quase engasgo. Olho para ele e pergunto:

— Por que essa ideia agora?

Fernando se apoia na mesa e afasta uma mecha de cabelo que cai nos meus olhos.

— Você sabe.

Olho para ele desconcertada. Outra vez a mesma história? E, antes que eu possa dizer algo, chega mais perto e me dá um beijo. Sua língua invade minha boca.

— Seu chefe não é o homem certo pra você.

Stop! Fernando está falando de Eric?

— Eric Zimmerman não é o homem que você imagina — diz.

— Do que você está falando?

Fernando acaricia os contornos do meu rosto.

— Digamos que ele frequenta ambientes que não são saudáveis pra você.

Sem precisar perguntar de novo, eu sei do que ele está falando. Mas meu sangue ferve quando me dou conta de que Fernando está bisbilhotando minha vida. Por que ultimamente todo mundo me espiona? Eu o encaro, mal-humorada.

— E o que você sabe do meu chefe e esses ambientes?

— Judith, sou policial e pra mim é muito fácil saber certas coisas. Eric Zimmerman é um empresário alemão rico que gosta de estar com muitas mulheres. Circula num ambiente muito seleto e, pelo que descobri, gosta de compartilhar algo mais do que amizade.

Descobrir que Fernando sabe certas coisas sobre Eric me incomoda, me preocupa.

— Olha, não sei do que você está falando, nem me importa — respondo, incapaz de me acalmar. — Mas o que não entendo é por que você está falando do meu chefe e do que ele faz com a vida pessoal dele.

— Judith, não me importo com seu chefe, mas com você, sim — explica, olhando nos meus olhos. — E não quero que você tome uma decisão errada. Eu te conheço, gosto de você e não quero que ninguém estrague o que é nosso.

— "Nosso"? O que é "nosso"?

— Nosso é o que você e eu temos. Gostamos um do outro há anos e...

— Ai, meu Deeeeeeus.... — murmuro horrorizada.

— Judith, esse homem não...

— Chega! Não quero mais ouvir falar do meu chefe, nem da minha vida particular, entendeu?

Fernando faz que sim e nos envolve num silêncio incômodo.

— Me leva pra casa ou eu vou sozinha. Escolhe! — digo, levantando-me.

Ele também se levanta, esvazia seu copo e tira do bolso as chaves do carro.

— Vamos.

Entramos no carro. Ele dirige e nenhum de nós fala nada. Quando chegamos à porta da casa do meu pai, desliga o motor, olha para mim e sussurra:

— Judith, pensa no que te falei.

E, se virando para mim, me beija. Toma meus lábios com ternura e no início eu correspondo, mas, quando Eric aparece na minha cabeça, eu me afasto. Abro a porta do carro, desço e, irritada, caminho até a casa do meu pai.

33

Dois dias depois, Fernando não voltou a aparecer, embora me mande mensagens perguntando como estou e me convidando para almoçar ou jantar. Recuso os convites. Não quero vê-lo. Saber que ficou espionando minha vida e a de Eric me deixa furiosa. O que deu nos homens?

No quinto dia, quando acordo, abro um sorriso. Meu quarto continua como sempre. Papai faz questão de manter tudo igual a antes e, quando o escuto bater na minha porta e entrar em seguida, abro mais um sorriso.

— Bom dia, moreninha.

Adoro esse tom carinhoso e andaluz que ele usa quando fala comigo. Sento na cama e dou bom-dia.

Como sempre, papai me leva o café da manhã na cama e traz o seu também. É um momento nosso, em que colocamos o papo em dia. Algo que os dois gostamos.

— O que você vai fazer hoje?

Tomo um gole do delicioso café antes de responder:

— Marquei com Rocío. Quero conhecer o sobrinho dela.

Meu pai concorda e dá uma mordida na torrada.

— Ele é uma graça. Deram o nome de Pepe, como o avô Pepelu. Você vai ver como é bonitinho. Aliás, Fernando ligou. Queria falar com você e disse que voltaria a ligar mais tarde.

Não gosto de ouvir isso, mas tento não alterar a expressão do meu rosto. Não quero que meu pai tire conclusões erradas. Mas ele não é bobo.

— Você e Fernando brigaram?

— Não.

— Então por que ele não tem vindo aqui como sempre?

Seus olhos me atravessam. Sei que espera que eu diga a verdade.

— Olha, pai. Sejamos sinceros, pois já estamos bem crescidinhos: Fernando quer de mim algo que eu não quero dele. E, apesar de ser um ótimo amigo, nunca haverá nada além disso entre a gente porque hoje em dia eu penso em outra pessoa. Você entende, né, pai?

Meu pai responde que sim. Dá outra mordida na torrada e a engole antes de mudar de assunto.

— Sabe quando sua irmã vem?

— Não me disse nada, pai.

— É que eu telefono e ela tem estado sempre com pressa. Mas dá pra perceber que está feliz. Você sabe o motivo? — Isso me faz sorrir. Se meu pai soubesse...

— Já te disse, pai, não faço a menor ideia! Mas com certeza virão os três passar uns dias contigo. Você sabe que a Luz... se não visita seu vovô, fica arrasada.

Meu pai sorri e suspira.

— Ah, minha Luz...! Que vontade que eu tenho de ver essa menina levada. — Logo olha para mim e acrescenta: — Sobre Fernando, a partir de agora fico de bico calado, mas, filha, você por acaso continua com aquele rapaz com quem te vi na última vez que estive em Madri?

Caio na gargalhada.

— Olha, minha querida — continua, antes que eu possa responder —, sei que na capital todos vocês são muito modernos. Mas, caramba, você não faz ideia do quanto esse cara me desagradou quando vi que ele tinha um brinco na sobrancelha e outro no nariz.

— Pode ficar tranquilo, pai... não é ele que ocupa meus pensamentos.

— Que bom, moreninha. Aquele lá parecia mais burro que uma porta.

Seu comentário me faz soltar uma gargalhada, e meu pai ri comigo. Por um bom tempo, curtimos nosso café da manhã, até que ele olha as horas.

— Tenho que ir à oficina.

— Tá bem, pai. Te vejo à tarde.

— Dá uma passada no circuito. Vou estar por lá.

— No circuito? Pra quê?

Ele sorri e, sem me revelar nada, vai se levantando da cama.

— Passa lá por volta das cinco. Tenho uma surpresinha pra você.

Meu pai e seus segredinhos. Mas rapidamente cai a ficha e eu sei a que ele se refere. Aceito o convite. Meu pai sai e eu continuo me entupindo de torradas.

34

Às onze e meia, minha amiga Rocío passa para me pegar e juntas vamos ver seu sobrinho. Como meu pai disse, o menino é uma gracinha. À uma já estamos de volta e vamos para a piscina. A água está fresquinha e deliciosa.

Rocío me conta suas coisas e tenta me perguntar sobre Fernando. Mas, assim que percebe que não quero tocar no assunto, deixa pra lá e falamos de outras coisas. Às duas e meia, minha amiga volta para casa e eu fico deitada na beira da piscina. Meu telefone apita. Uma mensagem. É Fernando me chamando para almoçar. Recuso o convite e deito na espreguiçadeira para ouvir música.

Meu celular apita de novo. Que saco! Pego o aparelho e fico sem ar quando leio: "Quer ir beber comigo?" É Eric!

Meu coração dispara.

Eric está em Madri e eu a muitos quilômetros de distância. Pego a Coca-Cola e bebo. Minha garganta ficou seca de repente, e o celular apita outra vez.

"Você sabe que não sou paciente. Responde."

Com as mãos tremendo, começo a digitar, mas não acerto as teclas! Finalmente consigo escrever: "Estou de férias."

Envio a mensagem e minha barriga se contrai até que ouço o celular apitar e leio sua resposta: "Eu sei. Muito bonita a porta vermelha do chalé do seu pai."

Quando leio isso, dou um gritinho, largo o celular, pego uma canga e corro desesperada até a porta. Na minha corrida, derrubo cadeiras do quintal, bato com o quadril, mas não me importo.

Eric está aqui!

Rápida, abro a porta, mas minha cegueira é tamanha que não vejo nenhum carro que possa ser o dele, até que uma buzinadinha me faz olhar pra direita e eu vejo um homem numa moto maravilhosa. Ele desce, tira o capacete e seus olhos e sua boca sorriem para mim.

Sem me importar com mais nada nem ninguém, corro até ele e me atiro em seus braços. Meu impulso é tão forte que nós dois quase caímos no chão, mas nada, absolutamente nada, me importa. Eu apenas o abraço e estremeço quando volto a ouvir sua voz em meu ouvido:

— Pequena... senti sua falta.

Estou nervosa. Histérica!

Eric, meu Eric!, está nos meus braços. Em Jerez. Na porta da casa do meu pai. Veio me buscar. Me encontrou e essa é a única coisa em que quero pensar.

Quando me separo um pouco dele, sinto seu olhar percorrer meu corpo e então me dou conta da minha aparência.

— Eric, você podia ter avisado. Olha o meu estado.

Ele não responde. Apenas me olha e em seguida me segura pela nuca e me puxa pra ele, pronto para me dar um beijo apaixonado que faz toda Jerez estremecer.

— Você está linda, querida.

Ai, meu Deus! Vou ter um troço. E ainda por cima me chama de "querida"!

— Como está o braço? — pergunta de repente.

Eu mostro a marca do ferro.

— Ótimo.

Eric faz um gesto com a cabeça e eu o convido a entrar na casa.

Vai me seguindo e ofereço uma cerveja. Ele recusa e pede água. Eu o faço esperar na piscina enquanto me visto. Eric resiste, mas explico que essa é a casa do meu pai, que pode aparecer a qualquer momento. Ele entende e obedece. Em cinco minutos eu me visto. Um jeans, um top e pronto.

Quando apareço, Eric olha para mim.

— Você recebeu duas mensagens do Fernando.

Respiro fundo e, antes de conseguir responder, Eric me puxa para si e me beija com voracidade. Seus beijos me fazem entender que ele sentiu tanta falta de mim quanto eu dele, e isso me deixa feliz. Apesar de que ele ainda me deve muitas explicações. Em meio aos beijos, entramos na cozinha. Eric me sobe na mesa para continuar me beijando e ao mesmo tempo me aperta contra ele.

Calor... estou sentindo um calor infernal e mais ainda quando ele abaixa a cabeça e morde meus seios por cima do top. Somos dominados por um desejo ardente. E no fim sou eu que, me esquecendo de onde estou, do meu pai e da imagem de Nossa Senhora na cozinha, abro sua calça, enfio a mão na cueca e o toco. Quero mais.

Eric, excitado por minhas carícias, desabotoa meu jeans e o arranca. Em seguida tira minha calcinha e sinto o frio da mesa em minhas bunda. Continuo sentada ali e percebo como ele coloca depressa um preservativo. Reparo na minha tatuagem, mas ele não. Está cego de desejo. Gosto disso!

Me puxa para si. Com a respiração entrecortada e me encarando com desejo, encosta o pênis na entrada da minha vagina, enfia alguns centímetros e depois me agarra pela bunda e com um movimento certeiro se mete completamente dentro de mim, enquanto vejo que ele morde o lábio.

Sim... Sim... Sim... Eu precisava sentir Eric.

Calado, me suspende pelos braços para me deixar mais próxima de sua altura e me apoia contra a geladeira. Eu o beijo... ele me beija com desespero, e suas penetrações fortes e profundas dentro de mim me fazem gritar de puro prazer. Uma... duas... três... Meu corpo o recebe com gosto... quatro... cinco... seis... Quero mais! De novo, minha carne arde, minha vagina lateja tomada por ele e eu solto gemidos e gozo entre seus braços. Estou feliz. Muito feliz e não quero pensar em mais nada enquanto deixo que ele me come como gosta. Como nós gostamos. Selvagem, possessivo e viril.

Após várias estocadas fortes que me dão a sensação de que ele vai me rasgar por dentro, Eric se joga para trás e solta um grunhido. Deixa sua cabeça cair sobre meu ombro e, por alguns minutos, nós dois permanecemos apoiados na geladeira.

— O que você está fazendo aqui, Eric?

— Estava morrendo de vontade de ver você de novo.

Seu comentário me faz fechar os olhos. Adoro ouvir isso, mas não entendo por que ele não veio me ver antes. Por fim me beija e seguimos para o banheiro para nos limpar um pouco antes de sair da casa do meu pai entre beijos e risadas. Ele me sugere que a gente vá almoçar em algum lugar e, ao chegarmos à sua espetacular moto, pergunto:

— É sua?

Não responde. Dá de ombros e me entrega o outro capacete.

— Você tem medo?

Coloco o capacete que ele me dá.

— Medo não, respeito.

Eric sorri. Sobe na moto e partimos.

— Segure em mim com força. Se você tiver medo em algum momento, me avise, ok?

Concordo num gesto.

Eu o oriento pelas ruas de Jerez e almoçamos num restaurante de Pachuca, uma amiga do meu pai. Ao me ver entrar tão bem-acompanhada, ela pisca para mim e nos conduz até a melhor mesa da casa. Logo me enche de beijos e reclama por eu aparecer tão pouco, enquanto observo que Eric digita alguma coisa no celular. Quando acaba com os beijos e queixas, ela nos entrega o menu.

— Menina, pede o *salmorejo*, que hoje fiz um que ficou um espetáculo.

— O que é isso? — pergunta ele, achando graça.

— É tipo uma sopa fria de tomate, um gaspacho, mas mais concentradinha. Se você gosta de verdura, tenho certeza de que vai adorar o *salmorejo* da Pachuca — explica ela.

Respondemos em uníssono: *salmorejo* para dois!

— E como prato principal, o que você sugere?

Pachuca sorri e diz:

— Tenho atum aceboladinho que *tá* uma delícia, ou costelinhas. *Cês* preferem o quê?

— Atum — responde Eric.

— Eu também.

Pachuca se afasta, e Eric olha para mim e estende mãos por cima da mesa para pegar as minhas. Não dizemos nada. Apenas nos olhamos até que ele rompe o silêncio:

— Sou um babaca.

— É mesmo. Com certeza.

Seu comentário me confirma que ele recebeu meus e-mails.

— Quero que saiba que seu último e-mail me deixou louco de raiva.

Solto suas mãos.

— Você mereceu.

— Eu sei...

— Fiz o que você me pediu. E, como seu detetive não podia me espionar dentro do quarto, resolvi fazer isso eu mesma.

Observo suas mãos. Os nós estão tensos e ficam brancos.

— Reconheço que errei, mas não gostei do que vi.

Isso me surpreende. Me recosto na cadeira.

— Não gostou de me ver transando com outro?

Eric me encara. Seu olhar está sombrio.

— Não, porque eu não estava participando.

Não quero confessar que para mim ele estava, sim, na imaginação.

— Você me desculpa?

— Não sei. Tenho que pensar, Iceman.

— Iceman?!

Sorrio, mas não comento que foi Miguel quem colocou esse apelido nele.

— Tua frieza às vezes te transforma num homem de gelo. Iceman!

Faz um gesto concordando. Fica me olhando e exige que eu lhe dê a mão de novo.

— Peço desculpas por não ter te procurado esse tempo todo. Mas acredite em mim: eu estava muito ocupado.

— Por que não podia me ligar?

Ele pensa... pensa... pensa e, por fim, parece encontrar uma resposta:

— Prometo que da próxima vez eu ligo.

Tento fazer cara de emburrada. Não me respondeu, mas não consigo ficar brava com ele. Estou tão... tão feliz por ele ter vindo até aqui e por estar ao meu lado que só consigo sorrir como uma boba e aproveitar a felicidade. Meu celular toca. É Fernando. Eric vê o nome que aparece no visor.

— Pode atender, se quiser.

— Não... agora não. — Desligo o celular.

A comida, como a Pachuca bem disse, está uma verdadeira delícia. O *salmorejo* é maravilhoso. E o atum, mais ainda. Quando saímos do restaurante, consulto o relógio. São 16h15. Então me lembro de que marquei de encontrar meu pai às cinco.

— Você tem vontade de conhecer o circuito de Jerez?

Eric me aproxima dele e sussurra perto da minha boca:

— Pequena, vontade mesmo eu tenho é de outra coisa. Vamos, aluguei um chalé que...

— Alugou um chalé?

— Sim. Quero estar perto de você.

Sua proximidade, sua voz e sua sugestão me fazem suspirar. Fico querendo correr para esse chalé, mas não. Não vou fazer isso, por mais que a ideia me seduza. Não.

— Combinei com meu pai às cinco no circuito. O que acha de conhecê-lo?

— Conhecer seu pai?

— É. Meu pai. Mas pode ficar tranquilo, ele não tem nada contra alemães!

Meu comentário o faz sorrir. E, após me dar um tapinha, me entrega o capacete.

— Vamos conhecer seu pai.

35

Assim que chegamos ao circuito, encontramos Roberto na entrada. Ele me cumprimenta e me diz para esperar meu pai na reta dos boxes. Explico a Eric como chegar lá e ele brinca comigo, dando aceleradas que me fazem gritar e me segurar nele.

Ao chegarmos aos boxes, ninguém está lá. Descemos da moto e fico olhando para ela. É linda.

— Quer que eu te ensine a usar?

Sua pergunta me surpreende e eu reajo como uma criança.

— Hummm, não sei.

— Tem medo?

— Nããããão.

— Então qual é o problema?

O sol bate direto no meu rosto e eu pisco um olho para enxergar Eric melhor.

— Tenho medo de cair e de estragá-la.

— Não vou te deixar cair — responde com segurança.

Isso me faz sorrir. Esse é Eric, um homem seguro.

Por fim, incentivada por ele, subo na moto. Olho ao redor e vejo que meu pai ainda não apareceu. Durante alguns minutos, Eric me explica que as marchas estão no pé esquerdo, depois me indica como acelerar, como usar a embreagem e como frear. Em seguida arranca com a moto.

— Uau, que barulho incrível!

— As Ducati todas têm esse som assim, menina. Forte e rouco. Agora vem, engata a primeira e...

Faço o que ele me pede e a moto morre.

Com um sorriso carinhoso, ele arranca outra vez.

— Isso é como um carro, querida. Se você soltar a embreagem depressa, o carro morre. Engate a primeira, solte devagarzinho e acelere.

Me chamou de "querida" duas vezes em menos de duas horas. Uau!

Volto a engatar a primeira, solto devagarzinho e, droga!, a moto morre de novo.

— Não se preocupe. — Ri, aproximando-se de mim.

Repete tudo e desta vez eu me concentro. Engato a primeira, solto devagarzinho a embreagem e acelero. A moto começa a andar e ele aplaude enquanto dou gritinhos. De repente eu freio e a moto dá um tranco. Eric grita e vem correndo.

— Se você frear só com o freio dianteiro, pode cair.

— Ok.

Repetimos o processo vinte vezes e cada vez eu me saio pior. Freio pior e não me conformo. A cara de Eric é impagável.

— Vamos, desça da moto.

— Nããããão... Quero aprender!

— Outro dia continuamos com as aulas — insiste.

— Ah, por favor, Eric... não seja desmancha-prazeres.

Seus olhos não sorriem. Está tenso.

— Chega, Jud. Não quero que você quebre a cabeça.

Mas eu já tomei gosto pela coisa e agora quero continuar.

— Só mais uma vez, por favor. Só mais uma.

Eric olha para mim, muito sério, mas acaba cedendo.

— Só uma vez, e depois você desce, combinado?

— Ebaaaa! Então engato a primeira e... — Ao ver seu rosto tenso, pergunto: — Vem cá, por que você está tão preocupado?

— Jud... tenho medo que você se machuque.

— Você fica angustiado quando não sabe o que vai acontecer?

— Fico.

— Por quê?

Sem entender minhas perguntas e com a testa franzida, responde:

— Porque preciso saber que você está bem e que não vai te acontecer nada.

Arranco de novo. Engato a primeira, solto a embreagem e acelero com cuidado. A moto vai devagarzinho e Eric está ao lado.

— Eric!

— Que foi?

— Fique sabendo que a angústia que você acaba de sentir nem se compara com a que senti por sua causa nessas duas semanas. E, agora, olha só isso!

Engato a segunda, acelero e a moto se movimenta. Ponho a terceira... quarta e saio diretamente ao circuito. Pelo retrovisor eu o vejo boquiaberto e então sorrio. Estou empolgada por dirigir uma moto outra vez. É algo de que sempre gostei e que me proporciona liberdade. Enquanto faço as curvas do circuito de Jerez, penso em Eric. Em sua cara de preocupação. E volto a sorrir. Eu o imagino nos boxes, sozinho e desconcertado. Acelero.

Saio da pista e entro nos boxes. Está sentado num degrau. Quando me vê, levanta-se. Sua expressão é dura. Iceman está de volta. Mas, feliz por tê-lo feito sofrer por alguns minutos, chego até ele e freio bruscamente sem desligar o motor. Tiro o capacete e, no melhor estilo *As panteras*, olho para ele.

— Vem cá, Eric, você achava mesmo que a filha de um mecânico não sabia dirigir uma moto?

Eric se aproxima de mim. Parece prestes a me dizer alguma coisa não muito amigável, até que me segura pelo pescoço e me beija com verdadeira paixão. Ainda em cima da moto, eu o agarro e devoro até que escuto a voz do meu pai.

— Eu já sabia que a mulher que estava correndo na pista era minha moreninha.

Rapidamente me separo de Eric. Pisco para ele, o que o faz sorrir, e me viro na direção do meu pai.

— Pai, esse aqui é um amigo meu. Eric Zimmerman.

Meu pai sorri e o examina de alto a baixo. Sei que ele sabe que esse é o homem que não sai da minha cabeça. Eric dá um passo à frente e apertam as mãos com força.

— Prazer em conhecê-lo, senhor Flores.

— Me chame de Manuel, rapaz, ou terei que te chamar por esse sobrenome esquisito que você tem.

Ambos sorriem e sei que foram com a cara um do outro. Depois, Eric olha para mim e se dirige ao meu pai:

— Manuel, o senhor tem uma filha meio mentirosa. Tinha me dito que não sabia dirigir moto e, depois de me fazer ensinar a ela como usar a embreagem, saiu disparada como uma flecha.

— Você disse isso a ele, sua sem-vergonha? — meu pai brinca.

Confirmo com a cabeça, achando graça.

— Eric, minha moreninha foi campeã de motocross de Jerez por vários anos e, hoje em dia, continua ganhando prêmios.

— Sério?

— Aham — eu digo, divertindo-me.

Durante um tempo, Eric e meu pai ficam fazendo graça e eu entro na brincadeira. Estou diante dos dois homens que mais amo na vida e isso me faz feliz. Alguns instantes depois, meu pai começa a andar e volta em nossa direção.

— Me acompanhem, crianças.

Quando vou seguir meu pai, Eric me agarra pela cintura e me puxa para si.

— Moreninha, você é uma caixinha de surpresas.

Pisco para ele e finjo lhe dar um soco na barriga que o faz rir.

— Cuidado com o olho, porque também fui campeã regional de caratê.

Eu o escuto assobiar, surpreso, quando meu pai diz ao entrar num boxe:

— Olha o que preparei pra você.

Bem na minha frente está a moto com a qual ganhei esses prêmios de motocross. Limpa e reluzente. Uma Ducati Vox Mx 530 de 2007. Emocionada, ando até lá e subo nela. O celular do meu pai começa a tocar e ele sai do boxe para atender. Arranco com a moto e seu som áspero ecoa ao nosso redor. Depois olho para Eric e digo enquanto ele dá risada:

— Já te disse que adoro o barulho forte e rouco das Ducati?

36

Durante seis dias, meu mundo é cor-de-rosa. Vivo num país colorido como o da abelha Maia do desenho animado e me sinto como uma princesa rodeada por duas pessoas que me amam e me protegem.

Fernando continua me procurando e, em sua última mensagem, avisa que sabe que Eric Zimmerman está comigo em Jerez. Isso me deixa chateada. Não consigo digerir o fato de Fernando estar a par da vida de Eric, mas decido ficar quieta. Se eu tentar explicar algo a Eric, com certeza a situação vai piorar.

Ele e meu pai estão se dando superbem e, embora a princípio meu pai tenha se aborrecido com ele por ter alugado um chalé, afinal entendeu que somos adultos e precisamos de privacidade.

Os amigos e vizinhos do meu pai logo apelidam Eric de "o Frankfurt", pelo fato de ser alemão, e ele acha graça disso. O temperamento espanhol, especialmente o andaluz, é tão diferente do alemão que percebo o quanto Eric se surpreende o tempo todo.

Todo dia meu pai se emociona com Eric. Noto que gosta dele, que o respeita e o escuta, e isso diz muito sobre meu pai. Inclusive saem juntos às vezes para pescar à tarde e voltam animados e felizes. Nesses dias, sempre que posso dou uma escapada para correr e cantar pneu com minha moto. Adoro isso e me divirto como uma criança.

Numa dessas tardes, Fernando aparece com sua moto. Cruza meu caminho. Nós dois paramos.

— Você ficou louca? O que esse cara está fazendo aqui?

Irritada com sua intromissão, retiro os óculos de proteção do capacete.

— Você está passando dos limites. Não é da sua conta o que ele está fazendo aqui.

Fernando desce da moto e vem até mim.

— Pelo amor de Deus, Jud, seu pai sabe que ele é seu chefe?

— Não.

— E quando você vai contar?

A cada instante que passa, vou ficando mais irritada.

— Quando eu estiver a fim.

Fernando se move com rapidez e me segura pelo pescoço, encosta sua testa na minha e murmura:

— Judith... eu te amo.

— Fernando, não...

Sem se afastar de mim, continua falando:

— Quero você só pra mim, com exclusividade. Esse cara não gosta de você tanto quanto eu, pense nisso, por favor, e...

Dou um empurrão nele e me afasto.

— Quero continuar meu caminho, Fernando. Sai da frente, ok?

— Você está me dizendo que prefere a companhia desse homem à minha? — murmura, sem se distanciar um milímetro sequer e com atitude provocativa. — Esse cara está te usando. Quando ele se cansar de você, vai te abandonar, como fez com centenas de mulheres. Pra ele você é apenas mais uma, enquanto pra mim você é especial, não percebe? Pensei que você fosse mais esperta, Judith, pelo amor de Deus.

Não quero ser cruel como ele está sendo comigo. Gosto de Fernando. É um bom amigo. Mas por Eric sinto algo tão forte que não posso ignorar. Como fico em silêncio, ele se vira e sobe na moto, mal-humorado.

— Tudo bem. Depois não diga que não avisei.

Em seguida vai embora e me deixa desconcertada e com um sabor amargo na boca.

No sétimo dia, meu pai me lembra do evento anual de motocross em Puerto Real, um vilarejo próximo de Jerez. Neste ano não estou muito a fim de participar. Prefiro curtir a companhia de Eric, mas, ao ver a animação do meu pai e de seus amigos para que eu participe, acabo cedendo e convenço Eric a nos acompanhar.

Papai sempre quis ter um filho homem. Um menino. Mas a vida lhe deu duas filhas. Se bem que eu, com meu jeito meio moleca, talvez tenha compensado um pouco essa carência.

A princípio, Eric não sabe muito bem aonde vamos. Deixa claro para mim que não gosta de esportes radicais. Eu sorrio e minto para ele. O que posso fazer?

Mas, quando vê minha moto no reboque e meu pai junto a seus melhores amigos, o Lucena e o Bicho, falando sobre saltos, cantadas de pneu etc., entende perfeitamente o que vou fazer. Sua cara é de desconforto total.

— Não quero que você faça o que eles estão falando — murmura a poucos metros deles.

— Olha, Eric. Pra mim o que eles estão falando não tem nenhum mistério. Pratico motocross desde os 6 anos de idade. E agora, com 25, continuo inteirinha.

Seu rosto e sua boca revelam a tensão que está sentindo.

— Te prometo que vai dar tudo certo — insisto. — Você vem comigo e vai ver, ok?

— Olha quem está aqui... — escuto de repente atrás de mim. — Minha linda conterrânea motociclista.

Me viro e dou de cara com Fernando. Seu comentário não me agrada nem um pouco. Meu estômago se contrai, mas me esforço para que ninguém perceba meu constrangimento. O Bicho olha para seu filho e depois para Eric. Sinto que está tão tenso quanto eu, mas respiro fundo e sorrio.

— Fernando, esse é Eric. Eric, esse é Fernando.

Apertam as mãos um do outro, e eu, que estou no meio, vejo o mal-estar da situação. Eles se encaram. Dois rivais. Dois homens e eu no meio. Por sorte, meu pai bate palma e diz que é hora de irmos. Fernando se ajeita e Eric logo me avisa que nos seguirá em sua moto. Decido acompanhá-lo.

Quando meu pai, o Lucena, o Bicho e Fernando entram no carro e arrancam, Eric me passa um dos capacetes.

— Não gosto desse tal de Fernando.

— Está com ciúmes?

— Deveria estar?

Dou um beijo em seus lábios e respondo:

— Claro que não, querido.

Quando chegamos ao lugar da corrida, meu pai e os amigos começam a cumprimentar todo mundo e faço o mesmo. Conhecemos quase todos os corredores e seus acompanhantes, já que participamos do evento há tantos anos. Às dez e meia, Cristina, a organizadora do motocross feminino, me entrega meu número, o 51, e informa que ao meio-dia haverá a primeira eliminatória.

Eric não fala nada. Só fica me observando. A cada segundo que passa, vejo a preocupação em seus olhos e tento acalmá-lo. Mas, quando apareço com meu macacão vermelho de couro, as proteções, as botas, as luvas e o capacete, ele fica branco como cera.

— Pode me explicar por que está vestida desse jeito? — pergunta com irritação.

— Não estou sexy? — Sorrio.

Não responde.

— Jud. Não quero que você participe disso. É um esporte perigoso demais.

— Ah, que é isso! Não diga bobagem. — Sorrio de novo e tento não levá-lo a sério.

Fernando, que sei que estava prestando atenção na gente, se aproxima e com um sorriso falso diz:

— Vamos, linda... vá com tudo e deixe todo mundo sem palavras.

— Com certeza — respondo.

Fernando, com duas cervejas na mão, pergunta a Eric:

— Quer uma? — E, sem lhe dar tempo de responder, continua: — Toma. Esta é toda pra você. A outra pra mim. Eu não compartilho nada.

Seu comentário me dá uma raiva. O que esse desequilibrado está fazendo?

Eric não fala nada, mas consigo perceber seu desagrado enquanto Fernando se dirige a ele:

— Sabia que "nossa garota" é especialista em saltos e cantadas de pneus?

— Não.

— Então se prepare, porque, se você não sabia, hoje você vai ter um belo espetáculo.

Dito isso, Fernando vem e me dá um beijo no rosto.

— Vamos, linda. Manda ver!

Assim que ficamos a sós, Eric olha para mim, irritado.

— De onde ele tirou isso de "nossa garota" e "compartilhar a cerveja"?

— Não sei — respondo, ainda sem conseguir acreditar no que acaba de acontecer.

Eric não é bobo e, assim como eu, percebeu as segundas intenções nas palavras de Fernando. Respira bufando, solta uns palavrões e não olha mais para Fernando.

— Você vai se machucar, Jud. Não sei como seu pai te deixa fazer isso.

Seu comentário me faz rir. Aponto para meu pai, que está com seus dois amigos fazendo os últimos ajustes na minha moto.

— Você acha mesmo que meu pai está preocupado?

Eric o observa por alguns segundos e acaba se dando conta da felicidade em seu rosto.

— Tá bom... mas o fato de ele não estar preocupado não significa que eu não deva ficar.

Sorrio, chego mais perto dele e, sem me importar que Fernando nos olhe, subo numa caixa que está no chão para ficar da sua altura e aproximo meus lábios dos seus.

— Não se preocupe... pequeno. Sei o que estou fazendo.

Consigo fazer com que Eric esboce um sorriso. Dou um beijo nele com sabor de vitória.

— Pelo seu bem — diz, sério —, melhor você saber mesmo o que está fazendo ou eu juro que já, já te faço pagar por isso.

— Hummmm... adorei ouvir isso!

— Jud... estou falando sério — insiste.

— Aaaaaah, já te disse... isso aqui pra mim é um passeiozinho de nada.

Não sorri. Mas eu sim.

Escuto a voz de meu pai me chamando. Tenho que ir para a pista. Dou um beijo rápido em Eric, desço da caixa, solto sua mão e vou até minha moto. Meu pai a acelera. Eu grito feliz e cheia de emoção, enquanto Eric fecha a cara.

Dez minutos depois, estou na pista com outras participantes, com a adrenalina a mil, saltando e correndo sem pensar em perigo. O motocross é uma combinação de velocidade e destreza, e as duas coisas juntas me empolgam muito.

Sempre fui meio moleca, o filho que meu pai nunca teve. Adoro os pneus cantando nas curvas fechadas, saltar em buracos, fazer manobras ousadas e meu macacão fica cheio de lama, enquanto minha adrenalina acelera meus movimentos e percebo que estou numa boa posição na corrida. Termino entre as quatro primeiras e passo à segunda etapa.

Eric está branco como mármore. O que acabo de fazer e minhas ultrapassagens mal lhe deixam respirar. Mas não temos tempo de trocar nenhuma palavra, porque vou participar da próxima etapa e assim sucessivamente até restarem apenas seis participantes.

Meu pai, junto ao Lucena e ao Bicho, gritam como loucos enquanto voltam a ajustar a moto. Fernando, um expert em motocross, me dá umas dicas sobre as outras participantes e eu o escuto. Sabem que eu mando bem e que posso conquistar algum prêmio hoje. Mas não consigo deixar de procurar Eric. Onde está ele?

— Moreninha — diz meu pai. — Eric voltou para Jerez.

— O quê?! — exclamo sem acreditar.

— O que você ouviu, filha. Disse que preferia te esperar na casa dele. — E murmura: — Ele estava se sentindo supermal, filha. Apesar de que agora, pensando bem, não sei se era por te ver dando saltos na pista ou por causa da presença de Fernando e a atenção que ele te dava.

— Paaaaaai — resmungo ao vê-lo sorrir.

Mas não podemos continuar falando. A próxima volta vai começar e eu tenho que ficar a postos. Minha concentração diminui, e meu humor péssimo. Eric foi embora e isso me deixa muito chateada. Quando a corrida começa, saio disparada como uma flecha. Salto um montinho, dois... três, os pneus cantam, acelero e pulo vários buracos seguidos. Ao fim, engato a segunda e grito de felicidade.

Meu pai, o Lucena e o Bicho correm para me abraçar. Estou coberta de lama, mas eu os fiz vibrar novamente. Quando me soltam, é Fernando quem me pega entre seus braços, de um modo totalmente efusivo.

— Parabéns, linda. Você é a melhor!
— Obrigada e me solta.
— Por quê? Eric por acaso não gosta de compartilhar a mulher dele?
— Me solta, seu babaca, ou juro que acabo com você aqui mesmo — rebato ofendida.

Cinco minutos depois, no pódio improvisado, fico feliz ao ver meu pai, o Lucena e o Bicho aplaudindo ao lado de Fernando, orgulhosos de mim. Levanto o troféu e eu adoraria que Eric estivesse aqui.

37

O caminho de volta a Jerez é leve e divertido. Escutar meu pai e seus amigos contando piadas me faz morrer de rir. Como eles são engraçados! Quando chegamos, Fernando insiste em sair para beber, com a desculpa de que precisamos comemorar a vitória. Mas não topo a ideia e, em casa, desço minha moto do reboque, seguro o troféu e, sem nem mesmo trocar de roupa, saio em disparada para o chalé de Eric.

Chego à porta, toco a campainha e, segundos depois, a enorme cancela branca se abre. Acelero a moto e subo por uma estradinha cercada de pinheiros. Ao longe, vejo a casa e Eric. Parece estar falando ao telefone. Acelero, dou uma derrapada e, rodeada de poeira, paro, olho para ele e levanto meu troféu.

— Você perdeu. Perdeu minha vitória.

Eric não sorri, fecha o celular, vira-se e entra em casa.

Surpresa com sua reação seca, desço da moto e o sigo. Fico louca quando ele se comporta desse jeito tão fechado. No caminho tiro os óculos e deixo o capacete numa mesa. Eric está na cozinha bebendo água. Espero que volte e ataco.

— Por que você foi embora sem me avisar?

— Você estava muito ocupada.

— Mas, Eric... eu queria que você estivesse ali.

— E eu queria que você não fizesse essas loucuras.

— Eric... escuta...

— Não. Escuta você. Se você tiver que dar mais uns saltos com sua moto em qualquer outro lugar, não conte comigo, entendido?

— Tá booooom.... mas, vai, não fique irritado. Não seja infantil.

Minhas palavras o magoam e ele fica ainda mais enfurecido.

— Eu te disse que não queria que você corresse perigo e você continuou com sua brincadeirinha sem pensar em como eu estava me sentindo. Você poderia morrer bem na minha frente e eu não poderia ter feito nada pra impedir. Meu Deus, como você pode ser tão irresponsável?

Afasta-se de mim. Acho sua reação exagerada.

— Não sou irresponsável. Sei muito bem o que faço.

— Sim, claro... não tenho a menor dúvida. E, como se não bastasse, ainda tenho que aguentar esse tal de Fernando.

— Ah, não... , nem vem com essa — rebato irritada. — Não acho direito você brigar comigo por causa do motocross, mas até consigo entender! Agora, brigar comigo por causa das coisas que Fernando disse, essa não!

— Ele ficou falando "Nossa garota"! — grunhe furioso. — Não parou de fazer comentários desagradáveis o tempo todo na minha frente. Se eu não parti pra cima dele, foi por respeito a seu pai e a você, porque por mim eu teria ido... — E, antes que eu possa reagir, me pergunta: — Você disse que rolou alguma coisa com ele. Continua rolando?

Não respondo. Não quero contar o que Fernando me revelou a seu respeito, nem o que houve entre nós, mas Eric insiste:

— Responde: o que você teve com esse cara?

— Alguma coisa. Mas foi sem importância e...

— Alguma coisa? O que é essa "alguma coisa"? — diz num tom glacial.

— Por acaso eu te pedi uma lista de todas as suas amiguinhas? — pergunto, surpresa com o rumo que a conversa está tomando. — Se me lembro bem, você foi o primeiro a querer se envolver comigo sem...

— Sei muito bem do que você está falando. Mas acho que você é madura o suficiente para entender que isso mudou entre a gente.

— Ah, é?

Sem alterar a expressão, ele solta um grunhido.

— Acabei de te fazer uma pergunta. Sempre fui sincero contigo. Quando voltei das Astúrias pra te procurar, você me perguntou se eu tive alguma coisa com Amanda e eu fui sincero. Você não pode fazer o mesmo agora?

— Ok. Eu e Fernando já transamos, sim.

— E agora? Nos dias em que você esteve aqui antes de eu chegar?

— Não rolou nada...

— Não acredito.

— Em Madri fui pra cama com ele, mas aqui não. — Eric reclama e eu continuo: — Aqui só demos alguns beijos e...

— Esse cara não é do tipo que se conforma com beijos. Reparei em como ele te olhava e, quando ele falou aquilo de compartilhar a cerveja, meu Deus... eu queria acabar com ele!

Irritada com suas palavras e com seus gritos, respondo:

— Talvez ele não se conformasse com beijos, mas eu, sim. Nunca me comportei com ele como me comporto contigo, porque ele não é como você, droga. E quer saber? Vou embora. Não quero ficar ouvindo essas idiotices ou te juro que não vou te perdoar. Quando você estiver mais calmo, me liga e talvez... apenas talvez eu aceite desculpas pelo showzinho que você acaba de dar.

Dito isso, me viro, pego o capacete, os óculos e, ainda com o troféu nas mãos, saio da casa, arranco com a moto e vou embora. Cheia de raiva, atravesso o caminho de pinheiros. Quem Eric pensa que é pra falar comigo desse jeito? Por que eu não exijo nada dele, e ele, ao contrário, exige tudo de mim? A cancela branca se abre. Acelero, mas, antes de cruzá-la, freio novamente e solto um grito de frustração. Desço da moto e dou uns chutes pro ar. Sinto vontade de matar Eric quando ele age dessa maneira.

Após uns instantes a cancela volta ao lugar. Estou furiosa. Me abaixo, de cócoras, de olhos fechados, tentando me acalmar. Eric me cansa, e suas constantes mudanças de humor me deixam louca. Suas palavras e reações me deixam desnorteada. Nunca sei o que ele quer, e muito menos o que devo fazer.

De repente ouço um ruído rouco. Levanto a cabeça e vejo Eric que vem vindo de moto. Para perto de mim, abaixa o pedal de descanso desce. Ele me encara.

— Como você pode ser tão frio?

— Com a prática.

Respiro fundo e me levanto, sem conseguir conter minha fúria.

— Eric, você me desespera. Não aguento essa sua maneira de ser. Às vezes quero te devorar com beijos, mas outras vezes sinto vontade de matar você. E agora é uma dessas vezes. Você sempre se acha o rei do mundo. O rei da razão. O rei do universo. É um cabeça-dura, um mandão, um intransigente e...

— Você tem razão.

Sua resposta me surpreende.

— Pode repetir o que disse?

Eric sorri.

— Você tem razão, pequena. Passei dos limites. Fiquei muito nervoso quando te vi saltar com essa maldita moto e também com os comentários inconvenientes do seu amigo Fernando e acabei descontando em você. — Quando percebe que vou dizer algo, se adianta: — Não quero mais falar desse cara. Aqui, o importante somos eu e você. E por isso vim te buscar.

Seu sorriso. Ai, meu Deus...! Seu sorriso. Que gato ele fica quando sorri... Sem precisar de mais nada, chego bem pertinho dele.

— Por que temos que discutir por tudo?

— Não sei.

— Discutimos por tudo, menos por sexo.

— Hummmm... bom começo, não é?

Nós dois rimos, e Eric me pega. Beija meus dedos.

— Continua zangado?

— Muito.

— Sério?

— Com o que você fez hoje, me roubou dez anos de vida.

— Exagerado. — Sorrio.

Eric faz que sim com a cabeça e em seguida fecha os olhos.

— Jud, minha irmã Hannah morreu há três anos. Ela era como você, cheia de energia e vitalidade, adorava esportes radicais. Um dia me chamou pra fazer bungee jumping com ela e os amigos. Estávamos nos divertindo até que sua corda... e... eu... eu não pude fazer nada pra salvá-la.

Fico sem ação. Que coisa horrível! Viu a própria irmã morrer. O que ele acaba de contar me faz entender a angústia que sentiu enquanto eu me divertia com os saltos e derrapagens durante a corrida. Entendendo sua dor, quero dizer alguma coisa, mas é ele que continua:

— É por isso que não consegui continuar assistindo ao que você fazia.

— Sinto muito... eu... eu não sabia.

— Eu sei, querida. — Me abraça com força e murmura: — Agora sorria, por favor. Preciso que você sorria e não me pergunte mais nada do que te falei. Dói demais e não gosto de ficar lembrando, combinado?

Faço um gesto de compreensão e, sem falar mais nada, Eric me beija com verdadeira paixão. Sorrio, tento não pensar na tragédia que acaba de me contar e me deixo levar pelo meu amor. Minutos depois, ele pega o troféu que ainda está nas minhas mãos e fica admirando.

— Vou te matar, moreninha. Você me fez passar uns momentos terríveis.

— Eric... é motocross, você esperava o quê?

Sorri, me solta e sobe na sua moto com o troféu nas mãos.

— Pra casa, campeã. Vamos comemorar sua vitória como você merece.

38

No dia seguinte, no lindo chalé de Eric e após uma noite de paixão e loucuras, nos deitamos nus para pegar sol enquanto planejamos um passeio a Zahara de los Atunes. Não tocamos mais no nome de Fernando. Nenhum de nós quer falar sobre ele. Eric beija minha tatuagem. Ele adorou. Cada vez que transamos, ele me olha todo safado e diz: "Peça-me o que quiser." Isso me deixa louca. Completamente louca.

Eric me chamou para ir à casa de uns amigos seus em Zahara, e gostei da ideia. Podemos curtir uns dias com eles e depois voltar pro chalé, que, aliás, eu adorei. É uma graça.

À noite, Eric me leva de volta pra casa do meu pai, que encontro sentado num balanço do pátio dos fundos.

— Esse homem serve pra você, moreninha.

— Ah... é? Por quê? — pergunto, achando graça, enquanto me sento ao lado dele.

— É um homem com H maiúsculo. Tem quantos anos?

— Trinta e um.

— Boa idade prum homem.

Isso me faz sorrir e ele continua:

— Te olha da mesma forma que eu olhava pra sua mãe e isso me deixa satisfeito. E ouve bem o que estou te dizendo. Até pouco tempo atrás eu pensava que Fernando era o homem ideal pra você. Mas, depois de conhecer o Eric, mudei de ideia. Vocês dois são feitos um pro outro. Dá pra ver que é um homem digno e de princípios e que cuidará de você. Não é um depravado como aquele sujeitinho que conheci em Madri, cheio de agulhas e brincos.

De novo me faz rir. Ele está certo. Eric é um homem de princípios, mas tenho certeza de que, se meu pai conhecesse seu comportamento sexual, cairia para trás. Mas isso é minha intimidade.

— Pai... Gosto do Eric, mas não sei quanto tempo nossa relação vai durar.

Surpreso, ele olha para mim.

— O que está acontecendo, moreninha?

Minhas palavras fervem dentro de mim. Gostaria de contar ao meu pai que Eric é meu chefe, mas não posso. Tenho medo da reação dele. Gostaria de botar pra fora um monte de dúvidas e todos os medos, mas me contenho.

— Não está acontecendo nada, pai — respondo finalmente. — É só que é difícil manter um relacionamento a distância. Você sabe que ele mora na Alemanha e eu aqui. E, quando ele terminar o que veio fazer em Madri, nós dois teremos de voltar aos nossos trabalhos e, bem... você já entendeu.

Ele faz que sim com a cabeça e, com sua habitual prudência, acrescenta:

— Ouça, minha querida. Você já não é uma criança. É uma mulher e é assim que devo te tratar. Por isso, a única coisa que posso te dizer é que aproveite o momento e seja feliz. De nada adianta ficar pensando no que vai acontecer, porque o que tiver que acontecer... vai acontecer. Se você e Eric estão destinados a ficarem juntos, não haverá distância que os separe. Mas seja cautelosa e um pouco egoísta, e pense em você. Não quero te ver sofrer à toa, quando você mesma já está me dizendo que a situação de vocês é complicada.

As palavras do meu pai, como sempre, me confortam. Não sei se é pela idade, pela experiência de ter perdido minha mãe há alguns anos, mas, se tem uma coisa que ele sempre deixou claro e sempre transmitiu pra mim e pra minha irmã, é que a vida é pra ser vivida.

No dia seguinte, Eric, de moto, vem me pegar bem cedo. Nossa pequena aventura começa. Meu pai se despede de nós com animação e nos deseja uma boa viagem. Visitamos Barbate e Conil. Almoçamos lá e damos um mergulho na praia. À tarde, quando chegamos a Zahara de los Atunes, seu telefone toca e ele sorri.

— Andrés está nos esperando.

Subimos na moto e ele dirige até a casa de Andrés. Pela confiança com que se movimenta pelas estradas secundárias do lugar, fico imaginando que já esteve ali outras vezes. Mas não quero nem saber de sentir ciúme de novo. Nada vai me impedir de aproveitar esse tempo com Eric.

Pegamos uma estradinha e paramos diante de um muro de pedras. Eric toca a campainha e, segundos depois, uma enorme porta se abre e eu fico boquiaberta. Na minha frente se estende um maravilhoso jardim com centenas de flores coloridas que cercam uma linda casa minimalista.

Ao chegarmos à porta, Eric para a moto, eu desço e, um pouco depois, Andrés e uma mulher com um bebê nos braços vêm ao nosso encontro. Andrés é o médico que Eric chamou em Madri e que cuidou do meu braço, e isso me surpreende.

A mulher de Andrés se chama Frida, e o menino, Glen. Frida é alemã como Eric, mas fala espanhol perfeitamente e nos damos bem logo de cara.

Uma mulher de meia-idade aparece e leva a criança. Segundos depois, nós quatro passamos a um jardim nos fundos onde uma empregada nos serve bebidas. Conversamos animadamente e eles contam histórias divertidas de suas viagens. Logo percebo a forte amizade que os une há anos e isso me faz sorrir. Por volta das oito, Frida nos leva ao nosso quarto. Um cômodo espaçoso, decorado com bom gosto e com uma cama enorme.

Assim que ficamos sozinhos, Eric me agarra, me beija e começa a tirar minha roupa. Me carrega até um enorme chuveiro, abre a água e nós dois gritamos animados ao sentir a água fria caindo na gente. Os beijos de Eric se intensificam; e meu desejo por ele, mais ainda. De repente, me coloca no chão do boxe e se deita em cima de mim enquanto a água continua caindo. Sua boca ansiosa morde meus lábios e, ao mesmo tempo, eu sinto suas mãos percorrendo meu corpo, que estremece com o contato.

Quando abandona meus lábios, sua boca desce até meus seios. Os mamilos estão duros e, ao mordê-los, ele me faz gritar. Continua passeando por meu corpo e sinto sua língua descendo pelo meu umbigo, deliciando-se ali por alguns instantes até que continua seu caminho e de repente para.

Ao notar que ele freou seus movimentos, ajeito minha cabeça para olhá-lo e me dou conta do que foi que o fez parar. Está observando a tatuagem. Isso me excita e deixo escapar um gemido, enquanto ele me olha através dos cílios molhados.

— É sério o que está escrito aqui?
Balanço a cabeça num gesto afirmativo.
— Posso pedir qualquer coisa?
O formigamento na minha vagina aumenta. Acho que vou ter um orgasmo só de escutar sua voz e ver seu olhar pervertido. Volto a fazer que sim ao que ele me perguntou, e ele aperta os lábios.

Apoia os joelhos no chão do boxe e, com sofreguidão, me segura pelos quadris e me atrai para si. Pega a ducha, separa minhas pernas e me lava. Me umedece todinha e me deixo levar, em êxtase. Em seguida ele muda a intensidade da ducha. Agora o jato é mais fino e a água sai com força.

Imagino o que ele vai fazer e não me mexo. Eu o desejo.

Ele se curva, enfia sua língua na minha vagina encharcada e me chupa. Circula o clitóris com a língua e brinca com ele. Faz carinho nele, o devora. Me deixa louca. Pega a ducha outra vez, enquanto com dois dedos vai me abrindo e eu sinto os jatos caírem diretamente sobre o clitóris inchado.

Fico louca!

Solto um gemido... tento me mexer, mas ele me segura firme, enquanto os jatos caem com força no clitóris, despertando mil sensações. Que calor...! O calor sobe pelo meu corpo e, quando me contraio com um orgasmo maravilhoso, ele solta a ducha e enfia seu pênis duro em mim. Me puxa e mete tudo até o fundo.

— Tá bom, pequena... vou levar a sério o que você disse. Vou te pedir o que eu quiser.

Deitada no chão do boxe com Eric me possuindo com força, deixo que ele me guie a seu bel-prazer.

Dez... onze... doze, continua sempre em cima de mim, enquanto minha vagina se contrai a cada penetração e o clitóris, com seu roçar, me faz estremecer mais e mais. Tenho outro orgasmo maravilhoso, desta vez ao mesmo tempo que ele.

Instantes depois, Eric se deita ao meu lado e nós dois ficamos no chão do enorme boxe olhando para o teto enquanto a água corre ao nosso redor. Sua mão procura a minha e, quando a encontra, ele a aperta e logo a leva à boca. Beija meus dedos e diz:

— Jud... Jud... O que você está fazendo comigo?

39

Às nove da noite, após um banho delicioso juntos e do qual tenho certeza de que todo mundo ficou sabendo, descemos de mãos dadas até a sala. Frida e Andrés estão se beijando, mas param logo quando eu e Eric aparecemos.

Passamos para a sala de jantar e nos sentamos ao redor de uma mesa maravilhosa. Eric puxa a cadeira para mim e se senta ao meu lado. Percebo que está feliz. Este é seu ambiente e dá para sentir que está mais à vontade. Os empregados entram e nos servem um bom vinho, seguido de uma lagosta esplêndida. Eric pede uma Coca-Cola para mim. Entre risadas e confidências, terminamos o primeiro prato e logo nos servem o segundo, uma carne bem suculenta. Quando acabamos o delicioso sorvete que tomamos de sobremesa, Frida sugere irmos ao jardim.

Após atender um telefonema, Eric se senta ao meu lado. Sinto suas carícias contínuas na minha pele e o noto mais pensativo que minutos antes. Mesmo assim, conversamos até altas horas da madrugada, quando então decidimos ir dormir.

No dia seguinte, ao acordar, o sol entra pela imensa janela. Estou sozinha no quarto e me espreguiço na cama. Os lençóis estão com o cheiro de Eric e isso me faz sorrir. Lembrar o jeito como fizemos amor ontem me excita, me deixa a mil, mas, convencida de que esse não é o momento certo pra ficar fantasiando, vou tomar um banho.

Enquanto me visto, um barulhinho chama minha atenção. É o celular de Eric. Eu o localizo na mesinha de cabeceira e leio no visor a palavra "Betta". De novo esse nome.

Ao chegar à sala, ouço risadas de Andrés, Frida e Eric, e me surpreendo ao ver um casal mais velho junto com eles. Eles me apresentam aos pais de Frida, que vieram buscar o neto para passar as férias com eles. Entrego o celular a Eric e aviso que recebeu uma ligação de uma tal de Betta. Ele guarda o aparelho no bolso da calça, sem mudar de expressão. Os pais de Frida e a criança vão embora ainda essa noite.

Na manhã seguinte, acordo de novo sozinha na cama. Escovo os dentes, ando até a piscina e rapidamente Andrés me agarra e me puxa para a água. Todos rimos e passamos uns momentos divertidos. Por volta das duas da tarde, nós quatro saímos no carro de Andrés para fazer compras em Cádiz. Acabamos de receber o convite para uma festa à fantasia. O tema é os anos vinte, e precisamos comprar algo.

À noite, após uma divertida tarde de compras, decidimos comer na praia. Terminado o jantar num ótimo restaurante de Zahara, vamos a um bar e voltamos quase à uma da manhã.

Ao chegar, sentamos na linda varanda. Gosto de sentir Eric tão próximo, receptivo, tão ligado a mim. Andrés vai à cozinha e traz uma garrafa de champanhe. Depois da primeira garrafa, chega uma segunda, da qual bebo mais lentamente, mas curtindo, também.

Frida e Andrés são ótimos anfitriões. Fazem de tudo para que nos sintamos em casa e, com esse jeito hospitaleiro, é assim mesmo que me sinto. Aproveito o momento sentada nesse lindo lugar enquanto meus olhos admiram a piscina oval e a jacuzzi que há ao lado. Por volta das três, faz muito calor e Frida propõe um mergulho.

Sem pensar duas vezes, aceito e subo até o quarto para botar o biquíni. Quando desço, Frida já está na água com Andrés, e Eric me espera na borda. Assim que me aproximo, ele me agarra de surpresa e nós dois caímos na água. Entre risadas e brincadeiras, nadamos um pouco até que, um tempo depois, eu e Frida nos sentamos numa larga escada, e Eric e Andrés dão umas braçadas.

Quando os rapazes chegam mais perto de nós, Andrés puxa um dos pés de sua mulher e a arrasta para dentro da piscina. Ela protesta, mas, segundos depois, cai na gargalhada. Eric, achando graça, vem, me pega nos braços e me monta nas suas costas.

A água bate na nossa cintura, e logo suas mãos se enfiam por baixo da calcinha do meu biquíni e começam a me tocar. Assustada com isso, eu o censuro com o olhar e ele ri.

— Eric! — protesto. — Não faz isso. Eles podem nos ver.

Sua resposta é um beijo tórrido que rapidamente aquece minha alma e minha vida. Sua boca e suas mãos já me têm totalmente sob controle e, quando ele se afasta um pouco, murmura olhando para o casal:

— Não se preocupe, pequena. Nem Andrés nem Frida vão se assustar.

Curiosa, lanço o olhar na direção em que ele aponta e vejo os dois se beijando apaixonadamente. Inclusive vejo Andrés desamarrando o sutiã do biquíni de Frida que sai flutuando pela piscina. Olho para Eric em busca de uma explicação.

— Sim, moreninha... eles também gostam de fazer umas loucuras.

Começo a tremer, e não é de frio, quando sinto os outros dois se aproximarem de nós. Frida está toda brincalhona e sai da piscina. Senta-se na beira perto de nós com os mamilos molhados e arrepiados, enquanto Andrés fica atrás de mim e apoia suas mãos na minha cintura. Eric, ao ver como eu olho para ele, faz um gesto com a cabeça e Andrés me solta em seguida, sai da piscina e, após beijar sua mulher, ambos desaparecem dentro do chalé.

Estou nervosa. Superdescontrolada!

Não sei onde me enfiar, mas percebo que estou latejando, lubrificada.

Notando que estou tensa, Eric se levanta dos degraus da piscina e, sem me soltar, entra comigo na água. Me agarro nele com desespero.

— Pode ficar tranquila, pequena. Comigo você nunca vai fazer nada que não queira.

Estremeço toda. Me falta o ar e eu consigo sussurrar:

— Eles... brincam dos mesmos jogos que você?

— Sim.

— E...?

— Jud, você tem que entender o que eu te disse há um tempo atrás. Sexo é só sexo. Frida e Andrés são um casal que têm um relacionamento sólido e sabem muito bem do que gostam quando o assunto é sexo. Já fomos várias vezes juntos a casas de suingue e eles participaram de trios e orgias e, ao voltarem para casa, continuaram sendo eles mesmos. Andrés e Frida. Um casal.

— Você... já esteve com eles?

— Já. Nós dois com ela. Não sou chegado a homens — brinca e eu sorrio. — Ouça, Jud. Você precisa entender que tanto Frida quanto Andrés e eu temos ideias bem claras e sabemos diferenciar o sexo e os sentimentos. Nós três gostamos de um pouco de perversão nos nossos jogos, mas, assim que terminam, nos respeitamos como pessoas. Aliás, a festa a que nos convidaram para ir amanhã é...

— Uma festa onde vale tudo para todo mundo, né?

Eric faz que sim com a cabeça.

— Se você não quiser, não precisamos ir.

Por um momento ficamos os dois calados, até que ele me leva à escada, me toma nos braços e diz:

— Venha. Vamos pra jacuzzi.

Eu o acompanho até lá.

— Como está quentinha... — murmuro ao entrar.

— Quente demais. — Eric aperta uns botões e, segundos depois, a água esfria.

Continuamos em silêncio enquanto as borbulhas explodem à nossa volta, até que ele me atrai de novo pra si e outra vez me faz sentar no seu colo.

— Está vendo só como você me deixou? — diz enquanto pressiona o pênis na minha vagina.

— Sim. — Sorrio e, sem poder evitar, pergunto: — O que você gostaria que tivesse acontecido na piscina?

Eric joga a cabeça para trás.

— Ah... querida. Eu gostaria que tivessem acontecido várias coisas.

— Como por exemplo... — insisto.

Eric olha para mim.

— Ainda me lembro de como você estremeceu naquela tarde no meu hotel quando Frida se enfiou entre suas pernas e fez tudo o que pedi.

— Era Frida?

— Era. — Saber disso me deixa assombrada. — Hummmmmm... gosto da delicadeza que vocês, mulheres, têm. Olhar pra vocês me excita. São deliciosas!

— E os homens?

Me olha com atenção e alerta:

— Amor, já te disse que não curto homens.

Isso me faz rir.

— O que eu estava perguntando é se nas suas fantasias só tem mulheres.

— Não, minhas fantasias são mais amplas. Adoro ver duas mulheres transando, mas também gosto de compartilhá-las com outros homens.

— E você se imagina me compartilhando com outro homem?

— Se você quiser, sim — responde com um sorriso.

Só de dizer isso ele me deixa excitada. Muito mais excitada do que me imaginar com outra mulher. Eric me olha fixamente.

— Seu prazer é meu prazer e, se você me pedir, eu vou te compartilhar. Mas, quando isso acontecer, eu é que mandarei nesse jogo. Você é minha e quero deixar isso bem claro.

Estou ardendo. Quente. Vou explodir. Essa declaração de posse me excita e murmuro inquieta:

— Você disse que você e Andrés já transaram juntos com Frida.

— Sim. — E, aproximando sua boca do meu ouvido, me pergunta: — Quer transar comigo junto com outros homens?

Imaginar a cena me excita, me inquieta, me estimula.

— Eric...

— Ah... moreninha, acho que vou ter que te controlar. Você é mais curiosa do que eu imaginava, mas gosto da sua curiosidade. Me deixa louco.

Isso me faz rir. Ofereço minha boca, que ele aceita com voracidade.

— Se formos à festa amanhã, o que vai acontecer lá?

— O que você quiser.

— Mas... mas ali...

— Ali as pessoas têm um objetivo específico, pequena. Todas querem o mesmo: sexo. Se você quiser, terá. Pode assistir ou participar, tudo depende de você.

— E você... o que você quer?

Eric passeia sua boca por meu pescoço.

— Depois da conversa tão interessante que acabamos de ter e de você me deixar duro desse jeito, o que eu quero é te comer e permitir que outros te comam. Adoro ver sua cara quando você goza. E, como agora sei o que é que te excita, quero oferecer seus seios, sua vagina e ficar observando tudo. Isso vai me dar um prazer enorme.

Tudo o que ele diz provoca em mim o efeito desejado e sinto que agora eu é que quero realizar todas essas fantasias. Minha respiração se acelera. Eric sorri.

— Seu corpo diz pra pedir o que eu quiser. E sei que agora mesmo qualquer coisa que eu propusesse você toparia, porque está tão excitada, tão *caliente*, que você quer, né?

— Sim — admito.

Eric se levanta e me estende a mão.

— Vem comigo.

Não hesito. Dou a mão a ele e saímos da jacuzzi.

Pega uma toalha e a coloca em torno do meu corpo. Me enxuga com carinho.

— Jud... quero que fique bem claro que nunca farei nada sem o seu consentimento. Não me perdoaria se você reprovasse algum comportamento meu. Você é muito importante pra mim.

— Não vou reprovar nada, Eric. É só que me assusta o desconhecido, mas quero experimentar ao seu lado.

Minha resposta parece agradá-lo, e ele me beija. Me beija com paixão e juntos caminhamos para dentro da casa. Mas, em vez de me levar para o quarto, me faz virar em outro corredor. De repente escuto gemidos e, ao chegar a uma porta que está entreaberta, olha para mim e diz:

— Andrés e Frida estão lá dentro. Quer entrar?

Faço que sim, mas sussurro:

— Desde que você não se separe de mim.

— Nunca tenha dúvida disso, querida. Você é minha.

Sua possessividade me agrada e, quando entramos no quarto, minha respiração fica irregular. Estou nervosa, excitada, mas tenho medo. Vejo uma cama redonda no meio de uma enorme sala azul. Há uma música tocando, e Frida e Andrés fazem um 69. Ao nos verem, param o que estão fazendo e olham para nós. Eric fecha a porta e tira minha toalha. Estremeço.

— Você decide, Jud.

Sua voz me faz voltar à realidade e, diante do olhar atento dos outros, murmuro:

— Quero participar da brincadeira.

Eric me beija. Depois olha para Andrés, que se levanta da cama totalmente nu. Ele nos rodeia e fica atrás de mim. Olho para Eric e sinto seu amigo desamarrando a parte de cima do meu biquíni.

Meus seios roçam o peito de Eric e meus mamilos ficam arrepiados imediatamente. Meu Deus... meu deus grego não tira os olhos de mim. Está sério e imperturbável quando se dirige a seu amigo.

— Andrés, tire a parte de baixo do biquíni.

Sua voz me excita. Sua possessividade em relação a mim. E, quando sinto os dedos de Andrés abaixando minha calcinha, solto um gemido. Sua respiração na minha bunda me provoca arrepios.

Uma vez nua, minha excitação é tão grande que o medo desaparece para dar lugar à perversão, e Eric sorri. Sabe que estou bem e com vontade.

— Posso tocá-la? — pergunta Andrés atrás de mim.

Eric vê que estou de acordo. Ele então responde:

— Sim.

Instantes depois, as mãos de Andrés passeiam pelo meu corpo. Toca meus seios, minha cintura, continua descendo e enfia um dedo em mim. Frida se aproxima e Eric se afasta. Ela se agacha, me faz abrir as pernas e sua boca vai direto bem lá dentro de mim.

Fecho os olhos. Minhas pernas tremem enquanto Andrés e Frida me tocam e desfrutam do meu corpo. Ao ver a cena, Eric aproxima seus lábios dos meus e sussurra:

— Isso... assim... aproveite.

Por alguns minutos eu sou o bombonzinho deles. Quatro mãos percorrem meu corpo e duas bocas se dedicam em me arrancar gemidos, enquanto Eric nos observa com os olhos brilhantes de luxúria. De repente, Eric toca a cabeça de Frida e ela para de me acariciar. Depois se vira e eu a vejo acariciando o peito de Eric. Enfia a mão na sunga dele, põe o pênis para fora e o aproxima de sua boca. Estende a língua e começa a lamber todo ele.

Excitada, não consigo deixar de olhar, enquanto Andrés morde meus mamilos. Frida curte o que está fazendo e lambe Eric como se fosse um sorvete. Enfia o pau totalmente na boca e acaricia os testículos. Eu olho... olho.... olho e sinto minha excitação ficar ainda mais forte. Estou com tanto tesão, que me agacho um pouco para facilitar o movimento de Andrés nos meus mamilos, que ofereço como um banquete.

Eric estremece, eu solto um gemido e o ouço murmurar:

— Vamos pra cama.

Nós quatro, andamos até a cama. Eric tira a sunga deixando ver sua perfeita ereção. Na cama, Frida coloca uma caixa quadrada e branca no meio do grupo. Ela está de frente para Andrés, e eu em frente a Eric. Frida põe entre nós duas uma caixa quadrada e branca e pergunta:

— O que vocês querem jogar?

Sua pergunta me deixa sem ar. Não sei o que responder, até que ouço Eric dizer:

— Algo suave.

Frida e Andrés fazem um gesto com a cabeça, e então ela olha dentro da caixa, retira dois vibradores como o que Eric me deu de presente e se vira para mim.

— Está limpo, querida. Acima de tudo, a higiene.

Eu o pego, concordando.

Eric segura minhas pernas e afasta meus joelhos. Minha vagina está ardente, encharcado e lateja sem vergonha.

— Se masturba pra mim, querida — diz Eric.

— E você pra mim, Frida — pede Andrés.

Como um robô, de pernas abertas ao lado de Frida e em frente a Eric e a Andrés, ponho o vibrador entre minhas pernas e ligo na potência 1. A vibração, o tesão me pedem mais e aumento para a 2. Ardo de tanto desejo. Estou com muito calor e sinto que vou explodir quando meu clitóris rapidamente reage e começa a me dar descargas de prazer.

Eric, entre minhas pernas, olha para mim e coloca um preservativo enquanto entendo pela sua cara que ele quer que eu goze pra ele. Aumento a intensidade do vibrador, o que me faz contorcer e gritar. Um gemido ao meu lado me faz lembrar que Frida está na mesma situação e isso me estimula, ainda mais quando vejo Andrés afastar o vibrador para entrar nela. Seus gemidos se transformam em gritos de prazer, e isso me excita ainda mais. Ver os dois ao meu lado fazendo amor é algo totalmente novo para mim e não consigo deixar de olhar, até que eles acabam gozando, e seus gritos diminuem de intensidade.

Eric não tira os olhos de mim. Está tão excitado quanto eu.

— Andrés, me ofereça a Jud — diz, surpreendendo-me.

Rapidamente Andrés se levanta, senta-se na beira da cama e me diz:

— Vem cá. Senta em mim.

Sem saber realmente a que ele se refere, me levanto e, quando vou sentar olhando para ele, Andrés me vira e me faz olhar para Eric. Depois me faz sentar sobre suas pernas e me sussurra ao ouvido:

— Recoste-se em mim, coloque os pés na cama e abra as pernas. Eu vou te segurar pelas coxas para que Eric te coma.

Muito excitada, faço o que ele pede. Sinto o pau dele roçar minha bunda enquanto ele me abre as coxas. Eric se aproxima de mim, se coloca entre minhas pernas, me segura pela bunda e enfia lentamente seu pênis enquanto Andrés prende minhas pernas e me abre para ele. Eric, após várias penetrações que me fazem gemer, fica parado e murmura:

— Isso é te oferecer a alguém. Gosta da sensação?

— Sim... sim...

— É assim que vou te oferecer a outros homens — sussurra enquanto entra em mim. — Vou abrir suas coxas deixando que eles metam sempre que eu quiser, tudo bem?

— Sim... sim... — digo enlouquecida.

Me beija. Devora meus lábios e nós dois ouvimos Andrés dizer:

— Mais tarde, talvez Eric te ofereça, e eu e Frida vamos te foder.

As palavras de Andrés me excitam, enquanto sinto Eric dentro de mim duro e implacável. Ele move os quadris e isso me faz respirar ofegante, entra completamente e começa a se movimentar pra frente e pra trás, ao mesmo tempo que Andrés murmura:

— Você gosta, Judith?

— Sim... Ai... meu Deus.

A estimulação que estou sentindo é profunda e maravilhosa, enquanto Eric avança com força e Andrés me oferece. Frida nos olha e vejo que se masturba com um vibrador. Mordo os lábios, solto gemidos, me contorço.

— Vamos, menina... — diz Eric de repente. — Me diz como você quer que eu te coma.

Como não respondo, Eric me dá um tapa na bunda o que faz a penetração ficar mais profunda, e eu balbucio como posso:

— Rápido... forte.

— Assim, pequena? — Acelera e entra em mim ainda mais.

— Sim... sim.

Move os quadris com vigor e eu grito. A intensidade de seus movimentos aumenta a cada segundo, a cada penetração, e meu prazer cresce com a mesma força. Estou ardendo. Estou fora de controle. E, quando um calor inebriante me faz soltar um gemido, Eric gira os quadris, enfia pela última vez e nós dois gozamos.

Após aquele primeiro orgasmo, chegam outros dois que voltam a me deliciar como uma louca e vejo o quanto Eric gosta de me oferecer e me comer. Ele me fez descobrir um mundo até então desconhecido e só quero aproveitar... aproveitar e aproveitar.

Nessa noite, sozinhos no quarto, Eric me abraça. Minhas pernas ainda tremem e não posso deixar de pensar no que aconteceu. Lembro as palavras de Fernando: "Eu quero que você seja só minha; ele não." Isso me inquieta. Cenas de orgias passeiam por minha mente e fico excitada. De repente sua boca roça na minha testa e ele distribui pequenos beijos deliciosos. Eric é doce e possessivo, e eu gosto disso. É algo que adoro nele. Não falamos sobre o que aconteceu. Não é necessário. Nossos olhos já dizem tudo, não precisamos nem de perguntas nem de explicações. Tudo foi feito com prazer e consentimento. Exausta, adormeço em seus braços.

40

Na manhã seguinte acordo sozinha outra vez no quarto. Rapidamente, as imagens da noite anterior voltam à minha cabeça e fico vermelha de vergonha. Mas também me excito.

Eric está me fazendo mergulhar em seu mundo e sinto que gosto cada vez mais. De repente, a porta se abre. É ele, com uma bandeja de café da manhã.

— Bom dia, moreninha.

Ele me chamar como meu pai me faz sorrir e eu me sento na cama. Eric me passa a bandeja e, após me dar um beijo carinhoso nos lábios, senta-se ao meu lado.

— Trouxe suco de laranja, uns frios, torradas, bolo e dois cafés com leite. Está bom de café da manhã?

Encantada com seu gesto, sorrio e olho para ele.

— Perfeito.

Durante uns dez minutos, tomamos café em meio a risadas e, quando acabamos com tudo o que havia na bandeja, ele a coloca no chão e se senta de novo perto de mim. Está gatíssimo de blusa branca e bermuda verde militar. Vestido assim, parece um cara da minha galera, não o diretor de uma grande multinacional.

— Então, pequena, como você está? — pergunta enquanto acaricia os contornos do meu rosto.

— Bem, por quê? — Ao ver suas sobrancelhas levantadas, respondo: — Bem... Se você está perguntando em relação ao que aconteceu ontem, estou bem, aproveitei e, principalmente, você não me obrigou a nada, eu fiz porque estava a fim.

Pela sua expressão percebo que ele precisava ouvir isso, e vejo que sorri.

— Adorei a experiência contigo. Foi maravilhosa.

— Pra mim foi estranha. Diferente. Mas também excitante... muito excitante. E vi como você gostava quando Andrés e Frida me tocavam.

— Hummmm... me excita ver sua cara de prazer, pequena. Você abre a boca de um jeito e se contorce tão deliciosamente... Fico louco ao te ver assim.

233

Nós dois rimos.
— Sobre a festa de hoje à noite, se você não quiser, não...
— Eu quero, sim. Quero ir.
— Tem certeza?
— Tenho. Total.
Minha decisão parece surpreendê-lo.
— Você não quer ir?
— Não... não é isso... mas...
— Por acaso vai estar ali alguma mulher com quem eu precise me preocupar?
Eric solta um risinho e responde:
— Não, nenhuma. Com elas eu simplesmente brinquei e...
— Já brincou muito com elas?
— Já.
Isso me incomoda.
— Mas muito... muito?
— Muito... muito. Algumas delas eu conheço há mais de dez anos, pequena. Mas você não tem com o que se preocupar. Em compensação, eu sim tenho motivo pra me preocupar. Você vai ser nova ali e tenho certeza de que muitos homens vão te observar querendo ser os escolhidos.
— Você acha?
Eric faz que sim com a cabeça e seus olhos escurecem, quase se fechando. De repente, eu o noto meio cismado e isso chama minha atenção. Será que está com ciúmes?
— Acho, sim. Mas não esqueça, querida, que...
— ... que só faremos com quem eu quiser, né?
— Isso. — Sorri e afasta do meu rosto uma mecha de cabelo.
Bebo um gole de café.
— Você vai me oferecer a outro homem?
Minha pergunta o pega de surpresa. Como sempre, ele pensa... pensa e, ao fim, responde com outra pergunta:
— Você quer?
— Quero... me excita sentir que você é meu dono. Ontem à noite isso me excitou.
Ele solta uma gargalhada e, após me dar um beijo na boca, murmura:
— Senhorita Flores, a senhorita falou "dono"? Não disse que não curtia sado?
— E não curto mesmo — esclareço. — Mas é gostoso me sentir sua..
Seus lindos olhos se fixam em mim e ele concorda:

— Não vou me esquecer disso quando te oferecer hoje à noite.

Está claro que ele só fará o que eu quiser e, ansiosa pra que tudo seja como ontem, me deito na cama e, após fazer um sinal com o dedo para que ele se deite sobre mim, sussurro:

— O especialista é você. Estou nas suas mãos.

Eric sorri e me beija.

— Querida... a cada dia você me surpreende mais.

Suspiro e pisco os olhos.

— Adoro quando você me chama de "querida". Ainda não percebeu como fico quando me diz palavras carinhosas?

— Você está começando a me assustar.

Isso me faz rir.

— Eu te assusto?!

Eric faz que sim. Então coloca suas mãos na minha cintura e me faz cócegas.

— Sim..., senhorita Flores. Estou começando a ter medo dos seus joguinhos. Acho que você vai ser perigosa.

Depois do almoço, Frida e Andrés vão descansar. Eric me propõe o mesmo, mas estou com vontade de ler na sombra. Eric me acompanha e, atirados nas confortáveis espreguiçadeiras da piscina e debaixo de uma sombra maravilhosa, ouvimos música no meu iPod e lemos.

Mas eu leio sem prestar atenção. Minha mente não para de dar voltas, pensando em tudo o que vai acontecer. Ver Eric ao meu lado, tranquilo e relaxado enquanto folheia o jornal, me parece algo sublime, maravilhoso. De repente ouço Eric cantando uma música acompanhando a que toca no meu iPod. Isso me deixa sem palavras.

Sé que faltaron razones, sé que sobraran motivos
Contigo porque me matas, y ahora sin ti ya no vivo
Tú dices blanco, yo digo negro
Tú dices voy, yo digo vengo
Miro la vida en colores y tú en blanco y negro.
Dicen que el amor es suficiente, pero yo no tengo el valor de hacerle frente
Tú eres quien me hace llorar, pero solo tú me puedes consolar.
Te regalo mi amor, te regalo mi vida
A pesar del dolor eres tú quien me inspira.
No somos perfectos somos polos opuestos,
Te amo con fuerza te odio a momentos.

* * *

Está cantarolando a música *Blanco y negro*, de Malú. E sabe inteirinha!

Muito surpresa, não me mexo, enquanto finjo ler meu livro. Fico arrepiada ao escutar Eric cantar a música que sempre faz com que eu me lembre dele. Quando termina, reparo que está olhando pra mim.

— Ainda me lembro do dia em que te ouvi cantando essa música.

— Sim... você foi bem simpático. Me disse que eu cantava muito mal, lembra? — Eric sorri e continuo: — Vem cá... como você sabe essa música de cor? Lembro que me perguntou o nome e quem cantava.

— Procurei depois.

— E por que procurou?

— Porque essa música me faz lembrar de você.

Essa revelação me deixa sem fala. Eric volta a ler e eu faço o mesmo. Estou emocionada porque, sem usar palavras carinhosas, sei que ele me disse: "Te amo."

41

Às oito da noite, Frida e eu decidimos começar a nos arrumar. Eles também. Nos vestimos separados para surpreender um ao outro, e gosto disso. Quero que Eric tenha uma surpresa. Frida se oferece para me maquiar, algo que não faço com muita frequência, então aceito. Ela é esteticista. Me aplica uma sombra escura nas pálpebras e usa bases de mil potinhos no rosto todo. E, quando me olho no espelho, minha expressão é impagável. Essa desconhecida com esses olhões sou eu?

Frida ri e me anima a continuarmos com a produção. Ela comprou um vestido vermelho, decotado e cheio de franjas, e eu um prateado de lantejoulas, solto até os quadris. Os dois vão até os joelhos e são sensuais e provocantes. Usaremos sapatos de salto incríveis, colares imensos, plumas no cabelo e também umas luvas compridas até acima dos cotovelos. Quando acabamos, nos olhamos no espelho e Frida diz, achando graça:

— Uau... estamos parecendo melindrosas de verdade!

— Melindrosas? O que é isso?

— Judith, nos anos 20 a mulher mudou radicalmente de imagem e ficou mais livre... mais atrevida. As melindrosas dançavam charleston e se vestiam de maneira diferente, provocativa e meio doidinha. Exatamente como a gente. Prontas pra deixar os homens loucos.

Isso me faz rir. Frida é divertida e tem um senso de humor maravilhoso. Pegamos nossas piteiras de meio metro que compramos e descemos para a sala, onde os rapazes nos esperam.

Antes de entrar, vejo Eric e fico sem palavras. Usa um terno branco, uma camisa preta e um chapéu de época, no estilo Al Capone. Está sexy e gatíssimo. Andrés também, mas seu terno é cinza e sua camisa vermelha. Quando nossos olhares se encontram, sorrio. Reparo que ele gosta da minha fantasia e vem, me pega pela mão e me faz dar uma voltinha na sua frente.

— Está deslumbrante.

— Gostou?

— Adorei, tanto que acho que nem vou te deixar sair de casa.

Isso me faz rir. Me afasto dele e me requebro um pouco para que o vestido balance.

— Sou uma melindrosa! — Por sua expressão vejo que não sabe do que estou falando, então explico: — Uma mulher desinibida da época do charleston.

Eric sorri, me pega pela cintura e, enquanto seguimos Frida e Andrés até o carro, murmura em meu ouvido:

— Muito bem, melindrosa... vamos nos divertir.

Às nove e meia, entramos numa linda mansão decorada no mais puro estilo anos 1920. Fascinada, olho ao redor e me surpreendo ao ver uma banda tocando no fundo de um enorme salão. Os músicos estão de branco, como nos famosos filmes de gângsteres que eu via quando era pequena.

Eric me apresenta aos anfitriões e estes, encantados, elogiam minha roupa. Eu sorrio, feliz. Andrés e Frida também os cumprimentam. Entro no salão e vejo as pessoas conversando animadamente e percebo que todo mundo conhece Eric e fala com ele. Enquanto me apresenta aos empregados da casa, eu fico admirada. Saber que é uma festa em que todos estão em busca de sexo é algo que me surpreende. Há gente de todas as idades. Gente jovem e gente mais velha.

Terminadas as apresentações, Eric e eu ficamos um tempo curtindo o som. Frida, que sabe tudo sobre os anos 1920, é quem me diz se está tocando um boogie-woogie, um charleston ou um foxtrot. Eu não entendo nada disso. Sou mais um *rock*. E, quando já entornamos vários copos, descubro que foi Frida quem ajudou Maggie, a dona da casa, a organizar a festa. Conforme as horas vão passando, percebo como os homens se aproximam de nós e me devoram com os olhos. Sei o que estão pensando, mas estou tranquila. Ninguém, absolutamente ninguém, diz nada que possa me incomodar. Todos são muito educados.

Após várias bebidas, vou até o banheiro junto com Frida. Estamos morrendo de vontade de fazer xixi. Rapidamente vamos aonde está desocupado, e a porta do banheiro se abre e entram outras mulheres. Muitas, que não conheço, falam bem alto e, ao escutar o nome de Eric, resolvo prestar atenção.

— Que bom ver Eric de novo, né?

— Ah, sim... fiquei muito feliz que ele veio. Está muito gato.

— Quanto tempo fazia que ele não vinha a uma de nossas festas?

— Dois anos.

— Realmente ele está ótimo. Tão atraente e sexy como sempre.

— Sim... parece estar recuperado do que aconteceu. Tadinho.

Recuperado? O que houve com Eric?

Decidida a saber mais, fico de ouvido ligado, mas logo ouço a voz de Frida:

— Garotas, vocês estão lindas! Onde compraram essas roupas?

Em seguida mudam de assunto e passam a falar de compras. Saio da cabine e Frida me apresenta e todas são supersimpáticas comigo. Quando saímos do banheiro, uma delas, Marisa de la Rosa, caminha ao meu lado e pergunta:

— Você veio com Eric, né?

— Sim.

— De onde você é?

— De Madri.

— Ah, adoro a capital! Eu e meu marido somos de Huelva, mas vamos muito a Madri. Temos um apartamentinho lá, na rua Princesa.

Saber disso me deixa surpresa.

— Eu moro na Serrano Jover.

— Tem uma academia de ginástica ali, né?

— A Holiday Gim? — A mulher faz que sim com a cabeça. — É a minha academia.

Marisa sorri e diz:

— O mundo é um ovo, menina. Meu apartamento fica perto, e é a essa academia que eu e Mario vamos quando estamos em Madri.

Nós duas sorrimos da coincidência.

— Então com certeza a gente vai se ver por lá.

— Sim, com certeza.

Falamos mais um pouco, enquanto observo Eric conversar com uma mulher e um homem no fundo da sala. Parece entretido. Sua expressão está relaxada e vejo que ele sorri. Marisa é simpática, pula de um assunto a outro, e logo me apresenta a outras mulheres. Quando ficamos sozinhas novamente, pega duas taças de champanhe em uma mesa.

— Gostaria de passar uns momentos agradáveis comigo na sala ao lado?

Fico vermelha, azul e verde. A mulher, ao perceber, sorri.

— Se mudar de ideia, me avisa, ok?

Quando se afasta, pisca um olho e eu caminho até Eric. Ele, ao me ver chegar, me dá um beijo na boca e continua falando com o casal que o acompanha.

O bufê é livre, e os convidados começam a beliscar uma porção de comidinhas gostosas. Sinto os olhares dos homens sobre mim e também os de muitas das mulheres, mas, quando vejo como várias delas olham para Eric, fico um pouquinho chateada. Meu sentimento de posse surge forte e, ao fim, consciente do que está acontecendo, Eric me acalma e me lembra de onde estamos. Mas as mulheres que se aproximam de nós o devoram com os olhos, e vou ficando uma fera.

Eric acha graça e logo me leva pelo braço para uma janela. Assim que ficamos a sós, me beija na boca.

— Essas brotoejas no pescoço estão te entregando. Que é que houve?
— Nada.

Impulsivamente faço menção de me coçar, mas Eric segura minha mão e sopra meu pescoço.

— Não, moreninha... não. Se você coçar, vai piorar.

Isso me faz rir. Lembro o que acabei de escutar no banheiro e decido perguntar, mas ele se antecipa.

— Ouça, amor. Conheço essa gente há anos. Pode ficar tranquila.

Olho para aquela mulherada e sinto que todas nos observam. O celular de Eric começa a apitar e novamente leio no visor: "Betta."

Já li esse nome várias vezes em seu telefone e não aguento mais:
— Quem é Betta?

Eric guarda o celular e olha para mim.
— Alguém do meu passado. Nada importante.

Tomo um gole da minha taça. Gostaria de saber mais sobre essa mulher, mas acabo mudando de assunto.

— Quando eu estava no banheiro, tinha umas mulheres falando de você.
— Ah, sim... Espero que tenham sido coisas boas e excitantes — murmura, rindo.

Sua expressão maliciosa me faz arregalar os olhos.
— Babaca.

Minha resposta o diverte e, enquanto acaricia minhas costas, ele sussurra:

— Menina... são antigas conhecidas.
— Diziam alguma coisa sobre você parecer recuperado.

Ele fica tenso. Para de fazer carinho nas minhas costas.
— Não estou interessado nas fofocas dos banheiros femininos.
— Nem eu, espertinho — insisto. — Mas, ao ouvir aquilo, pensei que...

Eric me interrompe, chateado.
— Já te disse que não estou interessado.

Sua resposta fria põe fim na conversa. Corta qualquer possibilidade de contar alguma coisa dele, como sempre faz em relação a sua vida pessoal. Por fim resolvo quebrar o gelo e mudo de assunto, digo:

— Me incomoda o jeito como algumas mulheres olham pra você.

Eric sorri. Dá um gole na taça e se vira para mim.

— E você reparou como os homens te olham? — Balanço a cabeça, indicando que sim. — A diferença entre elas e eles é que elas querem que eu as deixe nuas e eles querem deixar você nua. Elas querem que eu lhes dê prazer, e eles querem te dar. Não acha que eu posso estar mais chateado que você?

Suas palavras me fazem sorrir. Olho para ele, que então chega mais perto de mim.

— Lembre-se, Jud, seu prazer é meu prazer e hoje meu único prazer é você. Quero tirar sua roupa e...

— Fica quieto...

— Que foi?

— Assim fico excitada, Eric.

O risinho que ele solta me faz relaxar. Eric me beija e me atrai para si.

— É o que eu quero, moreninha. Que você fique excitada.

Em seguida, a banda começa a tocar uma música sensual, e Eric me pega pela cintura e me convida para dançar. Dançamos olhando um para o outro. Não precisa falar, seu olhar já me diz o quanto me deseja. Isso mexe profundamente comigo. Depois segura minha mão e caminhamos por um amplo corredor da casa. Uma porta se abre e de lá sai um homem que nos cumprimenta:

— E aí, Eric, que bom te ver!

Apertam-se as mãos e Eric responde:

— Digo o mesmo, amigo. Não sabia que você estava por aqui.

O homem moreno sorri e, após me olhar de cima a baixo, continua:

— Estou passando férias em Cádiz. Além disso, você sabe que não perco nenhuma festa de Maggie e Alfred... São fantásticas!

Os dois sorriem e então Eric se volta para mim.

— Judith, esse é Björn, um grande amigo meu. Björn, essa é Judith, minha namorada.

Uau! Ele disse que sou sua namorada.

Sorrio e cumprimento o recém-chegado com dois beijinhos, mas, assim que me afasto, ele diz:

— Prazer, Judith. Hummmm... você tem uma pele muito macia.

Fico como uma boba, e então ouço Eric dizer:

— Ela é toda macia e gostosa.

Me contraio enquanto sinto que os dois homens se olham. Eric está me oferecendo? Instantes depois, Björn abre a porta que tinha fechado.

— Vamos entrar?

Eric me segura e entramos.

É um quarto espaçoso, com uma luz vermelha. Björn fecha a porta e vejo que não estamos sozinhos. Há três casais numa das tantas camas daquele quarto, e começo a ficar nervosa. Sei por que estamos ali e isso me inquieta. Björn se aproxima de um pequeno balcão e serve três taças de champanhe. Eric me olha e sussurra, provocando-me arrepios:

— Que tal brincar com Björn? Sei que você o prefere a uma mulher.

Olho para ele. É moreno e atraente. Alguém que sem dúvida eu teria reparado se tivesse conhecido em outro momento. Eric espera uma resposta.

— Legal.

— Posso te oferecer a ele?

Meu estômago se contrai, mas, excitada, respondo que sim.

— Pode.

— Ótimo. — Eric sorri e eu vejo seus olhos brilharem.

Segundos depois, Björn se aproxima e nos entrega as taças.

Falam em alemão e tentam me integrar na conversa. Dá para perceber que se conhecem e que existe uma cumplicidade entre eles. Mas estou muito nervosa, ainda mais quando Björn vem me beijar nos lábios. Eric o impede.

— Sua boca e seus beijos são só meus.

Fico emocionada ao ouvir isso e notar o sentimento de posse na sua voz. Björn concorda logo. Não ficou chateado com o que Eric disse.

— Vamos nos sentar? Assim ficamos mais à vontade.

Eric me segura pelo braço e me faz sentar num sofá. Dou um gole na minha bebida e nos sentamos cada um de um lado. Estou nervosa. Me sinto um animal indefeso diante do olhar atento dos predadores. Ouço gemidos. Perto de nós outras pessoas transam. Seus ruídos ecoam pelo quarto e não consigo parar de olhar. O que fazem me deixa agitada, mexe muito comigo, ainda mais quando Eric chega pertinho e chupa o lóbulo da minha orelha.

— Excitada?

Respondo que sim. Björn põe a mão no meu joelho e vai me acariciando, subindo pela minha coxa.

— Eric tem razão. Você é muito macia.

Eric concorda. Nesse momento, a porta se abre. Entram duas mulheres e um homem, e, depois de olhar pra gente, vão pra outra ponta da sala. Uma das mulheres se senta num dos sofás do fundo, levanta o vestido, e a segunda mulher, diante do olhar do homem, começa a chupá-la.

— Uau... a festa está esquentando — diz Björn, sorrindo.

Eric olha para mim e me pede com voz neutra:

— Jud... tira a calcinha.

Já estou tão excitada por tudo o que está acontecendo à minha volta que nem penso: levanto e, em dois movimentos, tiro logo. Em seguida, me sento novamente entre eles. Eric pega a calcinha das minhas mãos e a guarda no bolso da calça.

— Abre as pernas, menina — ordena.

Obedeço. Björn começa a me tocar. Começa a me acariciar no joelho outra vez, mas agora dum jeito lento e contínuo. Passa para a parte interna das minhas coxas e, quando seus dedos roçam minha vagina, murmura:

— Você está molhada e eu adoro isso. Sinal de que vamos nos divertir muito, linda.

Sinto que enfia um dedo em mim e logo dois. Me recosto mais no sofá e solto um gemido. Eric beija minha boca enquanto é outro homem quem percorre meu corpo com as mãos.

— Assim, querida... Quero que tenha prazer na minha frente.

Björn continua e estou encharcada. Sentir seus dedos em mim e os beijos de Eric está me deixando louca.

— Gosta disso, pequena?

— Gosto.

— Quer mais?

— Quero.

Björn nos escuta e pergunta:

— O que mais você quer, linda?

— Jud... — acrescenta Eric. — Diga a Björn o que você quer.

Estou vermelha como um tomate, e meu corpo inteiro arde. Pelo menos a luz vermelha ajuda a disfarçar. Minha boca está seca, e Eric percebe que não consigo falar.

— Se você não disser, querida... não faremos nada.

— Quero... quero que façam comigo o que vocês quiserem.

— Hummmm... disposta a tudo? — murmura Björn. — Que tal uma dupla penetração?

— Não. Por enquanto só meteremos na sua vagina — diz Eric, e Björn aceita.

Excitada e de pernas abertas pra eles, deixo escapar um gemido quando Eric chega ainda mais perto.

— Levante-se e vire-se, Jud.

Obedeço e, instantes depois, ele abaixa o zíper do meu vestido de lantejoulas, que cai aos meus pés. Estou completamente nua diante de Björn, e meu peito sobe e desce agitado. Eric beija meu pescoço.

— Ofereça a ele seus seios.

Me aproximo, e Björn os toca e os chupa. Primeiro um seio e depois o outro. Eric, que está atrás de mim, me empurra com delicadeza e caio sobre o rosto de Björn, que agarra, junta meus seios e enfia os dois mamilos na boca, enquanto Eric massageia minha bunda e me dá um tapa. Passa sua mão por minha vagina molhada e mete um dedo no meu interior.

Fico cada vez mais excitada. Os dois homens estão me tocando à vontade e gosto disso. Quando estou quase gozando, Eric deixa de me tocar e vai para trás do sofá.

— Jud... suba no sofá.

Obediente, faço o que ele pede.

— Agora quero que você se ofereça a Björn bem aberta e deixe que ele te saboreie.

Obedeço. Björn recosta a cabeça no sofá e eu, com uma perna em cada lado de seus ombros, me agacho pra que ele prenda firmemente minhas coxas e me atraia para si. Minha vagina fica totalmente sobre seus lábios, e ele começa a brincar com ela e com meu clitóris. Sua boca desliza de um lado ao outro, e eu solto gemidos de puro prazer.

Eric me observa. Em seu olhar vejo o brilho da luxúria e isso mexe ainda mais comigo. Ele se delicia e sua respiração fica entrecortada. Por fim, aproxima-se do sofá, segura minha cabeça e me beija enquanto Björn continua em ação. Enquanto sua língua brinca com meu clitóris, sinto seu dedo entrar e sair de mim rapidamente. O calor aumenta cada vez mais, ao mesmo tempo que me sinto um brinquedinho delicioso nas mãos desses homens. Mas eu gosto do que estão fazendo. Gosto de ser o brinquedinho deles, ainda mais quando Eric murmura em minha boca:

— Você é meu prazer... me dá mais, pequena.

Solto um grito devastador e gozo na boca de Björn.

Minha vagina está latejando. Suga o dedo de Björn que está dentro de mim, e eu o ouço dizer:

— Assim, linda. Grite e goze pra nós dois.

Nesse momento, uma mulher chega e nos olha. Eu a reconheço. Marisa de la Rosa! Por uns minutos ela fica só olhando, enquanto continuo me mexendo com prazer, gemendo sem parar, com Björn me chupando e metendo seu dedo em mim. Marisa, excitada pela cena, se deita num divã próximo e começa a se masturbar.

Instantes depois, Eric diz a Björn que pare. Pega meu vestido, me faz descer do sofá, e nós três caminhamos até uma porta que fica no fundo da sala. Sinto meu coração bater forte enquanto ando nua entre os dois e chego a latejar de excitação. No caminho, observo outras pessoas gritando de prazer. Quando atravessamos a porta, Eric se detém.

Estou sufocada de desejo. Acho que vou explodir. Eric abre uma porta e entramos num pequeno quarto onde há uma cama e um sofá. Cada vez estou mais excitada. Eric deixa meu vestido na cama e se senta no sofá. Me chama e me faz sentar sobre ele. Abre minhas pernas, flexiona-as e me oferece. Björn, sem falar nada, se ajoelha, se coloca entre minhas pernas e volta ao ataque, enquanto Eric murmura no meu ouvido:

— Assim, Jud... Quero que você esteja à minha disposição sempre. Sou seu dono e você, minha dona. Só eu posso te oferecer. Só eu posso abrir suas pernas às outras pessoas. Só eu...

— Sim... só você. Brinca comigo — murmuro.

Percebo que minha voz e minhas palavras o excitam, ao mesmo tempo que me estimulam também. O que estou dizendo é uma verdadeira loucura, mas é o que eu desejo. Quero que ele me ofereça. Quero sucumbir ao que ele me pede. Quero tudo isso.

— Você me deixa louco, querida, e escutar seus gemidos e o jeito como você deixa que eu te guie é a melhor coisa que existe. Estamos aqui. Você está nua nos meus braços e outro homem brinca contigo. Ah... meu Deus! Gosto de te sentir minha em todos os sentidos. Quero que você aproveite. Quero que você explore e se deixe explorar. Quero te comer e ver outros te comendo. Quero tanta coisa de você, querida, que até me dá medo.

Isso me faz gemer e me contorcer. Estou com calor. Muito calor. Não consigo resistir à situação. Estou em cima de Eric. Ele abre minhas pernas. Me oferece a outro homem. Sinto a dureza de seu sexo contra meu traseiro, enquanto um homem de quem só sei o nome, Björn, me chupa.

O orgasmo está prestes a vir.

— Quer mais? — pergunta Eric.

— Quero... ah, quero...

Ao escutar minha resposta, Eric se move e se levanta. Eu me levanto também e Björn faz o mesmo. Eric me pega pela mão e me senta sobre a cama. Vejo que fala algo com Björn e então diz:

— Vou realizar sua fantasia, querida.

245

Esses dois deuses gregos ficam completamente nus na minha frente e eu contemplo suas vigorosas ereções. Eric fica de um lado e Björn se aproxima de mim.

— Deite-se na cama e abra as pernas, linda.

Olho para Eric, ele faz que sim e eu obedeço. Nua e com os mamilos arrepiados, eu me deito no centro da cama e percebo que há espelhos no teto.

Como um deus nórdico, Eric sobe na cama e aproxima seus lábios dos meus.

— Peça-me o que quiser.

Estou confusa e superexcitada. Ele me beija e eu estremeço quando suas mãos deslizam pelos meus mamilos. Björn nos observa e isso me estimula ainda mais. Então lembro algo de que Eric gosta.

— Quero que Björn me coma enquanto você me oferece, me beija e olha pra mim. Sei que você vai gostar disso. E, quando ele gozar, quero que você me coma do jeito que sabe que eu gosto.

À medida que vou dizendo essas coisas, vejo a cara de Eric iluminar-se. Seus olhos faíscam. Entrei totalmente no seu jogo e ele sabe disso. Me dá um último e lascivo beijo antes de se levantar da cama. Depois se vira para Björn e diz:

— Come ela.

— Será um prazer, amigo — murmura Björn, sorrindo.

Em seu rosto se vê o desejo, e seu pênis ereto revela a vontade que tem de executar a ordem de Eric. Sobe na cama e monta em mim. Sinto seu pau em minha barriga e, quando se agacha, estica meus braços e enfia um dos meus mamilos na boca. Respiro ofegante enquanto olho para Eric. Durante vários minutos, sinto Björn chupando e sugando meus mamilos e manuseando meu traseiro sob o olhar atento do meu dono. Aperta minha bunda com suas mãos e eu gosto disso. Depois, desce até minhas pernas e, sem rodeios, agarra-as e as coloca sobre os ombros me erguendo alto.

Com os olhos muito abertos, observo os espelhos do teto e fico ainda mais excitada. Estou nua num quarto com dois homens e de pernas abertas para um desconhecido que vai me comer. E, o melhor, Eric está ao meu lado, assistindo a tudo, e eu quero muito aproveitar. Por vários segundos, Björn não faz nada até que o ouço dizer, enquanto sinto que enfia seus dedos em mim:

— Você está encharcada e sua boceta está me deixando louco.

Volto a sentir sua boca me invadindo, e Eric fica a meu lado de novo.

— Assim, pequena... — diz Eric. — É o que você queria, né?

— É.

— Vamos, querida, abra bem as pernas pra que eu possa desfrutar de você e goze pra que eu te saboreie bem. Depois, eu vou te foder como estou pensando em fazer há horas.

Em outra época eu detestaria uma linguagem tão chula. Inclusive teria ficado muito irritada, mas agora, estou gostando. Me estimula. Me deixa fora de mim.

Björn segura minha bunda pra me colocar totalmente em sua boca. Ele me saboreia e eu respiro ofegante. Solto um gemido e me contorço. Percorre meu sexo com a língua várias vezes, e então Eric segura minhas mãos acima da minha cabeça e eu não consigo deixar de olhar para sua ereção. Björn, sem me dar trégua, chega até meu inchadíssimo clitóris. Está enorme, muito estimulado. Preso entre os dentes de Bjorn, que fica chupando. Grito. Me contorço de novo. Quero mais.

Olho para Eric para o pau dele. Ele sorri ao perceber minhas intenções e, quando um gemido sai da minha boca, Eric se agacha e o põe entre meus lábios. Quero enfiá-lo inteiro na boca. Eu o chupo, mas ele o retira rapidamente.

— Não, pequena — diz, agachando-se. — Se eu deixar você fazer o que quer, não vou conseguir parar.

Minha vagina se contrai e então Björn abaixa minhas pernas. Em seguida coloca um preservativo.

— Vou te comer, linda. Vou te comer na frente do seu homem e ele vai te abrir pra mim, enquanto te segura pra você não se mexer.

Grito. Estou sem ar.

Os olhos de Eric brilham. Ele gosta de ficar olhando. Gosta de me ter assim. E então Eric se agacha e abre os lábios da minha vagina com suas mãos. Björn segura minhas coxas, põe seu pênis na entrada e pouco a pouco puxa minhas coxas e me atrai para si. Me contraio, toda molhada enquanto sinto Eric me encaixando em Björn. Suas mãos pressionam minha vagina e ele totalmente se enfia em mim.

Meu Deus... que sensação maravilhosa!

Eric afasta as mãos da minha vagina, pega minhas próprias mãos e as mantém presas acima da minha cabeça. Nesse momento, Björn move os quadris em busca de mais profundidade e se enfia mais. Solto um gemido, depois outro, e Eric me cala com sua boca. Ele devora meus gemidos, que o deixam louco.

Björn continua sua dança particular dentro e fora de mim. Uma vez, depois outra, e outra... Me come exatamente do jeito que Eric pediu e eu adoro isso. Abro as pernas pra ele e deixo que me penetre várias vezes até que meus gemidos ficam mais rápidos e mais altos. Gozo e me contorço entre as mãos deles.

Björn me solta. Eric faz o mesmo e, quando Björn sai de dentro de mim, vejo os dois homens mudarem de posição na cama. Agora, Eric está entre minhas pernas e Björn acima da minha cabeça. Enquanto minha respiração vai voltando ao normal, observo Eric colocando um preservativo; depois, pega uma espécie de jarra d'água e a despeja sobre meu sexo. A água geladinha me faz gritar de novo.

— Meu Deus... eu te comeria outra vez! — diz Björn, retirando a camisinha.

Eric sorri, olha para seu amigo e, enquanto me enxuga com uma toalha, murmura:

— Você vai fazer isso...

Fecho os olhos. Ainda não consigo acreditar no que estou fazendo. Quando os abro, vejo a cara de Eric bem diante da minha, e ele me pede:

— Me beija.

Abro a boca e o beijo enquanto sinto que desliza sua ereção desde meu clitóris até meu ânus. Brinca comigo. Me estimula e eu grito. Estou molhada e escorregadia e isso me excita e o excita também. Enfia seu dedo em mim e, como estou muito aberta, ele enfia três de uma vez.

— Menina... você está tão aberta e convidativa... Está gostando, né?

— Estou... sim...

Me mexo sobre sua mão. Imploro o que quero, enquanto Eric continua sua brincadeira comigo e Björn nos observa.

De repente, sinto que um de seus dedos escorregadios para no meu ânus. Com movimentos circulares ele o estimula e, quando tento impedir, seu dedo se move em meu interior. Por alguns segundos ele fica mexendo ali enquanto me contorço pra ele continuar e então percebo que o pênis de Björn volta a ficar ereto sobre meu rosto.

Minha visão fica embaçada, até que Eric tira seu dedo do meu ânus e, de uma só vez, mete em mim. Grito. Ele para e me olha. Deita-se sobre mim, põe uma mão na minha cabeça e a outra no meu traseiro.

— Caraca, menina... você está me deixando louco. É isso que você quer?

— É.

Move os quadris e afunda mais ainda em mim, enquanto sinto seus testículos quase entrarem também. Solto um gemido. Sua enorme glande superexcitada é muito mais larga e comprida que a de Björn. Sinto minha carne se abrindo para ele e isso me faz gemer e me contorcer entre seus braços. Eric me beija, entra uma... duas... três... quatro e mil vezes em mim com voracidade, e me arranca gemidos de prazer. Björn me segura pelos ombros para que eu não me mexa. E então as penetrações de Eric vão ficando mais secas e profundas, enquanto Björn murmura:

— Assim, linda... aproveite...

Meus gritos não demoram para recomeçar. Agarro Eric pelo traseiro e o obrigo a golpear-se contra mim várias vezes, e ao mesmo tempo vejo bem na minha frente o pau inchado e duro de Björn. Estou quase lhe pedindo que enfie todo na minha boca, até que Eric lê meu pensamento.

— Não. Olhe pra mim.

Rapidamente obedeço e sinto Björn soltando meus ombros e descendo da cama. Eric fixa em mim seus olhos incríveis e me dá um tapa que me queima, enquanto me come com força. Sua respiração é brusca, inconstante, mas ele me faz estremecer a cada novo ataque. Me dá outro tapa. O calor me sobe pelo corpo e eu solto um gemido e digo seu nome:

— Eric...

A excitação me incendeia, até que ele me dá mais um tapa e enfia na vagina um dedo junto com o pênis e eu volto a gemer. Seu dedo encharcado com meus fluidos vai direto ao meu ânus e, ao sentir que ele o enfia, eu grito. Desta vez, a penetração é mais forte. Seu dedo demolidor entra e sai do meu ânus enquanto seu pênis faz o mesmo na minha vagina, e essa nova sensação me deixa esgotada.

Com meu corpo latejando, eu desejo o que ele me exige e o que ele faz comigo e quase rezo para que continue e não pare nunca. Meus quadris se erguem em busca de mais, até que o rosto de Eric se contrai, e eu, após um grito incontrolável, tenho um orgasmo.

Quando tudo acaba, Eric cai sobre mim. Eu o abraço e ele apoia sua cabeça no meu pescoço. Permanecemos assim por alguns minutos. Exaustos. Rendidos. Consumidos. Ele então se separa de mim e, sem me olhar, ordena com voz seca:

— Vista-se. Estamos indo.

Em êxtase por tudo o que acaba de acontecer, pego e coloco o vestido. Me sento na cama e observo Eric se vestindo. Depois, me dou conta de que estamos sozinhos no quarto.

— Onde está Björn?

Eric olha para mim e, de um jeito que me desconcerta, pergunta:

— Por que você quer saber?

— Por nada, Eric — respondo, sem entender sua pergunta. — Só por curiosidade.

Nesse instante percebo que algo está acontecendo com ele e o seguro pelo braço. Eric se solta irritado.

— Por que está aborrecido?

A fúria de seus olhos me deixa sem fala.

— Por que você queria meter o pau dele na boca?

Suas palavras me pegam de surpresa. Não sei o que responder.

— Sei lá, Eric. A loucura do momento.

Ao ver que ele não olha para mim e continua abotoando a camisa, explodo:

— Ótimo! Perfeito! Você me traz aqui, me faz abrir as pernas pra ele e ainda vem reclamar comigo? Porra, Eric... não dá pra entender.

— Você concordou. Não se esqueça disso.

— Claro que concordei. Idiota! Entrei no jogo. Seu jogo! Me deixei lamber, chupar e ser comida por uma pessoa que nem conheço porque sei que é disso que você gosta, e agora, quando vê que eu me diverti e que aproveitei essa perversão toda, você reclama comigo. Vai à merda!

A fim de dar o fora dali, me dirijo pra porta. Mas, ele me agarra e me joga na cama.

— Tem razão, menina... tem razão.

— Babaca!... É isso que você é, um verdadeiro babaca.

— Entre muitas outras coisas. Me desculpa.

Seus olhos... sua voz... o cheiro de sexo e ele inteirinho conseguem, como sempre, fazer minha irritação desaparecer em décimos de segundo.

— Me desculpa, querida. Sou mesmo possessivo e me descontrolei e...

— Mas, olha só, Eric. Eu sou sua! Você ainda não se deu conta de que só quero fazer o que você quiser? É sério que ainda não percebeu que eu gosto das brincadeiras e perversão, mas só se for com você? Você me disse que meu prazer é seu prazer. E a recíproca é verdadeira. O que acabou de acontecer aqui foi incrível. Maravilhoso! Enlouquecedor! Gostei de ver o brilho nos seus olhos quando te pedi o que eu queria. Você curtiu o momento e eu também. O que há de mau nisso? Só curti o que você me ensinou a curtir, essa loucura sexual toda. Essa loucura, você e o que você fazia comigo me fizeram querer mais e mais. Só que...

Eric me beija. Não me deixa terminar.

Devora minha boca e brinca com minha língua, e eu adoro o que ele faz. Por um momento permanecemos sozinhos e abraçados no quarto. Apenas abraçados. Estamos exaustos. E, quando voltamos à sala principal, Björn se aproxima, nos oferece taças de champanhe bem gelado, pega minha mão e a beija.

— Foi um prazer, Jud...

Faço que sim com a cabeça. Björn olha para Eric.

— Obrigado, amigo, por me oferecer à sua mulher. Foi uma delícia.

Eric sorri.

— Fico feliz em saber.

— Aliás — acrescenta Björn. — Amanhã à noite vamos brincar de roda no chalé que eu aluguei. Marisa e Frida já toparam. Vocês se animam?

De roda? O que é roda? Quero perguntar. Mas Eric responde enquanto nos afastamos:

— Obrigado pelo convite, mas não. Talvez em outra ocasião.

Quando chegamos à pista de dança e começamos a nos movimentar ao som da música, não aguento de curiosidade e acabo perguntando:

— O que é a roda?

— Um jogo para o qual você não está preparada.

— Tá... mas como é?

Eric sorri e me puxa mais para si.

— Logo de cara, você ficaria nua junto a outras mulheres. Costuma haver duas ou três. Nós, homens, jogaríamos cartas enquanto vocês nos serviriam bebidas e satisfariam nossos caprichos mais imediatos. Ao fim da partida, os homens fazem um círculo ao redor das mulheres e toda a roda as come. Mas, claro, sempre com consentimento.

Engulo em seco. Não. Definitivamente não estou preparada para isso.

Por volta das quatro da manhã, depois de só ficarmos conversando com os outros convidados, Eric e eu decidimos voltar pra casa. Frida e Andrés vão mais tarde. Quando nos sentamos na limusine que os donos da casa puseram à nossa disposição, Eric me abraça e eu olho pra ele com malícia.

— Estou exausta. Por que será?

— Por causa do esforço, moreninha... não tenha dúvida.

Nós dois rimos e Eric me beija no pescoço.

— Você se divertiu?

— Sim. Muito.

— Vai então querer repetir outro dia?

Olho bem nos seus olhos e respondo:

— Ah, sim... claro que sim. Além disso, vi umas coisas que gostaria de experimentar e...

Eric sorri e aproxima seus lábios dos meus.

— Meu Deus, criei um monstro!

42

Três dias depois, ainda continuamos em Zahara de los Atunes e nossos anfitriões insistem para ficarmos mais tempo no chalé. Acabamos aceitando, encantados. Eric recebe várias ligações e mensagens de uma tal de Marta, e toda vez preciso me controlar para ficar de boca fechada em vez de perguntar: "Quem é essa mulher que fica te ligando tanto?"

No quarto dia, Frida e eu resolvemos descer uma noite ao vilarejo para beber alguma coisa. Os rapazes jogam xadrez e preferem continuar no chalé.

Chegamos a um pub chamado "Iacosita". Pedimos umas cubas libres e nos sentamos ao balcão pra bater papo. Conversar com Frida é fácil. Ela é divertida, falante e encantadora.

— Faz muito tempo que está casada com Andrés?
— Oito anos. E a cada dia fico mais feliz por ter atropelado ele.
— Como assim?

Frida cai na gargalhada e explica:

— Conheci Andrés porque o atropelei com o carro.

Isso me faz rir.

— Me conta essa história. Quero saber tudo.

Frida toma um gole de sua bebida e começa a contar:

— Nós dois estávamos indo à faculdade de medicina em Nuremberg. E no primeiro dia em que fui de carro, quando ia estacionar, não o vi e o atropelei. Por sorte, ele não sofreu nada grave, exceto um ou outro hematoma. Foi uma atração instantânea. E, desde esse dia a gente não se desgrudou mais.

Nós duas rimos e volto a perguntar:

— Ah, vem cá, e essa coisa de sexo e joguinhos, foi ideia de quem?
— Minha.
— Foi ideia sua?

Ela faz que sim com a cabeça.

— Você precisava ver a cara dele quando falei disso pela primeira vez. Ele não quis nem saber. Mas um dia o convidei para uma dessas festas, e o apresentei ao Eric e, bom... a partir desse dia, ele gostou!

— Eric?!

— Sim. Somos amigos há anos e frequentávamos o mesmo grupo. Algo que, como você já deve ter percebido, continuamos fazendo. Aliás, acho que você já sabe que fui eu naquele dia no hotel que...

— Sim... Eric me contou.

— Pra mim foi um prazer dar prazer a vocês dois.

De repente me ocorre algo e eu pergunto:

— Ah, vem cá, você participou da roda que Björn organizou outro dia?

— Sim — diz Frida, rindo. — Adoro esse tipo de jogos, e Andrés fica louco também.

— E não é estranho?

— Estranho? — surpreende-se. — Por quê?

— Não sei... Você não acha humilhante estar ali para satisfazer os desejos dos caras? Vocês ficam peladas. Vocês ficam entregues. Vocês são as que... bom, isso aí que você já sabe.

Frida solta uma gargalhada e tira do rosto uma mecha de cabelo.

— Não, querida. Adoro o tesão desse momento. Me deixa louca ver como me desejam, como meu marido me oferece, como os outros homens me possuem. Eu gosto e o Andrés gosta. É isso que conta, que os dois gostem e que a gente curta a experiência.

Quero perguntar mais coisas sobre os jogos, sobre Eric, Betta ou Marta, mas começa a tocar a música *Love is in the air*, de John Paul Young, e Frida grita empolgada:

— Adoro essa música. Vamos dançar!

Animadas, nós duas vamos até a pequena pista e dançamos ao som dessa linda canção, enquanto percebo que vários homens ali nos observam. Somos duas mulheres jovens, sozinhas, e isso é um prato cheio.

Por volta das três da manhã, Frida e eu decidimos voltar ao chalé. Estamos exaustas. Caminhamos até o BMW que deixamos no estacionamento da praia, e dois caras saem ao nosso encontro.

— Opa... opa... aqui estão as garotas que não paravam de dançar no pub.

Ao avistá-los, lembro deles e sorrio.

— Se vocês não quiserem problemas, o melhor é saírem da nossa frente.

Frida me olha. Em seu rosto percebo a insegurança. Estamos no estacionamento da praia e não há ninguém por perto. Eu não me deixo levar pelo medo, pego Frida pelo cotovelo e continuo andando na direção do carro.

— Ah... venham aqui, gatas. Vocês estão morrendo de tesão e a gente quer dar o que vocês querem.

— Vão à merda — eu solto.

Os homens continuam atrás de nós. Dá pra perceber que estão embriagados e eles continuam com as grosserias.

Quando chegamos ao carro, exijo que Frida me dê as chaves. Está tão nervosa que tenho de pegar nas suas mãos e então sinto que um desses caras está atrás de mim e põe a mão na minha bunda. Dou uma bela cotovelada no peito. Frida grita e ele solta uns palavrões. O outro tenta agarrar Frida e, para isso, me empurra e eu caio na areia. É a gota d'água para mim, e me levanto rapidamente.

O sujeito que me tocou se aproxima para me imobilizar, mas eu sou mais rápida e lhe dou um soco no queixo que o faz gritar. Eu grito também, mas de dor: machuquei meus dedos. Em seguida ele se levanta e me joga de novo no chão. Meus dedos doloridos se chocam na areia e nas pedras. Isso me enche de raiva e eu decido acabar com essa situação toda. Me levanto com a adrenalina a mil, me posiciono diante do cara e lhe dou um novo soco na bochecha e um chute na boca do estômago. Depois, agarro o sujeito que imobiliza Frida pelo cabelo e lhe dou um chute que o faz voar alguns metros. Olho para Frida e digo:

— Vamos. Entre no carro.

Os dois homens estão no chão e aproveitamos para fugir. Assim que saímos do estacionamento e chegamos a uma rua com gente sentada nas varandas, eu paro o carro. Me viro pra Frida, afastando uma mecha de cabelo do rosto.

— Você está bem?

Frida, um pouco assustada, faz que sim.

— Onde você aprendeu a se defender assim?

— Caratê. Meu pai nos matriculou, minha irmã e eu, num curso quando éramos crianças. Sempre disse que tínhamos de aprender a nos defender e, veja só, ele tinha razão!

— Você mandou muito bem. É minha heroína! — diz Frida, sorrindo. — Esses caras tiveram o que mereceram e... Ai, meu Deus, Jud, sua mão!

Nós duas olhamos pra minha mão direita. Os nós dos dedos estão vermelhos e inchados. Mexo os dedos o máximo que consigo e tento não dar importância a isso.

— Não é nada... não se preocupe. Mas vou precisar de gelo para diminuir o inchaço. Você poderia dirigir?

— Claro.

Frida desce do carro e nós trocamos de lugar. Ela entra e arranca para o chalé.

Quando chegamos, a luz da sala está acesa e, segundos depois, os rapazes aparecem para nos receber. Nós duas sorrimos, mas, à medida que nos aproximamos, Eric repara na minha mão e vem rápido.

— O que aconteceu com você?

Vou responder, mas Frida se adianta.

— Quando saímos do pub, uns caras tentaram nos agarrar. Ainda bem que Jud soube nos defender. Foi incrível! Você tinha que ver os chutes e socos que ela deu neles. Aliás, precisamos pôr gelo. E já!

Eric faz cara de espanto, enquanto Frida descreve de novo o episódio e fala sem parar. Está tão impressionada que não consegue ficar quieta. Andrés, ao ver que nós duas estamos bem, abraça a mulher. Eric continua a um passo de mim com expressão severa. Noto pelo seu olhar angustiado que levou um susto e tanto. Por fim, pra tentar encerrar o assunto, lhe dou um beijo.

— Não se preocupe. Não foi nada. Só uns idiotas que estavam pedindo pra levar um bela surra.

— Entra no carro, Jud — exige Eric de repente.

— O quê?!

Descontrolado, ele tira as chaves da mão de Frida.

— Você vai me dizer quem são esses filhos da mãe e eles vão se ver comigo.

Andrés e Frida se colocam rapidamente ao seu lado. Andrés pega as chaves e Frida diz:

— Posso saber aonde você vai?

— Dar a esses caras o que eles merecem. Me devolve as chaves, Andrés.

Eric respira com dificuldade. Seus olhos estão furiosos.

— Para com isso, Eric — digo, querendo que desista dessa bobagem. — Não foi nada. O que você quer? Que realmente aconteça alguma coisa que a gente tenha que lamentar depois?

Meu grito o faz olhar para mim. Bate com força a porta do carro, e vem passar a mão pela minha cintura:

— Você está bem?

— Estou, sim. Está tudo bem. Só preciso de água oxigenada pra limpar os machucados e gelo para o inchaço.

— Meu Deus, pequena... — balbucia, encostando sua testa na minha. — Podia ter acontecido algo contigo.

— Eric... não aconteceu nada. E mais: você precisava ter visto como esses sujeitos ficaram. — Enquanto Frida e Andrés entram na casa, acrescento: — Acabei com eles.

Me abraça. Me aperta contra si e coloca o rosto no meu pescoço. Permanecemos assim durante alguns minutos.

— Lembre-se do que eu te disse: campeã de caratê.

Noto que ele sorri e seus músculos relaxam. Por fim beija meus lábios com ternura.

— Ah... pequena, o que eu faço com você?

43

Os maravilhosos dias juntos continuam, e aquele episódio vira apenas mais uma história para contar. Passamos o tempo pegando sol, conversando e curtindo a companhia um do outro. Os torpedos da tal de Betta continuam chegando e eu tento não pensar nisso. Não devo. Fernando também me manda mensagens, e Eric não fala nada.

Certa manhã, vamos os quatro à cidade de Tarifa para ver as ruínas romanas de Baelo Claudia em Bolonia. Almoçamos num delicioso restaurante das redondezas e, quando vamos pagar, encontramos Björn, o amigo de Eric, e outro amigo.

Eles, muito simpáticos, falam conosco, e vamos todos juntos tomar um café numas mesinhas ao ar livre. Fico sabendo que Björn é um advogado alemão e que está de férias pelo sul. O outro amigo, um tal de Fred, é um viticultor francês. Conversamos qualquer besteira, mas percebo os olhares que Björn me lança de vez em quando. Eric também nota e chega perto do meu ouvido.

— Björn está louco pra te provar de novo.
— E você não se incomoda com isso?

Eric sorri e beija meu pescoço.

— Não. É um grande amigo e sei que nunca faria nada sem minha permissão. Além disso, estou com vontade de te oferecer a ele de novo, se você quiser.

O calor toma conta do meu rosto e me abano com um leque, enquanto Eric sorri.

— Ficou com calor, pequena?
— Fiquei.

Passa a mão pelas minhas coxas, como dono delas, e vejo que Björn nos observa. Eric, atento a tudo, murmura:

— Você quer que a gente vá a um hotel e te coma?
— Eric!
— Ou melhor... O que acha de irmos à praia e na água a gente...?
— Eric!
— Só de pensar em como você abre a boca quando geme, eu já fico duro.

Rindo, ele tira a mão das minhas pernas. Diverte-se com suas provocações e meu calor aumenta. Me abano e Eric sorri.

Após os cafés, quando vamos nos despedir, ouço Andrés perguntar:

— Björn, Fred, querem jantar lá em casa?

Aceitam imediatamente e sinto ainda mais calor. Depois de nos despedirmos deles e marcarmos o jantar pras nove horas, caminho junto com Frida até o carro.

— Uaaaaau...! Hoje à noite teremos festinha particular.

Durante todo o trajeto de volta, Eric não faz outra coisa além de me olhar e sorrir. E, quando chegamos em casa e tomamos banho, ele me provoca e me sussurra ao ouvido que hoje à noite vai me oferecer. Pede que eu coloque para o jantar um vestido verde e uns sapatos de salto de que ele gosta, e me sugere que eu não use nada por baixo.

Às nove, Björn e Fred chegam. Sinto como Björn percorre meu corpo com o lhar. Isso me inquieta, já que sei o objetivo da sua visita.

Andrés prepara o jantar. É um cozinheiro fantástico e, sentados à mesa, nós seis saboreamos a carne assada. Durante o jantar, Eric não tira os olhos de mim e vejo que sorri ao notar meus mamilos duros como pedras marcando o vestido. Está curtindo meu nervosismo e isso me deixa ainda mais histérica.

Assim que terminamos o jantar, Eric se levanta impaciente, pega minha mão e uma garrafa de champanhe e, após olhar para Björn, balbucia:

— Vamos pra sobremesa.

Björn limpa sua boca com o guardanapo, sorri e anda na direção de Eric. Fico sem palavras.

Me deixo conduzir por Eric. Ele me leva ao quarto azul com a cama redonda. Assim que nós três entramos, me solta e diz:

— Não se mexa.

Eu paro de repente e vejo que ele se senta na cama. Põe três taças sobre uma mesinha e começa a enchê-las. Meu calor aumenta. Em cima da cama há vários potes e... e... o vibrador. Começo a arder. Fico olhando os lençóis. Brilham. Parecem de plástico e nesse instante sinto Björn atrás de mim. Eric pega uma das taças e começa a beber.

— Sobremesa maravilhosa — diz, após um gole —, não acha, Björn?

Em décimos de segundo, as mãos de Björn pousam na minha cintura e descem pela minha bunda, enquanto Eric nos observa. Björn me aperta e diz:

— Hummm... que delícia.

Me mexo enlouquecida enquanto esse homem continua me tocando sem pudor. Os olhos de Eric faíscam de excitação quando nota que meu movimento facilita as carícias de Björn. Por alguns minutos, ele se limita a me tocar por cima do vestido. Meus mamilos arrepiados estão marcados no tecido, e ele pousa sua boca ali. Brinca com eles até que Eric diz:

— Vem, Jud... vou tirar sua roupa.

Em questão de segundos, o vestido cai aos meus pés e eu fico totalmente nua na frente deles. Björn se senta junto a Eric na cama.

— Adoro sua mulher... É tão gostosa que tenho vontade de chupá-la inteirinha.

Eric abre um sorriso devasso, me dá uma palmada na bunda que me queima e faz um gesto ao seu amigo, enquanto me conduz até mais perto dele.

— Pode chupá-la, é sua sobremesa. Quero ver como você faz.

Escutar isso faz meu estômago se contrair, e então Björn, ainda vestido, se deita na cama.

— Vamos, linda. Vem cá. Ajoelhe-se bem na minha frente e me dê sua bocetinha. Você é minha sobremesa e eu vou te comer todinha.

Subo na cama e faço o que ele me pede, excitada pelo que ele diz e, principalmente, pelo olhar possessivo de Eric.

Sem hesitar, segura minhas coxas e sua boca passeia, acelerada, pelo meu sexo. Ele lambe, chupa, suga, esfrega na cara enquanto seus dentes me dão mordidinhas que me fazem gemer. Fecho os olhos. Estou em êxtase e rebolo sobre sua boca, enquanto meus seios se movem de um lado pro outro.

Não vejo Eric. Está sentado atrás de mim e, por causa da minha posição, não consigo ver seu rosto. Mas sinto seu olhar bem nas minhas costas e sei que ele me observa me esfregando sobre a boca de seu amigo em busca de prazer. Esse novo mundo que estou descobrindo me envolve cada vez mais e, a cada instante, o prazer que sinto é maior que a vergonha. Ouço o barulho de alguma coisa se rasgando e imagino que seja o preservativo. De repente sinto Eric me puxando pelos quadris e me colocando de quatro em cima de seu amigo. Björn junta meus seios e se ergue para enfiá-los na boca, enquanto Eric vai metendo aos poucos em mim.

Dois homens. Um em cima e o outro embaixo. Estou à mercê deles. Tão excitada que sinto meus fluidos escorrendo pelas minhas pernas. Até que ouço a voz de Eric:

— Isso... encharcada pra mim.

As mãos de Björn e as de Eric estão na minha cintura. Quatro mãos me seguram e eu grito ao notar que eles me movem para me afundar no pênis de Eric. A cada grito que dou, ouço suas respirações fortes.

Uma vez, e outra, e mais uma. Eric me penetra enquanto Björn empurra meus quadris na direção dele, até que de repente percebo que algo duro e muito molhado tenta entrar pelo mesmo lugar por onde Eric me penetra. Me mexo e Eric sussurra:

— É um vibrador, querida. Não se preocupe. Algum dia quero que sejamos dois te comendo pelo mesmo lugar.

Calor... calor e mais calor.

Vou explodir!

Eric continua suas penetrações, enquanto Björn chupa meus mamilos e, com uma de suas mãos, enfia aos poucos o vibrador junto ao pênis de Eric. Me dilato. Meu corpo e o interior da minha vagina se adaptam ao invasor e eu começo a curtir. Tudo é loucura. Tudo é *caliente*. Eric me dá mais um tapa e volta a me penetrar com força. Eu grito e sinto que vou explodir. Björn retira o vibrador, deixa na cama e murmura enquanto abre minhas coxas para Eric:

— Você é uma delícia.

Eric detém seus movimentos e pega o lubrificante que está ao nosso lado enquanto Björn continua dizendo safadezas bem na minha cara e me dá tapinhas no traseiro que me atiçam.

— Abre ela — murmura Eric.

Björn segura minhas nádegas e as puxa para separar. Nesse instante, sinto Eric, com a ponta do dedo, passando lubrificante no meu ânus. O líquido escorregadio está morno, e Eric o introduz com o dedo. Ele o enfia... o retira e volta a enfiar. Respiro ofegante e me mexo inquieta. Nunca fiz sexo anal e tenho medo da dor. Eric tira o dedo e o enfia de novo com mais lubrificante. Desta vez seu dedo gira em pequenos círculos em meu interior.

— Isso, querida, isso... relaxa. Você está indo muito bem — balbucia Eric.

Solto um gemido e me inclino pra frente. Meus seios caem sobre Björn, que aproveita para morder de leve os mamilos.

— Assim, linda... assim... dá sua bundinha pra gente e eu te prometo que você vai adorar.

Sinto o dedo de Eric entrando e saindo cada vez com mais facilidade. Cheia de tesão, mexo meu traseiro em busca desse novo prazer quando sinto Eric introduzir dois dedos. A pressão dentro de mim é imensa, e eu arqueio a cintura à procura de alívio. Mas a dor com dois dedos fica insuportável.

— Eric... Eric, está doendo.

Imediatamente, com cuidado, tira os dedos e enfia algo em forma de chupeta e respiro ofegante ao sentir minha carne se abrindo e se encaixando nela. Abro a boca em busca de ar e, quando sinto que Eric retira o que enfiou, eu solto vários gemidos. Instantes depois, Eric se aproxima de mim e dá um beijo na minha nuca.

— Por hoje chega, linda. Não vou mais tocá-lo.

Björn solta minha bunda, e ele volta a abrir minhas pernas.

— Eric... vamos lá... faça os seios dela balançarem sobre mim.

Eric penetra bem fundo, exatamente como eu gosto. De uma vez só, enfia-se dentro de mim e eu grito. Meus seios se movem bem na cara de Björn, que agarra um e o mete na boca para morder meu mamilo. Quando o solta, olha pra mim e, enquanto eu me movimento pelas investidas de Eric, Björn sussurra:

— Espero que algum dia Eric me deixe provar sua bundinha apertada. Deve ser maravilhoso te foder por aí.

Não sei o que dizer. Apenas mexo a cabeça enquanto ele me olha e eu observo o desejo que sente de me comer.

Björn não me beija. Não se aproxima da minha boca. Ainda se lembra de que Eric lhe disse que minha boca é só dele. Mas me olha e eu sinto sua excitação enquanto meu corpo salta sobre ele com Eric me comendo.

Uma... duas... três... dez.

Eric me penetra várias vezes, até que desmorona sem forças sobre mim. Caio sobre Björn. O suor de Eric encharca minhas costas e sua boca beija minha cintura. Sorrio ao senti-lo bem e feliz. Depois, desgruda o corpo do meu, se levanda e diz:

— Agora você...

Björn faz que sim com a cabeça, me coloca de um lado, fica nu e pega um dos preservativos que estão em cima da cama. Rasga a embalagem com os dentes e coloca a camisinha rapidamente. Eric me olha enquanto seu peito sobe e desce pelo esforço que acaba de fazer.

— Deita na cama, linda — murmura Björn.

Faço o que ele pede. Em seguida vejo os dois cochichando algo e Björn faz um gesto afirmativo. Depois, os dois sobem na cama e Eric pega a garrafa de champanhe.

— Junte as solas dos pés e flexione os joelhos.

De novo meu sexo aberto, úmido e escorregadio fica diante deles. Björn se agacha e passeia novamente com sua boca ali, enquanto Eric derrama champanhe no meu umbigo. Meu estômago se contrai e o champanhe desliza pela minha barriga. Björn lambe a trilha de álcool e murmura:

— Hummmmm... Maravilhoso. Quero mais...

Eric volta a despejar champanhe. Desta vez sobre meu púbis, e eu me contorço, enquanto Björn chupa e lambe com vontade o frescor que o champanhe deixa sobre mim.

— Masturbe-se pra gente, Jud — pede Eric e me entrega um vibrador para o clitóris.

Derrama champanhe outra vez e me delicio novamente com o frescor, mas Björn me enxuga depressa com a língua. Ligo o vibrador e coloco na potência 1, fazendo o clitóris inchar. Me mexo sufocada e aumento para a potência 2. Solto um gemido ao notar como se abre a flor que há em mim com aquele movimento. E, quando Eric aumenta para a potência 3 e Björn apoia suas mãos nas minhas coxas para me impedir de fechá-las, o calor se apodera do meu corpo e eu tiro o vibrador do meu clitóris enquanto grito e ergo os quadris.

Björn, louco para entrar em mim, ainda mais depois do que acabo de fazer, segura minhas coxas e as encaixa em cima dos seus ombros. Enfia com cuidado. Eu grito e mete outra vez, enquanto Eric se aproxima de mim pela cabeceira da cama, rega o penis com champanhe e coloca na minha boca.

— Todo seu, pequena.

Excitada, brinco com a glande de Eric na minha boca. Desenho círculos com a língua ao redor dela e sinto que ele reage. Fica duro e aumenta enquanto chupo, e eu escuto Eric gemer ao mesmo tempo que Björn me come. Como meus braços estão livres, levo as mãos aos seus testículos e os acaricio lentamente.

— Ahhhh... — sussurra.

Os dois me tomam inteira.

Björn pela vagina e Eric pela boca, até que sinto que Eric se retira duro e ereto e observa como meu corpo reage às penetrações de Björn.

— Meu Deus, vou gozar! — diz Björn, ofegante.

Me segura pelos quadris e me aperta contra si. Isso faz com que eu me contorça e solte um gemido. Meus seios balançam diante deles, meu corpo se dobra e eu grito:

— Mais!

Björn sai de mim e volta a entrar. Abro os olhos e vejo Eric observando com luxúria ao meu lado. Gosto disso. Me excita. Björn dá um grito de prazer, se joga pra trás e por fim goza. Eric senta na cama, coloca um preservativo e me diz:

— Jud, venha... senta por cima de mim.

Com as pernas tremendo, obedeço. Estou pronta para que me comam outra vez. Eu quero isso. Seu pênis entra na minha vagina aberta e, sem piedade alguma, ele me aperta contra si.

— Assim... vamos, querida, arranhe minhas costas.

Solto um gemido... grito e o arranho. Por alguns minutos, Eric movimenta os quadris em círculo e seu pau se move dentro de mim ao mesmo tempo que eu me aperto contra ele. Adoro essa sensação.

— Eric...

— Fala, querida... — sussurra enquanto me pressiona mais algumas vezes contra si e me dá a impressão de que vai me partir em duas.

— Adoro isso... ah... sim... adoro.

Faz que sim com os olhos faiscando.

— Eu sei, pequena... eu sei.

Ao nosso lado, Björn nos observa e, segundos depois, se coloca atrás de mim e toca meus mamilos com seus dedos enquanto Eric volta a me apertar contra sua enorme ereção.

— Hoje não, querida... mas algum dia nós dois vamos comer você pela boceta.

Um espasmo percorre meu corpo. Grito... respiro ofegante.

Um gemido alto chama minha atenção e logo vejo Frida em cima da cama. Em que momento ela entrou?

Parece estar com tanto tesão quanto eu. Dois homens comem ela. Andrés, seu marido, pela vagina, e Fred com força pelo ânus. Nossos olhares se encontram e eu fico arrepiada. Nós duas gostamos do que esses homens fazem conosco, enquanto nos sentimos como suas bonecas, seus brinquedinhos, e cedemos aos seus caprichos.

Sinto que um orgasmo devastador vai sair de mim... calor... calor... calor...

Minha vagina se contrai e suga a enorme ereção de Eric. Nós dois gritamos. Eu gozo, enquanto Eric saboreia meu orgasmo.

Exausta, fico entre seus braços e ele me sussurra palavras de amor cheias de ternura. Parece mentira que tenhamos essa intimidade na frente de outras pessoas. Mas sim. Esse é um momento totalmente íntimo entre nós dois.

44

Dois dias depois, após a noite de sexo selvagem que tivemos no quartinho de jogos de Frida e Andrés, a vida segue seu rumo. Cada vez estou mais envolvida com Eric, e ele cada vez está mais ligado a mim. Tudo de que preciso ou que desejo, antes mesmo de eu pedir, ele me dá. Será que está se apaixonando por mim?

Esta manhã, Andrés decide pedir uma *paella* na praia. Por volta das duas da tarde, descemos para comer no quiosque. Está deliciosa. A melhor *paella* mista que já comi na vida. O telefone de Eric toca o tempo todo, e várias vezes leio o nome de Marta ou o de Betta. Não digo nada, e seus gestos já dizem tudo. Após a *paella*, resolvemos deitar na praia e pegar um pouco de sol.

O telefone de Eric volta a tocar. Ele digita alguma coisa no aparelho, mas logo fica aflito e pede a Andrés que o leve ao chalé. Seu humor mudou e, por mais que ele tente disfarçar, sua cara mudou completamente. Levanto, rápida, e começo a recolher as coisas. Eric, ao me ver, me pega pela mão.

— Fica aqui com Frida, amor. Andrés voltará pra ficar com vocês.

— Não... não, vou contigo — insisto.

— Eu disse pra você ficar, Jud... não quero companhia. Estou com dor de cabeça e preciso ficar sozinho.

Seu mau humor me enerva.

— Olha aqui, seu chato, não me interessa se você não quer companhia, eu disse que volto contigo e não se fala mais nisso.

— Porra! — diz, grunhindo. — Eu disse pra você ficar.

Seu jeito ríspido de falar me assusta.

— Não gosto desses showzinhos e menos ainda quando não sei o motivo. Então vou contigo e pronto.

Mas Eric não deixa. Está irritado e, por mais que eu tente convencê-lo, a única coisa que consigo fazer é deixá-lo ainda mais aborrecido comigo. Finalmente Frida se coloca entre nós dois e tenta apartar a discussão. Andrés fala algo com Eric e o acalma. Não entendo por que ele está assim e me recuso a lhe dar um beijo quando ele vai embora com Andrés.

Por um momento, Frida e eu ficamos quietas pegando sol, até que ela diz:

— Judith, não se preocupa. Não está acontecendo nada.

Mordo os lábios. Estou irritada. Sento na toalha.

— Está acontecendo, sim, Frida. As mudanças de humor dele me desesperam. Uma hora está bem e na outra...

— Vocês se conhecem há pouco tempo, né?

— É. Uns dois meses, mais ou menos.

— Só isso?

— Só.

Faz um gesto com a cabeça.

— Então, menina... te garanto que conheço Eric há muitos anos e nunca o vi tão envolvido com uma mulher.

— Ah, sim... claro.

— Estou falando sério, Judith. Não tenho por que mentir pra você.

Quero acreditar no que ela diz. Preciso disso. Mas então lembro como ele estava aborrecido.

— Não o conheço bem, Frida. Ele não permite, a não ser no plano sexual e, apesar de estar descobrindo coisas que gosto e que sem ele eu nunca experimentaria, quero e preciso saber sobre ele. Sobre Eric como pessoa.

Frida contrai os lábios. Tenho vontade de lhe fazer mil perguntas.

— Quem são Betta e Marta? Todo dia recebe várias mensagens delas.

Noto que minha pergunta incomoda Frida.

— Sei que você sabe do que estou falando. Não negue. Por favor, me diga o que está acontecendo.

Frida levanta os óculos escuros para me olhar diretamente nos olhos, e murmura:

— Judith...

Por alguns instantes eu a encaro e por fim baixo o olhar, rendida. Tudo é misterioso em torno dele, e eu digo enquanto me deito na toalha:

— Tá bom, Frida, vamos pegar um bronzeado.

45

Cerca de duas horas depois, Andrés desce para nos buscar na praia. Está de bom humor e, enquanto andamos até o carro, me diz que Eric está descansando. Faço que sim com a cabeça. Não quero perguntar mais nada. Já basta a preocupação com as ligações daquelas mulheres. Quando chegamos ao chalé, vou direto para a piscina. Se Eric está descansando, não quero incomodar.

Frida e Andrés desaparecem e eu fico sozinha na piscina. Pego meu iPod e coloco os fones. Escuto Jesse James estirada numa das espreguiçadeiras e cantarolo. Meia hora depois, Eric aparece na porta usando óculos escuros. Para ao meu lado. Não olho pra ele. Não digo nem oi. Continuo chateada. Por mais de dez minutos, permanecemos em silêncio até que ele tira um dos meus fones de ouvido.

— Oi, moreninha.

Com uma expressão que demonstra meu aborrecimento, tiro o fone de sua mão e o recoloco no meu ouvido. Ao ver minha pouca disposição para conversar, senta-se confortavelmente numa das espreguiçadeiras em frente a mim, põe os braços acima da cabeça e me olha. Me olha... Me olha... Me olha e, ao fim, eu o provoco:

— Pelo seu bem, pare de me olhar.

— Ah é? Por quê? Você vai me bater?

Solto o ar bufando. Sinto vontade de lhe dar uma bofetada com a mão bem aberta.

— Olha, Eric, agora quem não quer você por perto sou eu. Vai dar uma volta.

Ele sorri e isso me irrita mais ainda.

Me levanto e ele faz o mesmo. E, sem pensar em mais nada, eu o empurro e ele cai de roupa na piscina.

— Mas, Jud, o que você está fazendo? — protesta.

Com rapidez, pego minha bolsa de praia e corro para o quarto. Entro e vou direto para o chuveiro. Ali vejo a nécessaire aberta de Eric e pela primeira vez examino os frascos de comprimidos. O que é isso? Mas, antes que eu possa chegar mais perto para ler os rótulos, ele entra no banheiro e começa a tirar a roupa molhada.

— Então, Jud, o que há com você?

Não olho para ele. Passo ao seu lado e respondo aborrecida:

— Nada que te interesse.

— De você me interessa tudo, pequena.

Senti-lo tão relaxado, enquanto eu estou no maior estresse, me faz olhar pra ele com mais raiva ainda.

— Eric, quando estou irritada, é melhor não falar comigo, ok?

— Por quê?

— Porque não.

— E por que não?

— Bom, vamos ver, você é burro? Não vê que está me irritando ainda mais?

— Se você quiser, posso falar com Frida pra você fazer uma faxina geral agora mesmo. Te conheço e sei que, quando está irritada, gosta de limpar a casa.

Ao escutar isso, solto um grunhido. Não estou no clima de brincadeira. Ele chega mais perto de mim e se abaixa, ficando na minha altura.

— Posso passar metade da minha vida te pedindo desculpas. Mas vale a pena pelo simples fato de estar contigo e ver sua cara quando você me perdoa.

Tenta me beijar e eu não deixo.

— Outra vez me virando a cara?

Seu comentário e principalmente sua expressão acabam me fazendo sorrir.

— Sim e, se você não se afastar, vou te dar um tapa.

— Uau! Adoro esse seu temperamento tão espanhol...

— E sua teimosia alemã me tira do sério, seu cabeça-dura!

Em seguida, me enlaça pela cintura, me deita na cama e me beija. A toalha fica pelo caminho e eu estou nua. Tento desviar sua boca da minha, mas ele é muito mais forte que eu e, quando consegue me enfiar a língua, já não raciocino mais, a irritação foi embora, e eu correspondo aos seus beijos selvagens.

— Gosto assim... — me diz. — Que você seja uma fera que, quando eu quero, consigo domesticar.

Seu comentário machista me faz lhe dar uma mordida no ombro, e ele se encolhe, olha para mim e morde meu pescoço.

— Sua besta...!

— Para você, sempre, pequena. Somos como a bela e a fera. Claro, a bela é você, e a fera, a besta, sou eu.

Isso me faz sorrir outra vez e, após aceitar com prazer o beijo de reconciliação, percebo que a cara dele não está boa.

— Está tudo bem, Eric?

— Sim. Mas quem importa aqui é você, não eu.

— Não, senhor Zimmerman, não. O senhor está muito enganado. Aqui quem não estava bem agora há pouco e não está com uma cara nada boa neste momento é o senhor. Se alguém aqui precisa se preocupar, é a minha humilde pessoa, não o senhor.

Eric sai de cima de mim, vem pro meu lado, com o rosto bem na minha frente.

— Você é linda.

— Não vem com conversa fiada, Eric... e me responde, o que você tem? Acabei de encontrar na sua nécessaire vários frascos de remédios e...

— Você é a mulher mais bonita e interessante que já tive o prazer de conhecer.

— Eric! Quer que eu te xingue e te dê um chute?

— Hummmmm... adoro esse seu lado guerreira.

Sem perder meu sorriso, acaricio seus cabelos.

— Não importa o que você diga. Não vou mudar de assunto. O que você tem? O que são esses remédios todos que você tem?

— Nada.

— Mentira.

— Você acha?

— Sim... acho. E fique você sabendo que está me irritando de novo.

Seus olhos me encaram e eu sei que ele luta para conseguir responder às minhas perguntas. Por fim, murmura sem muita convicção:

— Não está acontecendo nada. E não quero te preocupar.

— Mas me preocupa, sim.

Por alguns instantes que me parecem uma eternidade, ele pensa... pensa... pensa e finalmente diz:

— Jud... há coisas que você não sabe e...

— Me conta e eu logo fico sabendo.

De repente ele sorri e encosta seu nariz no meu em um gesto amoroso.

— Não, querida. Não posso te contar, senão você vai saber tanto quanto eu.

Continuo sem entender e cada vez tenho mais certeza de que ele está me escondendo alguma coisa.

— Escuta, cabeça-dura...

— Não, escuta você. — Mas logo se arrepende do que vai dizer e remexe no meu cabelo. — Ah... moreninha! O que eu faço com você?

Querendo que ele confie totalmente em mim, abro meu coração:

— Se deixar se envolver por mim tanto quanto estou envolvida por você. Talvez, no fim, você passe a me amar e deixe de me esconder seus segredinhos.

Espero uma risada. Uma resposta imediata. Mas Eric fecha os olhos e, com o rosto sério, responde:

— Não posso, Jud. Se eu permitir esse sentimento, só vou sofrer e te farei sofrer também.

— Mas que bobagem é essa? — protesto.

Eric, ao ver minha expressão, tenta mudar de assunto.

— O que você está a fim de fazer amanhã?

Sento na cama e tiro o cabelo do rosto.

— Eric Zimmerman, que história é essa de que, se você tiver sentimentos, vai fazer nós dois sofrermos?

— É verdade.

— Meu sentimento por você já é forte e não há nada que eu possa fazer contra isso. Gosto de você. Você me enlouquece. Adoro você. E não minta pra mim: sei que provoco a mesma coisa em você. Eu sei disso. Sua cara me diz, seus olhos me observando, suas mãos quando me acariciam e seu modo possessivo quando fazemos amor. E agora me diga de uma vez por todas o que são esses remédios.

Seu rosto se contrai e, com um movimento decidido, Eric se levanta da cama. Vou atrás dele. Eu o sigo até o banheiro, onde joga água na cabeça, pega a nécessaire que fecha e arremessa contra a parede. Sem saber o que está havendo, eu o encaro:

— O que está acontecendo? O que foi que eu disse pra te deixar assim? Isso tem alguma coisa a ver com as ligações da tal da Marta e da tal da Betta? Quem são elas? Porque, olha só, eu tentei ficar quieta, ser prudente e não perguntar nada, mas... mas não consigo mais!

Eric não me olha. Sai do banheiro e vai em direção a janela. Vou atrás dele e depois me planto bem na sua frente.

— Não foge de mim. Nós dois estamos neste quarto e eu quero que você seja totalmente sincero comigo e me conte o que está acontecendo. Porra, Eric, não estou te pedindo amor eterno. Só preciso saber o que você tem e quem são essas mulheres.

— Chega, Jud. Não quero falar.

Me desespero e, ao ver meu corpo nu refletido no espelho do armário, decido me vestir. Ponho uma calcinha, uma camiseta rosa e um macaquinho jeans. Depois me viro para ele.

— Então, sobre o que você não quer mais falar?

— Já disse que chega! Por hoje, já estouramos a cota de showzinhos.

— Cota de showzinhos? Mas do que você está falando?

— Esse seu interrogatório está me enchendo.

Mas ganho coragem e agora sou como um touro que entra para matar.

— Ah, minhas perguntas estão te enchendo? Que pena...! Pois saiba que o que me enche é sua falta de respostas. A cada dia te entendo menos.

— Não é pra você me entender mesmo.

— Ah, não?

— Não.

Sinto vontade de quebrar o abajur na sua cabeça. Quando responde tão na defensiva, me tira completamente do sério.

— Sabe, eu já tinha praticamente te esquecido depois que você sumiu da minha vida, mas quando você apareceu na porta da casa do meu pai...

— Esquecido? — diz Eric, pertinho do meu rosto. — Como você poderia ter me esquecido e fazer essa tatuagem?

Tem razão.

A frase que tatuei é nossa, e não tenho como rebater isso.

— Verdade, tatuei essa frase por sua causa. Eu mal te conhecia quando fiz isso, mas alguma coisa dentro de mim me dizia que seria alguém importante na minha vida e eu queria ter no meu corpo algo que fosse apenas nosso e que durasse pra sempre.

— Nosso?

— Sim — grito, cheia de raiva.

— Então quer dizer que, quando você for pra cama com outro, ele vai ver essa frase e repetir, e você vai se lembrar de mim?

— Provavelmente.

— Provavelmente?

— É — eu berro como uma louca. — Provavelmente vou me lembrar de você e cada vez que um homem me disser "Peça-me o que quiser", quando ler essa frase no meu corpo, conseguirei ver seus olhos e sentir o que sinto com você quando cedo aos seus caprichos e transamos.

Minhas palavras o ferem. Sua cara se contrai e ele dá um soco na parede.

— Isso é um erro. Um erro imperdoável da minha parte. Eu deveria ter deixado você continuar sua vida com Fernando ou com quem você quisesse.

— Eric, do que você está falando?

Movimenta-se pelo quarto como um leão enjaulado. Seu rosto está petrificado.

— Pega suas coisas e vai embora.
— Está me expulsando?
— Estou.
— Como assim?!
— Quero que você vá embora.
— O quê?!
— Vou chamar um táxi pra te levar pra casa do seu pai.

Irritada pela resposta, grito:

— Nem pense em fazer isso! Não chame um táxi, que eu não preciso.

Eric se detém. Olha para mim e sinto a dor em seus olhos. O que está acontecendo com ele? Não entendo. Estou com vontade de chorar. As lágrimas imploram para sair, mas me controlo. Ele percebe e se aproxima.

— Jud...
— Você acaba de me expulsar daqui, Eric, não encosta em mim!
— Escuta, menina...
— Não encosta em mim... — repito devagar.

Ele fica a um passo de mim e, nervoso, passa as mãos pelo cabelo.

— Não quero que você vá embora... mas...

Esse "mas" não me agrada nada. Odeio essa porcaria de palavra. Nunca antecipa nada de bom.

— Olha, melhor eu ir. Com "mas" ou sem "mas". Estou de saída!
— Querida... me escuta.
— Não! Não sou sua querida. Se eu fosse sua querida, você não falaria comigo da forma que falou. E, além disso, seria sincero comigo. Me diria quem são Marta e Betta. Me explicaria por que não posso mencionar seu pai e, principalmente, me diria pra que servem esses malditos comprimidos que você guarda na nécessaire.
— Jud... por favor. Não torne as coisas mais difíceis.

Convencida de que quero ir embora, pego minha mochila e começo a enfiar minhas coisas nela. Vejo de relance que ele está me olhando. Está inflexível, com a cara toda tensa e as mãos tremendo. Está nervoso. E, assim como eu, furioso.

— Você é um idiota egocêntrico que só pensa em si mesmo...
— Jud...
— Esqueça meu nome e continue trocando mensagens com aquelas mulheres. Elas com certeza sabem mais sobre você do que eu.

— Que saco, mulher, quer parar de gritar? — berra.

— Não. Não estou com vontade. Eu grito porque quero, porque você merece e porque eu preciso. Babaca! No fim das contas vou acabar dando razão a Fernando.

Está claro que ele não esperava essa frase.

— Vai dar razão em relação a quê?

— Ele falou que você me usaria e depois se cansaria de mim.

— Aquele imbecil te disse isso?

— Sim. E acabo de me dar conta de que é isso mesmo.

O desespero faz Eric se afastar e berrar como um louco.

A porta se abre, e Andrés e Frida entram. Nossos gritos devem ter chamado a atenção deles. Frida vem pro meu lado e tenta me acalmar, enquanto Andrés vai para perto do amigo. Mas Eric não quer falar, apenas solta palavrões em alemão e seus gritos se ouvem até na Conchinchina. Surpresa com tudo isso, Frida me puxa pela mão e me leva para a cozinha. Me dá um copo d'água e tira a mochila das minhas costas.

— Não se preocupe. Andrés vai acalmá-lo.

Irritada com todo mundo, bebo água e respondo:

— Mas, Frida, eu não quero que Andrés o acalme. Quero eu mesma acalmá-lo e, principalmente, quero entender por que ele é assim tão misterioso. Não posso perguntar nada. Não me responde nunca. E, ainda por cima, quando se aborrece, sai correndo ou me expulsa, como fez agora.

— O que houve?

— Não sei. Estávamos brincando, conversando e, de repente, perguntei sobre uns remédios que vi na nécessaire dele e sobre as mensagens e ligações que ele recebe o tempo todo de Betta e Marta.

Caio no choro. A tensão por fim diminui e consigo desabafar. Frida me abraça, me faz sentar a seu lado na cozinha e murmura:

— Jud... fique calma. Tenho certeza de que o que vocês tiveram foi uma briguinha de casal apaixonado e já vai passar.

— Apaixonados? — pergunto, intrigada. — Mas você não ouviu o que eu disse?

— Sim. Ouvi muito bem. E, ainda que Eric não te diga, eu repito o que te falei há algumas horas lá na praia. Está louco por você. É só ver como ele te olha, como te trata e como te protege. Eu o conheço há mais de vinte anos, somos grandes amigos, e pode acreditar em mim quando digo que sei que ele sente algo muito forte por você.

— E como você sabe?

— Sabendo, Jud. Confia em mim e, sobre essas mulheres, não se preocupa. Pode acreditar em mim.

Nesse instante, Andrés aparece na porta, olha para mim e murmura com uma cara constrangida:

— Judith... Eric quer que você suba no quarto.

— Não. Nem pensar. Ele que desça.

Minha resposta os desconcerta. Os dois se olham e Andrés insiste:

— Por favor, sobe, ele quer falar contigo.

— Não. Ele que desça — insisto. — Mas, bem, quem ele pensa que é pra que eu tenha que ir atrás dele como uma idiota? Não. Não vou subir. Se ele quiser, que desça.

— Judith... — sussurra Frida.

— Por favor — imploro, louca para ir embora dali —, preciso que vocês chamem um táxi. Por favor...

Frida e ele se olham, alarmados, e Andrés diz:

— Judith, Eric disse que...

Com a raiva instalada no meu rosto, nas minhas veias e em todo o meu ser, contesto:

— Não estou nem aí pro que Eric disse, assim como ele não está nem aí pra mim. Por favor, chama um táxi. É só isso que te peço.

— Não ponha palavras na minha boca — diz Eric, que aparece na porta.

Eu o encaro. Ele me encara também e voltamos a nos comportar como dois rivais.

— Frida, por favor, chama um táxi — exijo.

Andrés e Frida se olham. Não sabem o que fazer. Eric, transtornado, não se aproxima de mim.

— Jud, não quero que você vá embora. Sobe comigo até o quarto e a gente conversa.

— Não. Agora sou eu que não quero falar contigo e que quero ir embora. Não vou mais deixar você me usar. Acabou!

Eric fecha os olhos e respira fundo. Minha última frase o magoou, mas ele decide não responder. Quando abre os olhos, não me olha.

— Frida, por favor, chama um táxi.

Dito isso, ele se vira e sai. Dez minutos depois, um táxi chega à porta da casa. Eric não volta a aparecer. Me despeço de Frida e Andrés e, com toda a dor do meu coração, vou embora. Preciso me afastar desse lugar e de Eric.

46

Em Jerez, meu pai não fala nada, fica só me olhando.

Faz três dias que cheguei e estou um trapo humano. Meu pai sabe que não estou bem, que aconteceu alguma coisa entre mim e Eric, mas respeita meu silêncio. Já os vizinhos se comportam de forma diferente. Volta e meia me perguntam pelo "Frankfurt" e isso me deixa desesperada. Algumas vezes eles não têm o menor tato, e esta é uma dessas vezes.

Alguém avisa Fernando de que cheguei. Ele manda torpedos e no terceiro dia aparece. Estou na beira da piscina, deitada numa espreguiçadeira, quando o vejo chegar.

— Oi — me cumprimenta.

— Oi — respondo.

Senta-se na espreguiçadeira ao lado da minha e não diz nada. Nenhum de nós diz nada. Meu pai se debruça na janela da cozinha e nos olha, mas não se aproxima. Deixa a gente conversar.

— Você está bem, Judith?

— Estou.

Silêncio... ninguém diz mais nada, até que Fernando acrescenta:

— Sinto muito que você esteja assim.

— Tudo bem — respondo com um sorriso. — Como você mesmo previu, acabei me dando mal.

— Não me alegro por isso, Judith.

— Eu sei.

De novo, silêncio. De repente, começa a tocar no rádio *Satisfaction*, dos Rolling Stones e só podemos sorrir. No final quem fala sou eu:

— Sempre que escuto essa música, me lembro da festa que Rocío deu há alguns anos. Você lembra que a gente acabou ficando junto bem nessa hora?

Fernando sorri concordando e começa a cantar. Ele se levanta, sai dançando e isso me faz rir. Canto e danço junto com ele, esquecendo todos os problemas.

Quando a música termina, nós dois rimos e nos olhamos. Levanto os braços em busca de um abraço e nós nos abraçamos.

— Assim que eu gosto de te ver, Judith. Alegre. Como você é. Me desculpa por ter me metido onde não era chamado, mas às vezes nós, homens, nos comportamos feito idiotas.

— Está desculpado, Fernando. Me desculpa também.

— Claro. Não tenha a menor dúvida disso.

Nessa noite, saio para jantar com ele e encontrar nossos amigos. Minha amiga Rocío se surpreende ao me ver aparecer com ele, e não me pergunta sobre Eric. Ninguém faz a menor referência ao homem com o qual me viram nas últimas semanas, e eu me limito a não pensar e a curtir tudo que posso.

Os dias passam e Eric não faz qualquer contato. Não entendo como umas férias maravilhosas podem acabar assim, tão de repente e num clima tão ruim, quando na verdade nos entendíamos só de nos olhar. A presença de Fernando esses dias me faz sorrir. Não tentou nada comigo. Não se aproximou de mim mais que o necessário, e eu fico agradecida por ele se comportar como um amigo.

Minha irmã aparece sem avisar, com José e minha sobrinha, como sempre faz. Meu pai fica louco de felicidade. Ter por perto as filhas e a neta é seu maior prazer, e ele fica todo orgulhoso.

Luz é a alegria da casa. Com ela ganho uma nova energia. Minha irmã e meu cunhado estão felizes. Trocam carinhos, saem toda noite para jantar e voltam superempolgados. Isso me deixa feliz. Fazia anos que eu não via Raquel tão sorridente, disposta e apaixonada.

Contente por sua felicidade, vejo como meu cunhado a observa, como se olham e como procuram, sempre que podem, ficar sozinhos. O casal está tão desinibido, que até meu pai às vezes olha para eles assombrado. Raquel tenta falar comigo. Sabe que estou mal, por mais que eu sorria, mas eu lhe peço que deixemos a conversa para outro dia. Pela primeira vez na minha vida, a chata da minha irmã respeita minha decisão. Deve estar realmente me achando com uma cara péssima.

Uma noite, depois de Fernando me deixar em casa, pelas três da manhã, vou até o balanço dos fundos da casa. Faz uma noite linda e o céu está muito estrelado. Meu pai me vê pela janela e vem se sentar ao meu lado. Traz duas Cocas. Pego uma e ele dá um gole na outra.

— Estou muito feliz por ver sua irmã tão contente, mas me parte o coração te ver tão triste, e em geral costuma ser o contrário.

— Que ela continue assim por muito tempo, pai. Ficamos muito felizes.

Nós dois sorrimos e meu pai me cochicha:

— Eu não estranharia nada se logo, logo eu fosse avô outra vez... Você reparou como eles estão?

Achando graça, concordo com ele.

— Reparei, sim, pai. É maravilhoso ver como eles estão se entendendo tão bem.

Tomamos outro gole de nossas Cocas.

— Escuta, moreninha. Você tem muito valor, e eu tenho certeza de que Eric sabe disso.

— E de que adianta, pai?

— De muita coisa, querida, você logo vai descobrir. Eric é um homem com H maiúsculo e você vai ver só como ele não vai te deixar escapar.

— Talvez eu é que vá deixá-lo escapar.

Meu pai sorri e acaricia meu cabelo.

— Mas, nesse caso, moreninha, é você quem vai fazer a maior besteira da sua vida.

Incapaz de continuar guardando meu segredo, olho para ele e digo:

— Pai, Eric é meu chefe. O chefão da empresa. Pronto, agora você já sabe.

Meu pai fica em silêncio por alguns segundos e coça a barba.

— É casado?

— Não, pai... Eric é solteiro e sem compromisso. Quem você pensa que sou?

Sinto que meu pai respira aliviado. A última coisa que ele iria querer era escutar que Eric é casado, então sei que minha resposta, de certa forma, o deixa mais tranquilo.

— Não te olha como um chefe e eu sei o que estou dizendo, filha. Esse homem te olha como a mulher que ele ama e deseja proteger. Mas preciso admitir que Fernando te olha da mesma forma e eu sinto pena do rapaz.

Dou de ombros e suspiro. Ao ver que não digo mais nada sobre o assunto, ele pergunta:

— E aí, volta amanhã pra Madri?

— Volto. Logo depois do café, ponho a mala no carro e pego a estrada. Quero chegar numa hora boa pra fazer umas compras e essas coisas todas.

— E aqui, quando você vai voltar?

— Não sei, pai. Quando eu tiver mais de quatro dias seguidos de foga. Você já sabe que não gosto de vir pra passar só algumas horas...

— Eu sei... querida... eu sei.

Como fazia quando eu era pequena, me abraça, me embala em seus braços e beija meu cabelo.

— Sei que você vai ser feliz porque você merece. E, se você e esse Eric não se derem uma nova chance, vão se arrepender pelo resto da vida. Pensa nisso, ok?

— Ok, pai... vou pensar.

47

No dia 27 de agosto, volto ao trabalho.

Minha chefe está de férias, o que me dá uma trégua. É bom demais estar longe do seu veneno. Miguel também não está e eu sinto falta de suas piadas. Mas meu desânimo é tamanho, que quase prefiro que ninguém venha falar comigo.

Cada vez que olho na direção da sala de Eric ou entro no arquivo, morro de tristeza. Impossível não pensar nele. Nas coisas que me dizia, no que fazia comigo ali, e tenho que me segurar muito para não chorar.

Meus amigos não saíram de férias, e marco com eles um cinema ou vamos tomar umas cervejas de tarde depois da academia. Meu grande amigo Nacho tenta conversar comigo, mas eu não tenho vontade. Não quero lembrar o que aconteceu. A presença de Eric no meu coração ainda está muito forte e, enquanto eu não o esquecer, sei que minha vida não voltará ao normal.

No dia 31 de agosto, recebo uma mensagem de Fernando. Por acaso está em Madri até 4 de setembro e vai ficar, como sempre, num hotel perto da minha casa. Combinamos de nos encontrar.

Eu o levo uma noite para jantar na Cava Baja, e em outra ocasião vamos a um restaurante japonês. Nesses dias marco com meus amigos e saímos todos juntos para beber depois do jantar. Para minha surpresa, vejo que Fernando se dá bem com minha amiga Azu e isso me alegra. Ele cumpre sua palavra. Comporta-se como um amigo e fico agradecida por isso.

No dia 3 de setembro, minha chefe, Miguel e quase todos os funcionários da Müller reaparecem. O ritmo volta a ser frenético e, quando vou ver, minha chefe já me afogou num mar de papéis outra vez. Miguel voltou animado das férias. Me conta histórias enquanto trabalhamos, o que me faz rir. O telefone interno toca, e minha chefe pede que eu vá à sua sala. Vou logo.

— Sente-se, Judith. — Obedeço e ela continua: — Como você deve se lembrar, a viagem do senhor Zimmerman às sucursais da Müller pela Espanha teve que ser adiada para depois de setembro, certo?

— Certo.

— Pois então. Falei com o senhor Zimmerman e as viagens serão retomadas.

Meu estômago se contrai e fico inquieta. Ouvir falar dele deixa meu coração a mil. Ver Eric de novo é o que preciso, embora eu saiba que não é o mais recomendável para mim.

— Quero que você prepare os dossiês relativos a todas as sucursais. Zimmerman quer começar a viagem nesta quarta-feira.

— Está bem.

Fico parada. Na quarta-feira vou vê-lo. Estou quase gritando como uma louca, até que minha chefe diz:

— Judith, vamos... não fique aí parada como uma pateta.

Concordo com um gesto de cabeça. Me levanto, mas, quando vou sair da sala, ouço minha chefe dizer:

— A propósito, desta vez sou eu que vou acompanhar o senhor Zimmerman. Ele mesmo me pediu isso ontem quando nos reunimos no Villa Magna.

Ouvir isso é como levar uma surra. Eric está em Madri e nem se dignou a me procurar. Minhas ridículas ilusões de voltar a vê-lo se dissipam de uma só vez, mas consigo sorrir concordando. Quando saio da sala, sinto as pernas fraquejarem e vou logo para minha mesa. Miguel percebe.

— O que você tem?

— Nada. Deve ser o calor — respondo.

Quando saio do escritório, estou desnorteada. Me sinto ofendida. Furiosa e muito chateada. Pego o carro no estacionamento e, sem saber por quê, me dirijo à avenida Castellana. Ao passar em frente ao hotel onde Eric está hospedado, olho para lá, entro em uma das ruazinhas transversais e estaciono. Como uma idiota, vou até o hotel, mas não entro. Fico parada a poucos metros da porta sem saber o que fazer.

Durante uma hora, minha mente ferve e eu tento me acalmar, até que, de repente, vejo seu carro se aproximar. Para na porta do hotel e de dentro do automóvel saem Eric e... Amanda Fisher! Ambos sorriem, parecem se entender muito bem, e se enfiam no hotel.

O que Amanda está fazendo em Madri?

O que Amanda está fazendo nesse hotel?

As respostas se atropelam umas às outras e, furiosa, vou registrando todas elas. Chateada com o mundo e perplexa com o que vi, pego o carro e me dirijo ao hotel onde sei que provavelmente Fernando está.

Chego e subo direto ao seu quarto. Quando ele abre a porta me olha surpreso.

— Não me diga que tínhamos marcado alguma coisa e eu esqueci?!

Não respondo. Me jogo em seus braços e beijo sua boca. Nem preciso dizer que ele, ao ver minha empolgação, fecha a porta. Continuo beijando-o enquanto ele tira meu blazer e depois desabotoa a calça, que cai no chão.

Decidida, me penduro nele e Fernando me atira na cama e murmura enquanto abro com desespero o botão de seus jeans:

— O que você está fazendo, Judith?

Não respondo. Preciso extravasar a fúria que tomou conta do meu corpo. Ao me ver tão fogosa, ele arranca a blusa pela cabeça e volta a me beijar. Mas, se afasta um pouco de mim e diz:

— Judith... está acontecendo alguma coisa? Não quero que depois você...

— Fernando... cala a boca e me come.

Ele fica paralisado por alguns segundos, mas seu desejo por mim o faz reagir e não pensar em mais nada. Sem dizer mais nada, tira a calça e a cueca, e vejo que já está pronto para me possuir. Respiro com irregularidade, e o calor sobe por todo o meu corpo. Então me lembro de uma coisa.

— Me dá minha bolsa.

Sem hesitar, Fernando me entrega e, enquanto eu pego o vibrador que Eric me deu, ele coloca um preservativo.

— Tira minha calcinha.

Enfia os dedos pelo elástico da calcinha e a retira com cuidado, quando de repente nota minha tatuagem e sussurra:

— "Peça-me o que quiser."

Eric! Eric! Eric!

Fico nua da cintura para baixo e murmuro enquanto abro as pernas:

— Olha pra mim, por favor.

Atônito, faz que sim com a cabeça, ainda surpreso com minha tatuagem. Ligo o vibrador e o coloco onde sei que vai me dar prazer. Instantaneamente meu corpo reage e respiro ofegante. Fecho os olhos e sinto que é Eric quem está diante de mim e não Fernando.

Eric... Eric... Eric...

Vou curtindo a sensação do vibrador no meu clitóris, solto um gemido e fecho as pernas com o prazer chegando. De repente, duas mãos me tiram da minha fantasia particular e abro os olhos. Fernando, excitado, se enfia entre minhas pernas e entra em mim. Grito e ele suspira. Sinto meu corpo preenchido e eu o escuto gemer.

Estou tão descontrolada, com tanta vontade de esquecer tudo, que aumento a potência do vibrador, grito e me encaixo nele. Fernando, ao ver isso, tira o vibrador das minhas mãos, me segura pelas coxas e toma meu corpo, várias vezes sem descanso, com movimentos certeiros, enquanto meu orgasmo vem e quero mais. Preciso de mais. Preciso de Eric.

Penso nele. Em como me faz vibrar com suas ordens, até que sinto Fernando envolvendo minhas costas com suas mãos e, num movimento, me erguendo da cama e me apoiando contra a parede. Sua boca procura a minha e me beija enquanto ele pressiona nossos corpos um ao outro.

— Judith...

Transtornada, eu o encaro com os olhos cheios de lágrimas. Ao ver meu estado, sinto que ele se detém.

— Não para, por favor... agora não.

Retoma o movimento. Dentro... fora... dentro... fora. Enquanto isso, me sinto presa contra a parede e chego ao clímax. Me entrego a ele com fúria. Grito o nome de Eric e, quando gozamos juntos, sabemos que o que eu tinha ido procurar ali acaba de acontecer.

Tudo chega ao fim e eu continuo entre seus braços por alguns minutos. Me sinto péssima. Não sei o que fui fazer e, principalmente, não sei por que fiz. Quando Fernando me solta, vou ao banheiro sem olhar para ele. Me limpo, lavo o rosto e me olho no espelho. O rímel borrado me deixa com uma aparência deplorável. Minha cara não poderia estar pior.

Cinco minutos depois, mais refeita, saio do banheiro e Fernando me espera vestido sentado na cama. Vejo o vibrador e, sem dizer nada, pego e guardo. Depois lavo em casa. Me visto e sento diante dele. Devo-lhe uma explicação.

— Fernando... não sei como te explicar isso, mas primeiro eu queria te pedir desculpas.

Ele concorda com a cabeça e me olha.

— Desculpas aceitas.

— Obrigada.

Nos olhamos por alguns segundos.

— Você sabe que eu adoro o que acabamos de fazer. Gosto muito de você e, por mim, passaria o dia inteiro te beijando e...

— Fernando, não torne as coisas mais difíceis, por favor.

— Essa tatuagem é por causa dele, né? — pergunta de repente.

— É.

Em seu olhar percebo que ele quer me dizer um monte de coisas.

— Não gostei do motivo que te trouxe aqui. Você não veio porque queria ir para a cama comigo. Nem porque queria me ver. Se você até disse o nome dele enquanto estávamos transando. Merda!

— O quê?!

— Você disse o nome dele.

— Ai, meu Deus, desculpa!

— Não. Não peça desculpas. Com isso entendi bem por que você veio aqui.

— Estou com tanta vergonha... Não sei por que escolhi você pra fazer isso. Podia... podia...

— Olha, Judith... — diz, pegando minhas mãos —, prefiro que você tenha vindo aqui, mesmo pensando em outro, a que você fizesse uma loucura com qualquer um.

— Ai, Deus... estou mesmo ficando louca! Eu... eu...

— Judith, eu te prometi que não voltaria a falar desse homem e não quero falar. Você sabe o que penso dele e nada mudou. Só espero que você própria se dê conta do que você está fazendo e por quê.

Estou de acordo. Me levanto para ir embora e ele me acompanha. Quando chego à porta, Fernando me pega pela cintura e me beija. Me beija apaixonadamente.

— Você sabe que vai me ter sempre, né? — diz quando se afasta. — Mesmo que seja pra me usar como objeto sexual.

Dou um soco nele de brincadeira e sorrio. Instantes depois, saio do quarto aturdida.

Quando estou indo pegar o carro, penso em meu amigo Nacho e decido ir agora mesmo até seu estúdio. Ao me ver, ele fica logo preocupado com meu estado. Não sabe o que está acontecendo comigo, mas sabe, sim, que estou precisando conversar. Me convida para jantar.

Nessa noite, Nacho demonstra o excelente amigo que é. Não conto que Eric é o meu chefe, nem falo de nossas intimidades. Isso eu não quero que ele saiba. Mas o resto, a relação estranha que cultivamos, eu lhe explico. Após me escutar, Nacho me aconselha a deixar meu orgulho de lado e diz que, se estou com tanta saudade, devo tentar falar com ele, porque fui eu que me afastei. Ele tem razão. Ao chegar em casa, ligo o computador e mando um e-mail para Eric.

De: Judith Flores
Data: 3 de setembro de 2012 23:16
Para: Eric Zimmerman
Assunto: Está melhor?

Oi, Eric, sinto muito ter ido embora daquela forma. Fui impulsiva e te peço desculpas. Espero que esteja melhor. Eu poderia te ligar, mas não quero incomodar. Por favor, me responda e me dê uma chance de te pedir desculpas olhando nos olhos. Você faria isso por mim?

    Amo você e sinto sua falta. Mil beijos.

    Jud

    Escrevo essas palavras e envio em seguida. Por mais de três horas espero a resposta. Sei que ele leu o e-mail. Sei que, no hotel, seu computador terá apitado, avisando que ele recebeu uma mensagem. Sei de tudo isso e sofro por isso.

48

De: Judith Flores
Data: 4 de setembro de 2012 21:32
Para: Eric Zimmerman
Assunto: Sou insistente

Uma vez você me disse que a melhor coisa de me pedir desculpas era ver minha cara quando eu te perdoava e poder ficar comigo. Não acha que eu posso querer o mesmo de você?

Um beijinho ou dois ou três... ou quantos você quiser.

Moreninha

De: Judith Flores
Data: 5 de setembro de 2012 17:40
Para: Eric Zimmerman
Assunto: Oi, irritadinho

É óbvio que você está chateado comigo. Ok... entendo. Mas quero que saiba que não estou chateada com você. Boa viagem! E espero que te tratem bem nas sucursais, apesar de você ter decidido ir com outra pessoa que não eu.

Beijo,
Jud

De: Judith Flores
Data: 6 de setembro de 2012 20:14
Para: Eric Zimmerman
Assunto: Adivinha quem é

Oi, quando falei com a minha chefe por telefone, ouvi tua voz no fundo. Você não imagina a esperança que isso me deu. Ao menos você está vivo! Espero que esteja bem. Sinto sua falta.

Beijocas,
Jud

De: Judith Flores
Data: 7 de setembro de 2012 23:16
Para: Eric Zimmerman
Assunto: Toc, toc!
Como dizem, graças a Deus é sexta-feira!
Amanhã vou para o campo.
Eu e meus amigos alugamos um sítio para o fim de semana. E aí, se anima a vir também?
Desta vez não te mando um beijo... com certeza neste fim de semana outras mulheres vão beijar você. Te odeio por isso!
Judith

De: Judith Flores
Data: 10 de setembro de 2012 13:16
Para: Eric Zimmerman
Assunto: Começamos de novo?
Já estou de volta!
Meu fim de semana foi divertido, se bem que vacas e galinhas não são a minha praia. Levei uma picada de abelha na mão e você não imagina a dor que estou sentindo... Mas, como você verá, não me cortaram a mão fora (para sua tristeza... hehehehe)
... hoje também te mando um beijo, embora eu comece a duvidar se você quer um beijo meu.
Judith

De: Judith Flores
Data: 12 de setembro de 2012 22:30
Para: Eric Zimmerman
Assunto: Estava sentindo minha falta?
Ontem meu modem morreu e por isso não te escrevi.
Mas hoje meu amigo Nacho trocou o aparelhinho pra mim e volto a carga.
Você não vai me responder mesmo?
Judith

De: Judith Flores
Data: 13 de setembro de 2012 21:18
Para: Eric Zimmerman
Assunto: Estou ficando cansada

Olha só... estou te escrevendo desde o dia 3 e você nunca responde. Você não vai fazer isso nunca ou só está querendo me provocar ainda mais? Como você pode imaginar, minha casa está um brinco de tão limpa. Com tanta irritação, é o que consigo fazer.

Kiss (digo em inglês pra ver se você entende melhor),
Judith

De: Judith Flores
Data: 14 de setembro de 2012 23:50
Para: Eric Zimmerman
Assunto: Desisto!
Ok... já vi que sua resposta é não responder.

Você sabe que sou muito orgulhosa, e por você, seu desgraçado cabeça-dura convencido, estou deixando o orgulho de lado todos os dias?

Esta é minha última mensagem. Se você não responder, não vou te escrever nunca mais. É bom que você saiba!

Sem beijo,
Judith

De: Judith Flores
Data: 17 de setembro de 2012 22:36
Para: Eric Zimmerman
Assunto: Sim... sou eu, o que está acontecendo?

Fique você sabendo que agora, sim, estou mesmo chateada. Como você pode ser tão orgulhoso?

Judith

De: Judith Flores
Data: 19 de setembro de 2012 22:05
Para: Eric Zimmerman
Assunto: Só tenho mais uma coisa a te dizer.
BABACA!
Jud

49

Hoje, 21 de setembro, é o aniversário dele. Eric faz 32 anos e inexplicavelmente estou feliz por ele. Sou mesmo muito idiota.

Não apareceu mais no escritório. Após as viagens de trabalho, foi diretamente para a Alemanha e nunca mais pisou na Espanha.

Estou perdida no meu próprio mundo quando o telefone interno começa a tocar. Minha querida chefe me chama na sua sala. Assim que entro, ela me encarrega de um monte de coisas e diz:

— Faça também uma reserva pra hoje à noite às nove e meia no Moroccio pra dez pessoas em nome do senhor Zimmerman. Deve ser no nome dele, senão eles não farão a reserva, entendido? — Faço que sim com a cabeça. — Depois, marque um horário no cabeleireiro pra mim pra dentro de uma hora.

Concordo outra vez e tento controlar o nervosismo.

Eric está na Espanha? Em Madri?

Jud... fica calma!

Quando saio da sala, meu coração dispara.

Procuro na internet o telefone do Moroccio e, quando encontro o número, respiro fundo e ligo.

— Moroccio, bom dia.

— Olá, bom dia. Estou ligando pra fazer uma reserva pra hoje à noite.

— Em nome de quem, por favor.

— Seria às nove e meia, pra dez pessoas, em nome do senhor Eric Zimmerman.

— Ah, sim, o senhor Zimmerman — ouço o garçom repetir. — Algo mais?

Meu coração vai sair pela boca. De repente, uma ideia me ocorre. É uma maldade, mas eu nem paro para pensar nas consequências.

— Também gostaria de reservar outra mesa pra duas pessoas, às oito, em nome da senhora Zimmerman.

— A esposa do senhor Eric Zimmerman? — pergunta o garçom.

— Exatamente. Para a esposa dele. Mas, por favor, não comente nada com ele. É uma surpresa de aniversário.

— Certo.

Desligo e ponho a mão na boca. Acabo de aprontar uma das minhas e isso me faz rir. Sem hesitar, ligo para Nacho. Hoje à noite serei eu quem o convidará para jantar.

Usando um lindo vestido preto tomara que caia que ganhei da minha irmã e um coque alto no estilo Audrey Hepburn, chego ao estúdio de Nacho. Assim que me vê, ele assobia surpreso.

— Uau, você está deslumbrante!

— Obrigada. Você também — digo, sorrindo.

Nacho sorri de volta e abre os braços.

— Só pra você saber, esse é o terno do casamento do meu irmão e estou usando agora porque você me pediu. Não sou nada chegado nesse lance de etiqueta.

— Eu sei. Mas você tem de estar de terno para poder entrar aonde vamos.

Nacho está sabendo mais ou menos o que planejei.

— Você tem certeza de que quer fazer isso, Judith?

— Não sei. Essa é minha última cartada. Vamos ver o que acontece.

Às oito em ponto entramos no Moroccio.

O garçom, após confirmar nossa reserva, me olha surpreso e vejo que aprova minha aparência. Deve me ver como a digna mulherzinha do senhor Zimmerman. Dissimulada, eu cochicho a ele que não comente sobre minha presença. Quero surpreender meu marido porque é aniversário dele, e depois peço para ele deixar preparada uma torta de morango e chocolate. O garçom faz que sim, encantado com minha simpatia, e diz para eu não me preocupar. Minha torta será servida. Como eu já imaginava, nos levam a um dos ambientes reservados e eu observo como Nacho fica surpreso com o lugar e olha ao redor.

— Que lugar é esse!

— Pois é. Um luxo. — Sorrio enquanto torço para que nenhuma luz se acenda e ele me pergunte o que é.

— Aliás, que história é essa de "senhora Zimmerman"? Seu sobrenome não é Flores?

Solto uma risada.

— A senhora Zimmerman é a mulher da pessoa que vai pagar nosso jantar.

Nacho faz cara de quem não entendeu nada. O garçom entra e deixa na nossa frente um vinho excelente, que tomamos, mas logo me dou ao luxo de pedir uma Coca. Nacho está assustado com o preço de tudo e vejo sua expressão de preocupação.

— Judith, acho que vamos nos dar mal com o que estamos fazendo.

— Não se preocupa. Pode pedir o que quiser. O senhor Zimmerman vai pagar.

— Esse é o sobrenome de Eric?

— É...

— Está cheio da grana, o cara?

— Digamos que ele pode se permitir muitas coisas.

— Ele é casado?

— Não. Mas o pessoal do restaurante não sabe.

Nacho faz que sim e sorri. Depois balança a cabeça de um lado para o outro.

— Mas que traiçoeiras são as mulheres.

Tomo um gole da minha Coca.

— Você não sabe de nada — sussurro.

O garçom entra e anota os pratos. Pedimos lagosta e carpaccio de carne ao molho de ervas finas e, como prato principal, lombo ao bourbon. Como era de se esperar, tudo está uma delícia. Olho as horas, são nove e meia e imagino que Eric, minha chefe e seus acompanhantes já chegaram. Eric é muito pontual e isso me deixa nervosa. Saber que ele está a tão poucos metros de distância me põe a mil, mas tento aproveitar o jantar com Nacho. De sobremesa pedimos morangos e fondue de chocolate. Comemos em meio a risadas e, às dez, damos nosso jantar por encerrado.

Quando o garçom entra, eu pergunto:

— Meu marido, o senhor Zimmerman, já chegou?

O garçom faz que sim com a cabeça e meu estômago se contrai, mas, determinada, acrescento:

— Me traga papel, um envelope e uma caneta, por favor?

O homem vai buscar tudo que pedi, e Nacho cochicha:

— O que você vai fazer agora?

— Agradecer o jantar.

— Ficou louca?

— Provavelmente, mas tenho certeza que ele vai gostar disso.

Quando o garçom entra, escrevo no papel:

Caro senhor Zimmerman,

Obrigada por me apresentar um lugar tão especial e pelo jantar a dois que saboreamos em sua homenagem. Estava tudo delicioso, e a sobremesa, como sempre, estava espetacular. A propósito, feliz aniversário! Babaca!

A garota dos e-mails fantasmas

* * *

Assim que acabo de escrever, enfio o papel no envelope, fecho, entrego ao garçom e digo:

— Por favor, o senhor faria a gentileza de entregar isto a meu marido junto com a torta de morango e chocolate quando forem pedir a sobremesa?

Dito isso, Nacho se levanta, me pega pelo braço e num piscar de olhos desaparecemos do restaurante enquanto sorrio e apenas lamento não poder ver a cara que Eric vai fazer. Eu iria adorar essa cara!

50

Às onze, obrigo Nacho a me deixar em casa. Com certeza Eric já vai ver o bilhetinho e a torta, e estou ansiosa para saber como vai reagir.

Às onze e meia, ainda caminho pela casa com os sapatos de salto. Aposto que consegui provocar uma reação e ele chegará a qualquer momento.

À meia-noite, estou ficando desesperada. Será que partiram direto pras brincadeiras sem pedir a sobremesa?

À uma da manhã, frustrada porque meu plano não funcionou, atiro os sapatos no sofá, bem no momento em que ouço meu celular apitando. Me lanço sobre ele. Uma mensagem. Eric. Minhas mãos tremem quando leio: "Obrigado pelos parabéns, senhora Zimmerman."

Leio várias vezes o torpedo. Estou espantada. Só isso? Ele não vai fazer nem dizer mais nada?

Mal-humorada, largo o celular e tomo um gole de Coca. Sinto vontade de ligar e dizer poucas e boas. Mas não. Agora sim coloco o ponto final no meu caso com Eric.

Desfaço com desânimo o coque sofisticado e tiro o lindo vestido e a calcinha provocante que comprei hoje à tarde. Coloco meu pijama de nuvenzinhas azuis e vou remover a maquiagem no banheiro. Pego um lencinho demaquilante e me atrapalho num olho. Não consigo ver o que estou fazendo, apenas passo a toalhinha em círculos enquanto continuo pensando em Eric.

De repente, ouço alguém bater na porta. Meu coração dispara de tanta emoção. Largo o lencinho e corro para espiar pelo olho mágico. Fico sem palavras quando vejo Eric do outro lado. Sem pensar em minha aparência, abro e me encontro frente a frente com ele. Com Eric!

— Senhora Zimmerman?

Está incrível em seu terno escuro e a camisa branca aberta. Seu porte, como sempre, é intimidador, viril, e sua cara... Ah, sua cara...! Adoro essa cara de zangado e vou logo dizendo:

— Tá bom... fiz uma grande besteira.

— Você teve a coragem de dizer no Moroccio que era a senhora Zimmerman? — pergunta.

Dou um passo para trás. Ele dá um pra frente.

— Sim... desculpa... desculpa, mas eu precisava te provocar.

— Me provocar?

Dá outro passo adiante. E eu outro para trás.

— Eric, escuta — digo, afastando o cabelo do meu rosto. — Sei que não agi direito. Abusei da sua generosidade e enganei o pessoal do restaurante. Prometo que vou te reembolsar pelo meu jantar e o do meu amigo. Mas juro que só fiz isso pra te deixar com raiva e te fazer vir até aqui e assim...

— E assim...?

Seu olhar me intimida. É feroz. Mas continuo. É minha única chance. Ele está na minha frente e eu não vou desperdiçar essa oportunidade.

— Preciso te pedir desculpas pela forma idiota como agi no dia em que fui embora de Zahara e... — Ele permanece em silêncio. — Senti sua falta, Eric. Eu te amo.

Sua expressão muda. Torna-se mais suave.

Ah, sim...! Ah, sim!

Meu coração pula de felicidade, no exato momento em que ele dá um passo na minha direção para me abraçar. Me ergue alto e jogo meus braços em torno do seu pescoço. Enrosco as pernas em sua cintura e assim, sem dizer mais nada, fecho a porta de casa. Disposta a não soltá-lo nunca mais na minha vida.

Por alguns minutos, nenhum de nós fala nada. Ficamos abraçados, curtindo esse contato tão gostoso, até que Eric beija meu pescoço e me aperta com força.

— Te amo, e contra isso, pequena, não posso fazer nada.

Escutei direito?

Ele está dizendo que me ama?

A felicidade me faz rir, eu o beijo com voracidade e murmuro:

— Se é verdade o que você diz, não fique mais longe de mim.

— Foi você que foi embora.

— Você que me expulsou.

— Falei pra você ficar.

— Mas me expulsou!

Pronto, já começamos tudo outra vez!

Ele faz que sim e continuo:

— Te pedi desculpas todo dia nos e-mails e você nem se deu ao trabalho de responder.

Sorri com ternura e então faz aquilo que me deixa louca: aproxima a boca da minha, passa a língua pelo meu lábio superior, depois pelo inferior, e, antes de me beijar, sussurra:

— Eu te perdoei antes mesmo de você ir embora.

— Ah é?

— É... ursinho panda.

— Ursinho panda? Como se não bastassem "pequena", "moreninha" e "Jud"... agora você também vai me chamar de "ursinho panda"?

Achando graça, me leva até um dos espelhos e, quando descubro o motivo do novo apelido, caio na gargalhada. Um dos meus olhos está totalmente borrado e preto. Ele ri também.

— O que você estava fazendo pra estar com o olho assim?

— Tirando a maquiagem. Eu me produzi toda pra você pelo seu aniversário e aí vem você agora e aparece no momento menos glamoroso.

Eric sorri.

— Pra mim você está sempre linda, querida.

Aninhada em seus braços, vamos até o quarto. Ele me solta na cama e deita sobre mim.

— Meu Deus, menina, adoro seu cheiro.

Com cuidado, tiro seu paletó e começo a desabotoar a camisa branca enquanto Eric passa as mãos pelo meu corpo e me dá beijos delicados no queixo e no pescoço. A ponta de seus dedos roçando pelas minhas costelas me provoca um calafrio e sorrio de prazer. Toco seu abdômen. Rígido e forte como sempre.

— Tenho um presente pra você.

— Meu melhor presente é você, pequena.

Beijos... carícias... palavras de carinho e de repente Eric murmura:

— Preciso falar uma coisa com você, Jud.

— Daqui a pouco... daqui a pouco...

Quando tiro sua blusa e ele fica apenas de calça, minhas mãos deslizam até o botão. Eu abro e, com cuidado, abaixo o zíper. A pele de Eric arde, e eu também. E, quando enfio a mão por dentro da cueca e pego o que eu estava desejando, solto um gemido.

Eric se mexe. Escapa das minhas mãos e volta a me beijar.

— Se você continuar me tocando assim, não vou durar nem dois segundos... Você ainda está tomando pílula?

— Aham...

— Que boooommm.

Isso me faz rir, enquanto ele tira a calça do meu pijama. Logo me levanta de frente para ele, aproxima a boca do meu púbis e me dá mordidinhas por cima da minha calcinha. Me livro da parte de cima do pijama e Eric me observa. Seus dedos rompem a tirinha da minha tanga, e ele lê:

— "Peça-me o que quiser."

Eric me acaricia. Pega um dos meus seios e com ternura o enfia na boca e chupa meu mamilo. Depois faz o mesmo com o outro seio. Me põe sentada em seus joelhos. Por um momento se entretém com meus seios, chupa e lambe até me arrancar um gemido de prazer.

— Pequena... senti tanto a sua falta...

Levanta-se comigo nos braços e volta a me colocar na cama. Beija meus lábios e começa a descer sua língua pelo meu corpo. Vai ao pescoço, de lá aos seios, segue pelo umbigo e, quando chega ao púbis, quem solta um gemido é ele.

Sem resistência, abro as pernas antes que ele peça e sua língua rápida e voraz entra em mim. Usa os dedos para me abrir e deixar sua língua molhada me dar mais prazer. A excitação faz meu corpo se erguer.

— Ai, Eric... assim... assim.

Ele se ajeita na cama para ficar mais confortável e põe minhas pernas sobre seus ombros. A pressão no clitóris aumenta, e meus gemidos são cada vez mais frequentes, até que um orgasmo fortíssimo me invade toda e eu seguro a cabeça de Eric, apertando-o contra mim.

Meu orgasmo foi tão intenso que estou sem forças. Eric então vem para cima de mim e me beija. Meu sabor na sua boca é salgado e isso me excita muito.

— Vou te foder, querida.

Sim. Eu quero isso!

Tira a calça, depois a cueca, e, com um olhar de lobo que me faz gemer, sorri. Desnorteado pelo desejo, fica em cima de mim e me acomoda melhor na cama. Ele vai se metendo em mim e, diferentemente do que fez outras vezes, vai devagarzinho enquanto me contorço satisfeita. Quero mais e lhe dou um tapa no traseiro.

— Por que isso, pequena?

— Quero que você entre logo... o seu é tão grande... tão gostoso. Continue...

Eric sorri e me preenche de uma só vez. Grito e solto um gemido, enquanto ele entra e sai várias vezes e finalmente me sinto preenchida e enlouquecida. Minha respiração se acelera e meu prazer me deixa louca. Uma... duas... três... quinze vezes ele me penetra e eu grito e me contorço de tanto prazer.

De repente, ele diminui o ritmo.

— Alguém te tocou nos últimos dias?

A pergunta me pega tão de surpresa que só consigo piscar os olhos. Não sei o que dizer, e Eric me dá um empurrão que me faz gritar de novo.

— Diz a verdade, quem te comeu?

Sua expressão se contrai e ele volta à carga. Me dá um tapa no traseiro que chega a arder.

— Quem?

Só vou responder se ele também me contar tudo. Tiro forças não sei de onde e o desafio:

— E você?

Ele me olha e eu insisto:

— Jogou com alguém esses dias?

— Sim.

— Com Amanda?

— Sim. E você?

— Com Fernando.

Por alguns segundos nos olhamos. O ciúme volta a nos dominar e ele me come com fúria. Nós dois gememos. Me agarra pelo ombro e se enfia todo de novo. Vejo seus olhos ficarem escuros. De raiva pelo que não quer ouvir.

— Te vi com Amanda entrando no hotel e decidi continuar minha vida. Procurei Fernando, me masturbei pra ele e depois me ofereci.

Eric me olha. Está furioso. Tenho medo de que vá embora, mas então me dou conta de que ele também tem medo de que eu desapareça. Me segura pelos quadris e começa a me comer num ritmo enlouquecido.

— Você é minha e só quem eu quiser pode te tocar.

Me olha, esperando minha reação, enquanto eu, sem forças pela maneira como me come, me mexo debaixo dele. Calor... estou com muito calor. mas entendo o que ele está me pedindo. Ponho a mão em sua barriga e me afasto um pouco para trás. Ele sai de dentro de mim.

— Eu só vou ser sua, se você for meu e só puder te tocar quem eu quiser.

Sua resposta é imediata. Vem para mim e me beija, enquanto seu pau golpeia minhas coxas duro como uma pedra e me deixam louca. Eu o pego e enfio de novo dentro de mim e, com sua boca sobre a minha, ele murmura:

— Sou seu, pequena... seu.

Eric entra em mim agora com delicadeza e eu levanto um pouco o corpo para que ele entre todo em mim. Ele move os quadris e eu o pressiono por dentro.

— Querida... vou gozar.

O tom de sua voz. Sua cara. Seu gesto e seu olhar me fazem sorrir. Estou chegando ao orgasmo.

— Mais rápido, amor... eu preciso.

Eric me dá mais um tranco uma...duas... três vezes. Morde seus lábios para me dar o que eu quero, até que de repente nós dois nos contorcemos e chegamos juntos ao prazer total.

51

Passamos o dia todo de sábado dedicados ao sexo, beijos e carícias. Cada vez que tentamos conversar sobre a relação, acabamos nus e gemendo. Eric é meu vício e eu o dele. Estarmos juntos sem nos tocar é impossível e, como nós dois desejamos um ao outro, nos deixamos levar pela luxúria. No domingo, mais do mesmo, mas desta vez, ainda na cama, Eric diz:

— Jud... Lembra que eu precisava ter uma conversa contigo?
— Lembro.

O susto toma conta de mim de repente. O que será que ele quer me falar?

— É importante que a gente converse, devo te contar uma coisa.
— Você deve? — pergunto surpresa.
— Sim, querida...

Me esqueço totalmente do sexo e me concentro em Eric. Seus olhos fogem de mim e isso me perturba. Eric se senta ao meu lado, aos pés da cama.

— Escuta, há algo que você precisa saber e que não te contei até agora. Mas quero que você saiba que, se eu não te disse, é porque...

— Meu Deus! Você é casado?
— Não.
— Vai casar com Betta? Com Marta?

Surpreso com minhas perguntas e com o tom áspero da minha voz, ele volta a dizer:

— Não, querida. Não é nada disso.

Suspiro aliviada. Seria demais para mim.

— E quem são elas?

Eric suspira resignado.

— Morei com Betta por dois anos e há algum tempo terminei com ela.
— Faço que sim e ele continua: — Nosso relacionamento acabou no dia em que a encontrei na cama com meu pai. Nesse dia decidi cortar relações com os dois. Espero que, sem precisar te explicar mais nada, você entenda por que nunca quero falar sobre meu maravilhoso pai.

Fico supertriste ao escutar a história. Jamais esperaria algo assim.

— Ela nunca quis aceitar a separação e tenta se reaproximar o tempo todo. Me pediu perdão de todas as maneiras que você possa imaginar e, por mais que isso tenha me custado, acabei perdoando, mas não quero mais nada com ela. Essa é a razão de suas mensagens e de sua insistência. Naquele dia na praia, quando me aborreci e voltei ao chalé sem deixar você ir comigo, eu fiquei daquele jeito porque ela tinha me mandado um torpedo avisando que estava na porta da casa de Andrés e Frida. Eu não queria que você voltasse comigo da praia pra você não ver a cena que ela ia armar. Não queria que você presenciasse isso. Mas também não fui sincero contigo ao não te contar o que estava acontecendo. Tentei evitar um problema pra mim, mas acabei piorando as coisas.

— Você deveria ter dito. Eu...

Por alguns segundos Eric me observa, põe um dedo na frente dos meus lábios e passa a mão pelo contorno do meu rosto.

— Você é maravilhosa, Jud... Só quero você.

Me aproximo e beijo seus lábios, mas ele me afasta um pouquinho.

— Marta é minha irmã.

Irmã? Isso me surpreende. Miguel comentou comigo que Eric só tinha uma irmã, mas Eric prossegue:

— Lembra que eu te contei que minha irmã Hannah tinha morrido num acidente? — Faço que sim com a cabeça. — Hannah tinha um filho que agora está sob minha responsabilidade. Era mãe solteira. O menino se chama Flyn e tem 9 anos. Desde o acidente de Hannah, virou uma criança muito difícil e nos causa muita preocupação. Em julho, quando tive que voltar à Alemanha e interromper a viagem às sucursais, foi por causa de um problema com ele. Minha irmã e minha mãe não conseguem controlá-lo e por isso recebo tantas ligações de Marta. Flyn só respeita a mim, e por isso Marta insiste todo tempo para que eu volte à Alemanha. — Ouvir isso me deixa em alerta e ele continua: — Escuta, Jud, amo você, mas também amo Flyn e não posso abandoná-lo. Posso ficar aqui contigo vários dias, mas cedo ou tarde vou precisar voltar à minha rotina na Alemanha. Não posso mudar de país. Os psicólogos acham que não seria bom para Flyn passar por outra grande mudança de vida e, por mais que possa parecer uma loucura um tanto precipitada, eu gostaria que você viesse morar comigo na Alemanha. — Arregalo os olhos e ele acrescenta: — Eu sei, pequena, eu sei. Sei que é uma loucura, mas eu te amo, você me ama e eu gostaria que você pensasse nisso, ok?

Vou concordando com a cabeça, enquanto tento processar toda essa informação, e, quando vou dizer alguma coisa, Eric põe de novo um dedo na minha frente e continua:

— Ainda não acabei, Jud. Tenho mais coisas pra te explicar. Se, quando eu terminar, você ainda quiser me beijar e continuar ao meu lado, não serei eu a te impedir. — Suas palavras me surpreendem, mas ele continua: — Lembra quando eu te disse que não queria que você sofresse?

— Lembro.

— Então, sinto dizer que, no ponto em que estamos, isso vai acabar acontecendo mesmo que eu não queira, mas não tem nada a ver com o que acabo de te contar.

Não entendo o que ele está falando. Pega minhas mãos.

— Jud... tenho um problema e, apesar de não querer pensar nisso, no futuro eu sei que vai se agravar.

— Um problema? Que problema?

— Lembra dos remédios que você viu na minha nécessaire? — Assustada, balanço a cabeça afirmativamente. — É uma coisa relacionada com algo que você adora em mim e que algumas vezes eu te disse que odeio. São os meus olhos e, quando eu te explicar, você vai entender muitas coisas.

— Meu Deus, Eric. O que é?

— Tenho um problema na vista. Sofro de glaucoma. Uma doença que herdei de meu maravilhoso pai e, por mais que eu esteja me tratando e que no momento esteja bem, com o tempo ela vai avançar e, infelizmente, é irreversível. Talvez no futuro eu fique cego.

Pisco e pergunto num fio de voz:

— O que é glaucoma?

— É uma doença crônica no olho. Uma doença do nervo óptico que às vezes embaça minha vista, provoca dor nos olhos e dor de cabeça ou náuseas e vômitos. Acho que agora, sabendo disso, você entenderá muitas coisas a meu respeito.

Meu corpo se paralisa, exceto meus cílios. O assunto de Betta não me interessa uma vírgula. O problema de seu sobrinho e minha mudança é algo de que falaremos depois. Mas Eric acaba de me dizer que tem uma doença crônica e eu não consigo reagir. Meu coração dispara e mal posso respirar. Só consigo olhar para Eric, para o homem que amo com toda a minha alma, sem ser capaz de dizer nem uma palavra sequer.

Meu mundo desmorona em décimos de segundo, enquanto eu junto, peça por peça, todos os sinais que ele me deu nesses meses todos, mas que eu não consegui decifrar. De repente, compreendo muitas coisas. Sua pressa com tudo. Seus temores. Suas viagens. Suas mudanças de humor. Suas dores de cabeça e, principalmente, o motivo pelo qual ele sempre faz questão que o olhe nos olhos quando fazemos amor. Eric me observa. Espera que eu diga algo, mas não consigo. Minha respiração se acelera, eu solto suas mãos e me levanto. Tenho uma das mãos no coração e a outra na cabeça.

Estou de costas para Eric e, só quando consigo descolar a língua do céu da boca, volto a olhar para ele.

— Por que não me contou antes?
— O quê? Sobre Betta, Flyn ou minha doença?
— Sua doença.
— Jud, isso é algo que eu não gosto que as pessoas fiquem sabendo.
— Mas eu não sou "as pessoas"...
— Eu sei, querida. Mas...
— É por isso que você sempre me pede que eu te olhe quando...

Eric faz que sim com a cabeça e, após passar a mão pelos meus lábios, sussurra:

— Quero gravar seu rosto, seus gestos, para me lembrar deles quando eu não puder mais enxergar.

A dor em seu olhar me faz cair em mim. O que estou fazendo? Me sento de novo ao seu lado e seguro suas mãos.

— Seu cabeça-dura, como pôde esconder isso de mim? Eu... eu me aborreci com você. Reclamei das suas ausências, suas mudanças de humor e... você... você não me disse nada. Ai, meu Deus, Eric... por quê?

Me desmancho em lágrimas. Tento me conter, mas elas me inundam e mal consigo me controlar.

Eric me consola. Me abraça e faz carinho em mim, quando sou eu quem deveria estar consolando-o. Mas minhas forças, minha confiança e toda minha vida acabam de desmoronar e não sei quando vou poder me recuperar. Ele me fala da doença, que diagnosticaram há muito tempo e que a cada ano se agrava mais.

Não sei quanto tempo eu choro em seus braços em busca de uma solução que não tenho como encontrar. Eric fala comigo e eu mal consigo parar de chorar.

— Não me olha assim.
— Assim como? — pergunto ao escutar sua voz.
— Sinto que te dou pena.

Comovida por suas palavras, me agarro a ele.

— Querido, não diga bobagem. Te olho assim porque te amo e sofro por...

— Está vendo? Estou te fazendo sofrer. Não devia ter deixado que nossa relação fosse adiante.

— Não diga bobagem, Eric, por favor.

Com uma expressão que lembrarei pelo resto da vida, ele pega meu rosto entre suas mãos.

— Estar ao meu lado te fará sofrer, querida. Sou um homem com muitas responsabilidades. Uma empresa para administrar, um menino problemático para criar e, como se não bastasse, um problema de saúde. Acho que chegou o momento em que você precisa decidir o que quer fazer. Vou aceitar sua decisão, seja qual for. Já me sinto bastante culpado.

Eu o escuto, chocada, e de repente tenho vontade de bater nele. Que bobajada está dizendo? Minha expressão transmite confiança outra vez. Encaro seus castigados olhos azuis.

— Não está querendo dizer o que estou imaginando, está?

— Estou, sim, Jud.

— Mas como você é idiota, pra não dizer babaca!

Eric sorri.

— Você é uma mulher jovem, linda e saudável com toda a vida pela frente e...

— E você é o quê? — Mas não o deixo responder e começo a gritar furiosa: — Você é o homem com responsabilidades, um sobrinho e uma doença, e a quem eu amo. E, se antes sua cara de mau e seus maus modos não me metiam medo, agora menos ainda, sabe por quê? — Eric nega com a cabeça. — Porque eu não vou te deixar, por mais que você me peça. E não vou te deixar porque amo você, amo você... amo você. Enfia isso na sua maldita e quadrada cabeça alemã! Não me importo com o futuro. Só o que me importa é você... você... você, seu cabeça-dura safado! E sim, é precipitado abandonar tudo e ir viver contigo na Alemanha, mas, como eu te amo, vou pensar a respeito.

— Jud...

— Você está aqui, querido. Você é meu presente. Como posso viver sem você? Mas você ficou louco? Como passou pela sua cabeça que eu pudesse pensar em te deixar por causa da sua doença?

Emocionado, Eric nega com a cabeça e, pela primeira vez, eu o vejo chorar. E isso parte meu coração. Esconde os olhos com as mãos e chora como uma criança.

— Jud, quando minha doença avançar, minha qualidade de vida será muito prejudicada. Chegará um momento em que serei um estorvo pra você e...

— E?

— Você não entende?

— Não. Não entendo — respondo sem ar nos pulmões. — E não entendo porque você vai continuar ao meu lado. Você vai poder me tocar, me beijar e fazer amor comigo, e eu com você. Por que você duvida de mim?

Eric murmura emocionado:

— Você é a melhor coisa que já me aconteceu na vida. A melhor.

Prestes a cair no choro, tiro suas mãos dos olhos e enxugo suas lágrimas.

— Então, se sou a melhor coisa que te aconteceu, não volte a mencionar, nem de brincadeira, essa ideia de que vou te deixar, ok? Agora me diz que você me ama e me dá um beijo desses que eu adoro.

As lágrimas brotam de novo dos meus olhos, mas eu sorrio. Ele também sorri, me abraça e me beija.

52

A semana começa com força total e tento processar tudo o que Eric me contou.

Sobre Betta? Não me interessa. Não me importa. Sei que ele não quer nada com ela, realmente acredito nisso, embora eu não tenha querido me aprofundar no assunto do pai. Agora entendo por que nunca fala dele.

Quanto ao sobrinho, eu compreendo, mas a história me inquieta. Se algo acontecesse com minha irmã e meu cunhado, não tenho a menor dúvida de que Luz ficaria comigo. Eu cuidaria dela e por nada no mundo ia querer vê-la sofrer.

Morar na Alemanha nunca me passou pela cabeça. Mas, por Eric, eu iria. Prefiro viver com ele a viver amargurada sem ele. Isso está claro para mim, se bem que preciso pensar um pouco melhor. Ir embora significaria ver menos meu pai, minha irmã e minha sobrinha, e isso seria difícil para mim. Muito difícil.

Mas o que me desequilibra emocionalmente é a sua doença.

Procuro na internet toda a informação sobre glaucoma e entendo o medo e a preocupação de Eric. Choro na minha casa quando ele não está por perto. Só então eu me permito chorar. Tenho que ser forte. Ele deixou claro o medo que sente da doença, e não quero que perceba que eu também estou com medo.

Pensar em Eric cego me parte o coração. Eric, um homem tão forte, tão dominador, tão cheio de vida... Como pode ficar cego?

Começo a ter pesadelos. Já são quatro noites seguidas em que acordo sobressaltada entre seus braços e ele me abraça e se arrepende por ter me contado tudo. Meu apetite desaparece e, ainda que eu tente sorrir, o sorriso fica no meio do caminho. Quase não cantarolo mais, nem danço direito, só consigo pensar nele. Só quero saber que ele está bem para que eu também fique bem. Mas uma noite, enquanto nós dois lemos estirados no sofá do meu apartamento, vejo em seus olhos a raiva e a dor pela insegurança que me passou, e me dou conta de que tenho que fazer alguma coisa.

Meu comportamento tem de ser outro.

Preciso que ele veja que voltei a ser a Jud maluquinha que ele conheceu, então resolvo reprimir meu medo, a insegurança e as lágrimas e começo aos poucos a ser o que eu era. Ele respira aliviado e parece grato pela minha mudança.

A partir de então, Eric começa a viajar mais à Alemanha. Seu sobrinho precisa dele e ele precisa de mim tanto quanto eu preciso dele. Duas semanas depois, quando o despertador toca numa segunda-feira às sete e meia, Eric já está de pé. Chega perto de mim, me beija com carinho e aceito tudo com prazer. Me nego a irmos juntos ao escritório. As pessoas fariam fofoca e eu não quero isso. No fim das contas, Eric telefona para Tomás, que o pega na porta da minha casa. Eu vou no meu próprio carro.

Na cantina do nono andar, tomo um café na companhia de Miguel quando vejo Eric aparecer com minha chefe e outros dois chefes. Pela maneira como ele me olha, entendo que se incomoda de me ver com meu colega. Mas não me levanto. Miguel é meu amigo, e Eric precisa aceitar isso.

Quando voltamos às nossas salas, sinto que ele me observa da sua. Cada vez que meu olhar cruza com o dele, meu corpo arde.

Sei o que ele pensa...

Sei o que ele quer...

Sei o que ele deseja...

Mas nós dois devemos manter a compostura e esperar a noite, quando então poderemos curtir nosso momento de intimidade.

Ao meio-dia, Eric sai de sua sala. Sua cara é indescritível. O que será que houve com ele? Eu o sigo com o olhar, dissimuladamente, enquanto ele caminha pelo andar e de repente vejo que vai direto falar com uma jovem loura perto dos elevadores. Dão dois beijinhos na bochecha e ela lhe acaricia o rosto. Será que é Betta?

Por alguns minutos conversam e depois vão embora. Uma hora depois, Eric volta ainda com a mesma expressão e eu gostaria que ele me chamasse. Espero quinze minutos e, como ele não me chama, decido entrar por conta própria. Eric está falando ao telefone. Quando me vê entrar, despede-se do seu interlocutor antes de desligar.

— Agora não posso, mãe. Te ligo daqui a pouco.

Assim que desliga, olha para mim.

— Deseja algo, senhorita Flores?

— Nem minha chefe nem Miguel estão por aqui — explico. — O que aconteceu?

— Nada. Por que teria que ter acontecido alguma coisa?
— Eric... te vi sair com uma jovem loura e...
— E o quê?

Sua voz é de aborrecimento.

Esse tom irritado que ele usa me deixa chateada, então, sem dizer mais nada, dou meia-volta e saio da sala. Antes de chegar à minha mesa, meu telefone interno toca e é Eric me pedindo para voltar. Volto e fecho a porta.

— Jud... o que você veio perguntar realmente?
— Acho que combinamos que haveria sinceridade entre nós dois e tenho a sensação de que hoje você não está cumprindo o combinado.

Eric faz um gesto concordando. Entende o que digo.

— Entre no arquivo.
— Lá vem você com essa história de arquivo!
— Jud... é o único lugar onde temos privacidade.
— Bem, você é que gosta de resolver tudo no arquivo.

Sem me deixar falar mais nada, me pega pelo braço e fecha a porta de acesso à sala da minha chefe.

— Jud... te juro que você não tem que se preocupar com essa mulher.
— Ok... Mas quem é ela?

Sorri e sussurra:

— Me dá um beijo e eu te digo quem é.
— Nem pensar. Você conta e depois eu te beijo.
— Jud...
— Eric...

Sem perder um segundo, me agarra, me atrai para si e me beija. Então, quando parece que vai responder à minha pergunta, ouço Miguel bater na porta da sala. Rapidamente, Eric me olha.

— Você não tem com que ficar preocupada. Hoje tenho muito trabalho e não posso me atrasar, mas no fim do dia conversamos na sua casa, combinado, querida?

Combinado, claro. Ele me dá um beijo rápido e sai em direção à sua sala. Abro com cuidado as portas do arquivo e saio pela sala da minha chefe.

Depois do almoço, volto à minha mesa e no corredor topo com Eric. Ele está conversando com o chefe da administração e, ao me ver, apenas me cumprimenta com cordialidade. Sorrio sem jeito quando cruzo com ele e ando até minha mesa. Ao chegar, pego uns documentos e me enfio no arquivo. Mas me surpreendo ao ver minha chefe com várias gavetas do arquivo abertas.

— Estou procurando os dados do último trimestre de Alicante e Valência...

— Quer que eu procure?

— Não... eu vou achar.

Dou meia-volta para sair e vejo Eric parado na porta do arquivo. Me seguiu até ali.

— Boa tarde, senhor Zimmerman — sussurro quando passo a seu lado.

Minha chefe, ao me escutar, ergue os olhos e vê Eric apoiado na porta.

— Me dá um minutinho, Eric, e já te entrego o que você pediu.

Ele faz um movimento concordando e, enquanto deixo uns documentos em cima da mesa da minha chefe, ele me observa. Sorrio ao vê-lo tão nervoso e tenso. Então, antes de sair da sala, me detenho, ponho a mão na maçaneta da porta e levanto a parte de trás da saia para lhe mostrar minha calcinha. Isso me faz rir, sobretudo quando me viro e vejo sua cara de surpresa.

Achando graça do que acabo de fazer, saio da sala e me sento à minha mesa. Meu celular apita. Uma mensagem de Eric: "Vou te fazer pagar muito caro pelo que acaba de fazer. Depravada!"

Sem me mover, olho de relance e vejo Eric sentado à sua mesa. Por alguns segundos, nós nos olhamos e eu me dou conta de que, de onde ele está, pode ver minhas pernas. Dou uma checada em volta e, como não há ninguém, eu as abro e digito no celular: "A depravada deseja teu castigo."

Volto a olhar para Eric e vejo que se mexe nervoso em sua cadeira. Quando minha chefe sai do arquivo, fecho logo as pernas. E, com um risinho bobo nos lábios, continuo trabalhando.

53

Saio do escritório às seis da tarde, e vou direto para casa. Assim que chego, só tenho tempo de deixar a bolsa em cima do sofá, tirar o blazer e a campainha toca. Abro a porta e Eric se lança sobre mim. Me beija com prazer, me pega entre seus braços e murmura após me dar um tapinha:

— Depravada. Que história é essa de ficar me provocando no escritório?

Achando graça de seu comentário, solto uma risada enquanto ele acaricia meu pescoço.

— Vou te fazer pagar por ter me deixado excitado o dia todo.

Continuo rindo enquanto ele desabotoa minha saia, que desliza pernas abaixo. Nesse momento, me desvencilho de suas mãos e corro pela casa. Ele vai atrás de mim e rimos à beça. Chegamos ao quarto, subo na cama e começo a pular como uma criança. Eric me olha, sorri e enquanto abre a camisa e depois a calça, avisa:

— Pula... pula... vai pulando, que já já eu te agarro e aí você vai ver só.

Feliz pelo momento tão bobo que estamos vivendo, pulo fora da cama e corro de novo até a sala. No corredor Eric me agarra pela cintura e me encosta na parede. Seus lábios se colam aos meus outra vez e sua língua me invade com sofreguidão.

Ele tira minha blusa e a joga no chão. Desabotoa o sutiã e arranca a calcinha.

— Meu Deus... — diz, em meio a risadas. — Passei o dia inteiro desejando fazer isso.

— Sério?

— Sim, querida... sério.

Dou um beijo nele. Eu também estava desejando esse momento e, ao sentir minha reação tão instantaneamente acolhedora, Eric deixa escapar um suspiro de satisfação, me ergue e mergulha devagar em mim. Fecho os olhos, solto um gemido, me contorço e, quando sinto que ele não se move, abro os olhos e murmuro perto de sua boca:

— Vamos... vamos.

Eric ri, sai de mim e devagar torna a entrar.

— Eric...

— Que foi, querida?

— Mais... quero mais.

Sai de mim novamente.

— Mais o quê?

O sangue ferve descontrolado por todo o meu corpo, e eu arranho suas costas exigindo mais. Ele ri e obedece. Aumenta o ritmo e me dá o que estou pedindo. Uma vez... depois outra... e mais outra, enquanto eu morro de prazer e ele morde meu queixo com paixão.

Ele me come cada vez mais fundo e, quando meu orgasmo chega e eu grito, ele grita também e me aperta contra seu corpo.

— Sim, Jud... siiiiiiim.

Exaustos, ficamos apoiados na parede do corredor, enquanto beijo seu ombro e ele respira em meu pescoço. De novo, acabamos de fazer o que sabemos fazer de melhor e estamos plenos e satisfeitos.

Me coloca no chão e vamos nus até a cozinha. Precisamos de água e, quando voltamos para a sala, ele me ergue outra vez entre seus braços.

— Te ver no escritório e não poder te tocar é uma tortura.

— Uma tortura... confesso... pra mim também.

— Te vi com Miguel hoje de manhã. O que você estava fazendo?

— Tomando café, como todo dia de manhã.

— Esse cara...

— Escuta, meu lindinho desconfiado — eu o interrompo —, eu e Miguel somos apenas colegas. Nos damos superbem e nada mais. É verdade que ele arrasta as asinhas pro meu lado, mas ele sabe que não tem a menor chance comigo.

— Tá vendo? Você acaba de admitir. Ele dá em cima de você.

Adoro essa sua expressão séria. Seu ciúme bobo é irresistível. Eu o beijo.

— Não tem perigo. Não perca tempo se preocupando com algo que nunca vai acontecer.

— Nunca mesmo?

— Nunca, Eric... acredita em mim, meu amor. Eu só amo você e só preciso de você. — Quando vejo como me olha, eu me assusto com o que acabo de dizer e acrescento: — Em compensação, eu, sim, tenho motivo pra me preocupar.

— Você? Por quê?

Respiro fundo e pergunto:

— Você já fez algum dos seus joguinhos com minha chefe?

Seus olhos azuis ficam me encarando. Por um instante que me parece eterno, ele pensa como vai responder.

— Jantei com ela e reconheço que ficamos flertando, mas não muito mais que isso. Nunca misturo trabalho com minhas brincadeiras.

Sua resposta me faz rir.

— Sei... E eu sou o quê? Não se esqueça de que trabalho na sua empresa...

— Você foi minha única exceção. Desde a primeira vez que te vi no elevador e você me confessou que poderia se transformar na menina do *Exorcista*, acho que me apaixonei por você.

— Ah é?

— É... Por isso não parei de te perseguir até ter você como tenho agora. Nua em meus braços.

— Bom saber — reconheço encantada.

Eric me beija e me deixa sem ar.

— Melhor ainda é saber que tenho você... moreninha.

Sorrio e desta vez sou eu quem o beija.

— A partir de agora, te proíbo que fale gracinhas para a minha chefe, entendeu?

Meu deus grego move a cabeça num gesto de concordância e me devora os lábios de um jeito só dele.

— Eu quero só você, querida. Só preciso de você.

Sua boca desce até meus seios; me curvo para trás e eles ficam à mostra. Ao me mexer, percebo sua ereção e já estou ansiando que ele continue a brincadeira. Eric sorri e me dá uma palmada, e bem nesse momento a porta da rua se abre e eu quase caio para trás ao ver minha irmã e minha sobrinha.

— Pelo amor de Deus, o que você está fazendo? — grita minha irmã ao nos ver.

Rapidamente tapa os olhos da minha sobrinha e elas dão meia-volta.

Achando graça nós dois nos olhamos. Quero rir, mas, ao ver que minha sobrinha tenta se virar e olhar para nós, digo baixinho:

— Vamos nos vestir.

Ele concorda.

— Raquel, dá uns minutinhos pra gente. Já voltamos.

— Tá bem, fofinha.

Eric me olha e pergunta intrigado:

— Fofinha?

Belisco seu braço.

— Nem pensar me chamar assim, ok?

Em meio a risadas, voltamos para o quarto. Nos vestimos em poucos minutos e em seguida vamos encontrar minha irmã na sala.

Ao nos ver, Raquel move a cabeça num gesto de reprovação. Eu a pego pelo braço e a levo até a cozinha.

— Vem cá, Raquel...

Eric e minha sobrinha ficam na sala. Quando entro com minha irmã na cozinha, sussurro:

— Você quer fazer o favor de tocar a campainha antes de entrar?

— Me... me... me desculpa. Mas, ao ver vocês dois nus, e como eu estava com Luz...

— Raquel... para de gaguejar. E tudo bem, Luz não viu nada que vá traumatizá-la. Mas te garanto que, se vocês tivessem chegado cinco minutos antes, talvez ela visse coisa pior, então, por favor, bate antes de entrar, ok?

— Ok... e... Ah, Judith! É o Eric, né?

— É.

— Que bom, fofinha. Vocês se acertaram?

— Por enquanto acho que sim.

— Ah, você não sabe como fico feliz em ouvir isso — diz minha irmã.

— E eu...

Raquel sorri e chega mais perto de mim.

— Como papai vai ficar contente. Já me falou que foi muito com a cara dele. Aliás, que bumbum bonito ele tem.

— Raquel?! — digo, achando graça.

— Ai, filha...! O que você quer que eu diga? Não pude deixar de olhar. Tem um bumbum perfeito.

— Verdade. Não tenho como negar.

— E que costas... E não digo nada das outras coisas em que reparei, porque... Ai, meu Deus!

— Para... — Eu rio. — Para... que eu te conheço.

Minha irmã também está rindo.

— Saiba que você tem muita sorte por ele ser tão grande. Eu gostaria que meu José pudesse me pegar nos braços assim. Ai, meu Deus... isso até me dá calor! Anda, toma... Vim te trazer uns croquetes e... desculpa por ter aparecido num momento desses.

Alguns minutos depois, minha irmã e minha sobrinha vão embora. Eric me olha.

— Sabe o que tua sobrinha me disse?

Convencida de que essa bruxinha soltou alguma de suas pérolas, olho para Eric e ele desata a rir.

— Ela disse literalmente: "Se você bater de novo na minha tia, eu te dou um chute no saco que você vai ver só."

Tapo a boca e arregalo os olhos antes de cair na gargalhada. Ao ver minha expressão, Eric ri comigo e, cheio de vontade de continuar com a brincadeira de antes, murmura:

— Vamos pro chuveiro. Quero continuar de onde paramos.

— Devo te lembrar que você disse que tínhamos que ter uma conversa séria.

— Exatamente... — Sorri. — Mas agora tenho outras coisas mais importantes pra fazer... fofinha.

54

Os dias passam e não volto a perguntar quem era aquela mulher. Na quarta-feira à tarde, meu pai me liga. Minha irmã já fez fofoca com ele, dizendo que voltei com Eric, e ele diz que está feliz por mim. De coração.

Na quinta, quando chego ao trabalho, estranho ao ver Miguel juntando suas coisas.

— O que você está fazendo?
— Juntando minhas coisas.
— Por quê?

Miguel suspira e dá de ombros.

— Não renovaram meu contrato e, gentilmente, me informaram que hoje é meu último dia de trabalho.

Olho para ele perplexa. E por que será que minha chefe não renovou o contrato? Não consigo ficar quieta.

— Como assim, cara? Que história é essa de não renovarem o contrato? Você já falou com o senhor Zimmerman?

— Não. Pra quê? Ele não vai com a minha cara, você sabe.

— Mas... mas você tem que falar com ele — insisto. — Miguel, lá fora o desemprego está altíssimo e a Müller atualmente é sua única opção.

— E?

Vejo um movimento na sala da minha chefe e pergunto:

— E com a chefe, você falou? Você e ela se dão muito bem e...

— Foi ela mesma quem disse que não renovariam o contrato — responde Miguel.

Isso me deixa furiosa. Como essa bruxa não pode renovar o contrato se ela é sua amante? E, sem conseguir mais não mencionar o segredo que guardo há meses, cochicho para ele:

— E você não vai fazer nada pra que ela mude de opinião? — Miguel olha para mim e continuo: — Olha só, Miguel, não sou boba, sei que rola uma historinha entre vocês. Além disso, uma vez eu estava no arquivo enquanto vocês se pegavam na sala dela.

Meu colega fica com uma cara de espanto.

— Porra! Você sabia?

— Sabia. E por isso não entendo por que ela não faz nada pra conseguir a renovação do teu contrato.

Miguel se apoia na mesa.

— Olha, Judith, a única coisa que eu posso te dizer é que já faz um mês que eu e sua chefe não temos nada. Ela foi atrás de outro. Óscar, o vigia.

— Óscar?

— É.

— Mas ele é um menino...

— Pois é, linda. Você já sabe que a chefe gosta dos mais novinhos.

Fico desconcertada, e Miguel acrescenta:

— Olha, Judith. Não se envolva com nenhum chefe, porque, quando ele se cansar de você, vai te chutar e buscar outra.

Seu comentário me atinge em cheio. Se ele soubesse...

Nesse momento olho na direção da sala de Eric e vejo que está ao telefone. Tenho que falar com ele. Miguel é um bom funcionário e merece que renovem seu contrato.

— Vou falar com o senhor Zimmerman.

— Está louca?

— Deixa isso por minha conta, está bem?

Miguel dá de ombros, senta-se à sua mesa e continua arrumando suas coisas enquanto me dirijo à sala de Eric e bato na porta. Quando entro, Eric já desligou o telefone e agora examina uns documentos.

— O que deseja, senhorita Flores?

Sem deixar de interpretar meu papel, vou direto ao ponto:

— Senhor Zimmerman, por que o senhor não renovou o contrato do seu secretário?

Eric me olha surpreso.

— Do que a senhorita está falando?

— Miguel está arrumando tudo dele já. Minha chefe informou que não renovariam o contrato.

Está tão admirado quanto eu.

— Se sua chefe decidiu não renovar, ela deve ter os motivos dela, não acha?

— Mas ele é o seu secretário... — insisto.

O homem por quem estou apaixonada me olha.

— Ele nunca teve a minha simpatia e a senhorita sabe disso — replica.

— O fato de ele e sua chefe ocuparem as horas do expediente em outra coisa que não o próprio trabalho é algo de que não gosto nem um pouco. Seu profissionalismo pra mim ficou totalmente comprometido.

Fico perplexa, olhando para ele, mas Eric segue com seu discurso:

— E, antes que a senhorita solte alguma de suas pérolas, senhorita Flores, deixe-me lembrá-la de que essas coisas eu só permito a mim mesmo na empresa, entendido?

Mais chocada ainda, respondo:

— Isso é abuso de poder.

— Exatamente. Mas aqui o chefe sou eu.

Sua resposta me deixa sem palavras.

— Senhorita Flores, o que veio me pedir?

Eu o provoco com o olhar e contesto:

— Que não o demitam. Encontrar um trabalho hoje em dia está muito difícil.

Eric me olha... me olha... me olha e finalmente diz:

— Sinto muito, senhorita Flores, mas não posso fazer nada.

Ouço uma porta, olho para trás e vejo minha chefe saindo da sua sala. Passa na frente de Miguel e nem lhe dirige o olhar. A raiva me corrói e cochicho para que ninguém nos escute:

— Como você não pode fazer nada? Você é o chefe, merda! Essa idiota, pra não dizer coisa pior, foi procurar outro amante e por isso está demitindo Miguel. Pelo amor de Deus, Eric... faz alguma coisa! Pode realocá-lo na empresa. Ele foi o secretário do seu pai por muito tempo e o seu também, por mais que você não goste muito dele.

— Você se importa tanto assim com Miguel?

Sua pergunta faz meu sangue ferver.

— Não me importo nesse sentido que você imagina, então não comece a pensar bobagem senão vou ficar zangada de verdade. Só estou te dizendo que Miguel é um cara jovem que sem este trabalho vai passar fome. Ele, assim como você, tem seus gastos, precisa de um teto e comida pra sobreviver e... e... Meu Deeeeus! É tão difícil entender isso que estou dizendo?

A expressão de Eric não muda, mas, ao coçar o queixo, ele murmura:

— Já te disse alguma vez que você fica linda quando está nervosa?

— Eric!

— Tudo bem — suspira. — Vou falar com o RH. O contrato dele vai ser renovado, mas pedirei que o transfiram a outro departamento. Não quero vê-lo aqui, entendido?

— Obrigaaaaaaada!

Quero pular de alegria, mas me contenho. Sei que Eric obrigará o RH a renovar o contrato.

— A propósito, senhorita Flores, quando precisam renovar o contrato da senhorita?

— Em janeiro.

Eric se apoia na sua poltrona, me olha de alto a baixo e murmura:

— Veja como se comporta, porque, caso eu descubra que a senhorita está fazendo algo parecido com o que fez seu colega, no arquivo ou qualquer outro lugar da empresa, vai pro olho da rua.

Devo ter feito uma cara ridícula. Eric sorri com malícia.

— Algo mais?

— Não... bem, sim. — Ele ergue a sobrancelha e eu murmuro: — O senhor fica muito lindo quando sorri.

Ele ri, e, achando graça, dou meia-volta e saio. Me sento na minha sala e cinco minutos depois toca o telefone da mesa de Miguel. É do RH, para avisá-lo de que seu contrato será renovado e ele será transferido de departamento.

55

Na segunda-feira, Eric tem que viajar à Alemanha. Pede que eu vá com ele, mas acho que não é o caso. No início ele fica chateado, mas eu o faço entender que, por mais que adoremos ficar juntos 24 horas por dia, seu sobrinho não iria gostar muito de dividi-lo comigo.

Na mesma segunda, à noite, Eric me liga e ficamos mais de três horas ao telefone. Diz que está morrendo de saudades e comento que tudo perde a graça sem ele por perto.

Na terça-feira, ao sair do trabalho, decido ir à academia. Desde que Eric está comigo, mal tenho tempo para malhar. Esteira e spinning são atividades que me relaxam. Termino completamente suada. Adorei o ritmo que a professora de spinning impôs na aula. Era bem o que eu estava precisando. Entro no banheiro, tiro a roupa e vou direto para o chuveiro. Ai, que delícia! Depois de me refrescar, vou até a jacuzzi e, ao não ver ninguém, decido entrar por uns minutos. E, pouquinho antes disso, ouço uma voz atrás de mim:

— Judith?

Olho a mulher que vem na minha direção e me chama.

— Oi, não se lembra de mim?

Sua cara não me é estranha, mas não consigo saber de onde a conheço, até que ela diz:

— Marisa. Marisa de la Rosa. Nos conhecemos no verão em Zahara de los Antunes, numa festa à fantasia. Quem nos apresentou foi a Frida. Lembra?

Logo sei quem é e do que está falando.

— Ah, claro... lembro, sim. Você era de Huelva, né?

— Isso mesmo. — Sorri enquanto enrola a toalha no corpo. — Como você está?

— Exausta — respondo. — Acabei de fazer uma aula de spinning superforte que me deixou outra pessoa.

Marisa continua sorrindo.

— Eu não posso fazer spinning. Me deixa totalmente fora de combate. Você vai à jacuzzi?

— Era isso que eu ia fazer.

— Ah, legal, vou com você.

Conversamos por vários minutos, enquanto as borbulhas explodem ao nosso redor. Estou alerta. Essa mulher já deu em cima de mim naquela festa de Zahara, mas desta vez, surpreendentemente, ela não faz qualquer insinuação. Depois da jacuzzi, nós tomamos uma ducha e, antes de nos despedir, trocamos telefones.

Na sexta-feira ao meio-dia recebo no escritório um lindo buquê de rosas vermelhas e, quando abro o cartão, quase choro de emoção ao ler: "Estou morrendo de vontade de te beijar, moreninha."

Às quatro, assim que volto do almoço, me surpreendo ao ver Eric conversando com vários chefes. Fico superfeliz e tenho vontade de pular de alegria. Ele me vê e por alguns segundos me observa, mas logo depois se vira e continua falando.

Dez minutos mais tarde, recebo um torpedo dele: "Te espero no meu hotel. Esteja linda. Te amo."

Apatetada de tanta felicidade, saio do escritório às seis. Assim que chego em casa tomo logo um banho e me arrumo. Quero estar deslumbrante para Eric e ponho um vestido novo bordô que tenho certeza que ele vai amar. Às oito chego ao Villa Magna e vou direto para o elevador. O ascensorista já foi avisado da minha chegada e me leva até o andar em que Eric está hospedado.

Quando entro na suíte, acho estranho não o encontrar ali. Eu o procuro, mas só vejo sua mala e, em cima da cama, o notebook. Convencida de que ele não vai demorar, volto à sala e ligo o som. Música é sempre bom para alegrar o ambiente. Sintonizo a rádio que costumo ouvir e começa a tocar *September*, de Earth, Wind and Fire. Adoro essa música. Sem hesitar, tiro os sapatos e começo a dançar enquanto vou cantarolando:

> *Do you remember the 21st night of September?*
> *Love was changing the minds of pretenders*
> *While chasing the clouds away*
> *Our hearts were ringing*
> *Ba de ya – say that you remember*
> *Ba de ya – dancing in September*
> *Ba de ya – never was a cloudy day.*

Rebolo um pouco seguindo o ritmo, canto e curto a música. Com os olhos fechados, dou umas voltinhas na hora do refrão, levanto os braços e me deixo levar pelo momento. De repente, a música para, abro os olhos e me vejo diante de Eric e de uma mulher de meia-idade que me observam.

Ofegante pela dancinha que acabo de fazer, fico logo morrendo de vergonha do espetáculo que devo ter dado, até que a mulher sorri para mim.

— Admito que sempre que ouço essa música tenho vontade de dançar. Oi, sou a Sonia, mãe de Eric, e você é...?

A mãe dele?

O que a mãe dele está fazendo aqui?

Me recomponho o melhor que posso, afastando o cabelo do rosto, e me apresento:

— Prazer em conhecê-la, senhora. Sou a Judith.

Ela me dá dois beijinhos. Depois olha para o filho, que não abriu a boca até agora, e pergunta enquanto calço os sapatos:

— E Judith... é?

Eric olha para ela divertido.

— Mãe, ela é... Jud.

A senhora me olha e grita:

— Ah... que burra que eu sou, claro...! Judith é Jud...! Você é a namorada de Eric!

Apoiada numa mesinha para me calçar, acabo caindo ao escutar isso. Namorada?

Eric e sua mãe vêm correndo até mim.

— Está bem, filha?

— Sim... sim... não se preocupe, senhora. Eu escorreguei.

— Por favor, Jud... me chame de "você".

— Ok, Sonia. Estou bem.

Eric me levanta, me atrai para si e me olha.

— Você está bem, querida?

Como um bonequinho, balanço a cabeça afirmativamente, meus olhos ficam piscando e vai me subindo um calorão.

Namorada dele?

Acabo de conhecer sua mãe e ela já disse que sou a namorada dele?

Me sinto nas nuvens ao longo da meia hora seguinte. Sonia, a mãe de Eric, é muito simpática e faladeira. Fisicamente não se parece nada com ele, exceto no jeito clássico de se vestir. É morena de olhos negros, como eu, e dá para perceber que é uma mulher que cuida da aparência. Quando sai para se trocar para o jantar, Eric me olha e pergunta baixinho:

— Tudo bem?

— Vem cá, Eric, sua mãe disse que sou sua namorada?
— Disse.
— E como ela ficou sabendo disso antes de mim?

Eric me olha. Pensa... pensa... pensa e, quando me vê quase explodindo de alegria, diz:

— Você não sabia que era minha namorada?
— Não.
— Não?

Estou atordoada de alegria.

— Não. Não sabia.

Eric insiste.

— Tem certeza, moreninha? Certeza, certeza?
— E como tenho. Eu... eu pensava que era sua... sua amiga... sua amante... seu casinho... sua garota, como você me apresentou a alguns amigos em Zahara. Mas... sua namorada?
— Mas lembro que no Moroccio você mesma disse que era a senhora Zimmerman.
— É, mas...
— Nem "mas" nem meio "mas"... senhorita Flores. Te chamei para morar comigo na Alemanha. Comentei isso com minha mãe e ela quis te conhecer.
— O quê?!

Eric sorri e continua:

— Querida, diante da insistência da minha mãe pra eu voltar à Alemanha, não me restou outra opção a não ser explicar a ela que aqui há uma linda espanhola que me deixa louco e a quem estou convencendo a vir morar comigo. Ao saber disso, ela quis te conhecer, e é isso aí. Te amo e você é minha namorada. Assunto encerrado.
— Como assim "assunto encerrado"?

Seu olhar inquietante se fixa no meu e ele dá um passo à frente.

— Não quer ser minha namorada?

Meu coração dispara desenfreado, eu quero tudo o que ele quiser, absolutamente tudo, mas decido entrar num joguinho com ele e murmuro enquanto dou um passo para trás:

— Não sei, Eric... não sei se você e eu...
— Você e eu o quê? — insiste e se aproxima de mim novamente.
— É que... você e eu somos muito diferentes e...

Ele percebe a brincadeira e isso o alegra, mas continua vindo mais para perto de mim.

— Você se lembra da nossa música?

Sorrio ao me lembrar de *Blanco y negro*, de Malú. É a nossa música.

— Lembro.

— Se você fosse tão rígida como eu em tantas coisas, te garanto que eu nunca teria ficado a fim de você. Gosto de você do jeito que você é, como se comporta, como me desafia e, principalmente, como me faz ver a vida em cores e não em preto e branco.

Uma expressão risonha se esboça nos meus lábios ao ouvir isso.

— Muito bem... senhor Zimmerman, o senhor está muito romântico. O que houve?

Eric vem para mim com a mão aberta e vejo uma caixinha de veludo vermelho.

Pisco os olhos... pisco e pisco de novo. Até que Eric fala baixinho ao perceber o quanto estou confusa:

— Abre. É pra você.

Com as mãos tremendo, abro a caixinha e na minha frente surge um maravilhoso anel de brilhantes. Fico sem palavras.

— Gosta?

— Mas... mas... mas é muito exagerado, Eric. Eu não preciso de nada disso.

Ele sorri, pega o anel e coloca no meu dedo.

— Mas eu, sim, preciso te dar. Quero encher minha namorada de presentes.

Depois que ele coloca o anel, eu olho admirada para minha mão. É lindo. Um solitário brilhante e elegante. Feliz pelo gesto, me agarro ao pescoço de Eric.

— Obrigada, querido. É lindo.

— A partir de agora, você é oficialmente minha namorada.

Eu o beijo com paixão. Com amor. Com tesão.

— Senhorita Flores, a senhorita está muito safadinha.

Isso me faz sorrir e meu lado pervertido se anima.

— Eric... quando você vai me oferecer de novo?

Surpreso com minha pergunta, ele franze a testa.

— Não sei. Você me deixa tão louco que eu te quero todinha só pra mim.

— Eu rio e ele pergunta: — Você está com vontade de que eu te ofereça?

— Estou... — respondo, vermelha como um tomate.

— Ok... ok... Está a fim de brincar, senhorita Flores?

— Sim... muito a fim de satisfazer seus caprichos, senhor Zimmerman.

Eu o olho enfeitiçada, e em seguida ele beija meu pescoço.

— Hummmmm... não me diga isso, senhorita Flores, ou terei que lhe dar uma palmada enquanto mando outro homem te foder.

— Gosto de ser uma depravada.

— Depravada??

— Para o senhor... sim.

Achando graça, ele toca meus seios por cima do vestido.

— Estou com muita vontade disso também, senhorita. Mas devo lembrá-la de que combinamos de encontrar minha mãe, e esses joguinhos são só entre nós dois.

Me aprisiona contra a parede e isso me faz rir. Sua boca procura a minha e ele sussurra antes de me beijar:

— Você me deixa louco... fofinha.

Me beija com sofreguidão. Em suas mãos, como sempre, fico totalmente rendida, adoro quando me domina. Suas mãos percorrem meu corpo e, quando solto um gemido, ele aperta sua ereção em mim e volto a gemer. Estou pronta. Quero que ele tire minha roupa. Que arranque minha calcinha e faça comigo o que quiser. Lambe meu queixo e, quando mais um gemido sai de dentro de mim, ele se afasta.

— Controle-se, senhorita Flores. Sua sogra pode pensar que a senhorita é mesmo uma depravada. Vamos... ela está nos esperando na recepção.

Seu comentário me faz rir. Sogra! Nunca tive sogra.

— Por essa você me paga — eu digo e em seguida o pego pela mão. — Não se esqueça disso.

— Hummmm.... não vejo a hora.

56

A mãe de Eric se revela uma mulher inteligente e encantadora.

Durante o jantar, ela ri e brinca o tempo todo e me faz sentir como se nos conhecêssemos a vida toda. Me conta histórias de Eric quando era pequeno, e ele, horrorizado, a repreende mas logo sorri. Adoro ver como ele fica olhando para a própria mãe. Dá para perceber que ele gosta muito dela e isso me deixa imensamente feliz.

O celular de Eric toca, e ele se levanta para atender. Nesse momento, Sonia olha para mim e diz:

— Obrigada.

— Por quê? — pergunto surpresa.

— Por fazer meu filho sorrir. Fazia anos que eu não o via tão feliz, e isso, para mim que sou sua mãe, enche meu coração de felicidade. Vejo como ele te olha, como você olha pra ele, e sinto vontade de pular da cadeira e gritar como louca: "Finalmente! Finalmente meu filho se permite ser amado!"

Emocionada, e achando graça, sorrio e me aproximo dela.

— Foi um osso duro de roer. Te garanto!

— Sério?

— Sério.

— Meu Eric é osso duro?

— Sim... seu Eric.

Sonia solta uma gargalhada ao ouvir isso.

— Ah, Jud...! Não sei como uma moça tão simpática como você consegue aguentá-lo. Eric tem um gênio do cão. Bom... imagino que você já tenha percebido por conta própria. Quando mete alguma coisa na cabeça, não para até conseguir.

— Mas posso te garantir que comigo foi um páreo duro. — Eu rio, divertida.

Olho para Eric, vejo que nos observa do fundo do restaurante e suspiro ao admirar seu corpo. Está gatíssimo de calças escuras e camisa azul. Ele pisca para mim e estremeço. Eu o desejo com toda a minha alma.

— Jud, posso te fazer uma pergunta?

— Claro, Sonia.

A mulher dá uma olhada rápida para o filho e diz:

— O que você sabe sobre Eric?

Entendo aonde ela quer chegar e respondo:

— Se você está se referindo a Flyn, a Betta e à doença dele, sei de tudo. Ele me contou e eu o amo do mesmo jeito.

Sonia pega minha mão e percebo que ela faz um esforço imenso para não chorar. Vejo a emoção em seus olhos, mas ela se controla. Faz que sim com a cabeça e bebe um pouco de vinho.

— Eric merece alguém como você. Uma pessoa que o ame e que o compreenda.

— É fácil amá-lo. Ele só tem que deixar. — Sorrio.

Ela concorda num gesto de cabeça e chega mais perto de mim.

— A desgraçada da Betta o fez sofrer muito. Eric passou por poucas e boas, e eu pensei que ele nunca voltaria a sorrir por uma mulher. Mas você... você é namorada dele, e estou tão feliz por vê-lo feliz que eu poderia passar a noite inteira te agradecendo por gostar assim dele.

Sorrio. Bebo um pouco de vinho e Sonia diz:

— Toda vez que me lembro da agonia dele, fico morrendo de raiva. Flagrar a própria namorada com o sem-vergonha do pai juntos na cama... Esse dia foi terrível... terrível.

— Calma, Sonia... calma — murmuro, tocando em sua mão ao perceber sua dor.

De repente, reconheço a mulher com quem Eric está falando. É a loura que vi há alguns dias no escritório e com quem ele saiu do prédio. Sonia olha na mesma direção que eu.

— Minha nossa — sussurra. — O que ela está fazendo aqui?

Observo que Eric a pega pelo cotovelo e lhe diz algo. Ela se solta e começa a caminhar até nossa mesa. Meu sangue ferve. Não sei quem é essa mulher. Só vejo a expressão ofuscada de Eric e fico sem palavras. De repente, Sonia se levanta e pergunta:

— O que você está fazendo aqui?

Eric chega ao mesmo tempo que a jovem, e ela não o deixa falar.

— Mãe, não estou nem aí se esse cabeça-dura me mandar ir embora outra vez. Vim atrás dele e não penso em voltar pra Alemanha sem ele.

Surpresa, olho para Eric, que se aproxima de mim e diz:

— Querida, essa é minha irmã, Marta.

A jovem loura com cara de criança me olha e sorri.

— Oi, Judith... Ouvi falar de você. Pouco, mas bem. Aliás, eu e você precisamos conversar sobre o cabeça-dura do meu irmão.

— Marta! — protesta Eric.

— Ah... Eric, fica quietinho aí! Você já me irritou muito.

— Crianças... crianças... não comecem — intervém a mãe.

Sorrio para ela, e Sonia me explica:

— Marta é filha do meu segundo casamento. — E, olhando para a filha, diz num tom de cochicho: — Judith é a namorada de Eric, sabia?

Eric faz cara de impaciência, eu rio e sua irmã pergunta:

— Sua namorada?

— É, minha namorada — diz Eric.

— Mas como você aguenta esse rabugento?

— Masoquismo puro — respondo e todos riem, inclusive Eric.

Após umas risadas que deixam o clima mais leve, Marta, sem dar trégua, olha para a mãe e depois para o irmão.

— Agora que já foram feitas as apresentações, diz aí, Eric: quando você volta pra Alemanha? Eu e mamãe não estamos mais suportando o Flyn, e a babá dele qualquer dia o estrangula. Essa criança vai nos matar de desgosto. E daqui a pouco é hora de fazer a cirurgia. Você tem que se operar. Eu já te disse que você precisa baixar a pressão intraocular. E o que está acontecendo? Por que você não volta pra cuidar disso tudo? Tenho certeza de que sua namorada vai entender que você precisa viajar, né?

Balanço a cabeça afirmativamente. Faço cara de espanto. A história da cirurgia me pegou de surpresa. Não sabia que ele estava adiando a operação por minha causa. Isso me deixa furiosa e, quando Eric vê minha expressão, diz:

— Por que você não consegue ficar quieta, irmãzinha?

— Porque eu quero continuar tendo um irmão rabugento que vê minhas caras de emburrada quando brigo com ele, que tal?

— Que saco...! Quando você assume esse papel doutora-falando-com-o--paciente, me tira do sério.

— E você me tira do sério mais ainda, quando se comporta como um cabeça-dura. Aliás, preciso te contar que ontem Flyn aprontou de novo no colégio.

Eric respira fundo. Não está à vontade com a conversa.

— Filho — acrescenta a mãe —, você insiste em não colocar Flyn num colégio interno. Você sabe que eu amo esse menino, mas o comportamento dele é...

— Chega, mãe!

— Ei, você... pode parar... não fala assim com a mamãe — solta Marta. Furioso, Eric olha para as duas.

— Já sou crescidinho pra decidir o que é melhor pra mim e pro Flyn.

— Ótimo — diz Marta. — Então levanta essa bunda da cadeira, vai pra Alemanha e cuida dessa história. Porque senão, no fim das contas, eu e mamãe é que teremos que decidir o que fazer com ele.

Eric diz palavrões, irritado. Iceman está de volta!

De repente, o clima bom que havia na mesa vai por água abaixo. Fico transtornada ao ver como esses três se olham e se desafiam. Ao fim, mãe e filha se levantam da mesa e, sem falar nada, vão embora. Eric abre o celular e eu o ouço dizer:

— Tomás... minha mãe e minha irmã vão sair do restaurante. Leve as duas ao hotel. Nós vamos voltar de táxi.

Quando desliga o telefone, olha para mim, mas desta vez eu me antecipo:

— Estou muito chateada contigo.

Eric me olha... me olha... me olha e finalmente sussurra:

— Escuta, Jud. Eu, melhor do que ninguém, sei o que estou fazendo. Sobre Flyn, sei que elas têm razão. Vou voltar pra Alemanha e cuidar dele, mas não vou enfiá-lo num internato. Hannah não me perdoaria, nem eu. E, quanto a mim, pode ficar tranquila, sou o primeiro a não querer ficar cego, está bem?

A palavra "cego" me faz estremecer.

De repente, volta à minha consciência o fato de Eric, meu amor, o homem que amo, ter uma doença terrível, e minhas angústias ressurgem em cascata. Minha expressão se contrai e, quando prendo a respiração para segurar as lágrimas, ele me pega pela mão.

— Calma, pequena... estou bem.

Minha cabeça concorda e não digo nada, pois senão meus olhos se transformariam nas cataratas do Niágara, de tanta água que sairia.

Eric me puxa para si. Eu me levanto e sento no seu colo para abraçá-lo sem me importar com as pessoas que estão à nossa volta. Preciso senti-lo perto de mim. Preciso sentir seu cheiro. Preciso tê-lo e, principalmente, preciso que ele saiba que tem a mim.

Quinze minutos depois, quando já estou mais tranquila, Eric paga a conta e saímos em silêncio do restaurante. Voltamos ao hotel de táxi.

Ao chegarmos à suíte, permaneço em silêncio. Não tenho forças nem para discutir, e, quando entramos no quarto, Eric segura minha mão.

— Escuta, Jud...

De repente, uma raiva incontrolável toma conta de mim.

— Não, escuta você, cabeça-dura desgraçado. Sobre Flyn, suas escolhas me parecem razoáveis, ele é seu sobrinho, e você, melhor que ninguém, sabe o que fazer com ele. Mas, quanto à sua doença, se você me ama e quer que a gente continue juntos, faz o favor de voltar com sua família pra Alemanha e fazer o que tiver que ser feito. — As lágrimas me invadem e começam a rolar pelas bochechas. — Não sei por que você está adiando isso, mas, se é por mim, te garanto que vou estar te esperando quando você voltar, ok? Você diz que sou sua namorada e, como tal, exijo que se cuide porque te amo e quero estar ao seu lado por muitos e muitos anos. Se você quiser, posso ir contigo. Ficarei ali o tempo que for necessário. Mas, por favor, preciso saber que você está bem. Porque, se acontecer alguma coisa de ruim com você, eu... eu...

Eric me abraça e eu desmorono.

— Desculpa, pequena... desculpa.

Dou um empurrão nele e solto um grito, enquanto vejo como está sério e desesperado.

— Vai à merda, pra não dizer coisa pior! Se você me ama, seja responsável com suas obrigações e se cuide. Essa é a maneira de demonstrar que me ama.

Por alguns minutos, permanecemos calados: eu choro; ele me olha. Sua dor é imensa, mas não consigo controlar minhas malditas lágrimas. Por fim, ele me estende sua mão.

— Vem cá, querida.

— Não.

— Por favor... vem.

— Não... não quero ir.

Ele acaba se sentando na cama, disposto a esperar que minha raiva passe. Já me conhece e sabe que é melhor me dar um tempo até eu me acalmar. Dez minutos depois, me sinto ridícula e vou me sentar no seu colo, de frente para ele. Eu o abraço e ele me abraça. Permanecemos assim um bom tempo, até que tento beijá-lo e ele se esquiva.

— Você acabou de virar a cara pro meu beijo?

Eric sorri, e eu logo sinto que ele me segura com mais força.

— Alguma vez teria que ser eu, né?

Sorrio por fim e ele me beija com doçura, enquanto sinto seus braços me apertarem mais e mais contra si. Depois se levanta comigo e me deita na cama. Levanta meu vestido, tira minha calcinha e, sem deixar de olhar para mim, vai tirando a roupa.

Deita sobre mim segura minhas mãos e sinto que vai se encaixando, cuidadoso, lenta e pausadamente em meu interior.

Meu corpo estremece e eu o recebo com prazer, contorcendo-me de olhos fechados.

— Olha pra mim, querida. Eu preciso.

Eu olho. Agora entendo que ele precisa ver minha expressão, meus olhos, meu rosto, quando se funde de novo em mim. Minha boca se abre para deixar escapar um gemido que Eric devora com os lábios, enquanto aumenta o ritmo de seus movimentos para me dar mais e mais prazer.

— Mais forte... mais forte — exijo.

Eric solta minhas mãos e segura meus quadris. Com um tranco me toma toda e eu grito, me contorço de prazer, sem deixar de olhar para ele.

— Isso, Jud... Isso, minha querida.

Instantes mais tarde, após entrar e sair vigorosamente em mim, chegamos juntos ao orgasmo, e ele desaba em cima de mim. Ficamos nessa posição durante alguns minutos, enquanto recuperamos o fôlego, até que Eric ergue o rosto e olha para mim.

— Tudo bem, Jud. Voltarei depois de amanhã e farei a cirurgia. Mas quero que você comece a pensar sério na proposta de ir morar comigo e com Flyn na Alemanha. Promete que vai pensar?

Claro que vou pensar. Concordo com a cabeça e abraço Eric.

57

Viver sem Eric está difícil para mim. Difícil e insuportável.

Me acostumei a vê-lo circular pelo escritório e pela minha casa, e estar sozinha me desestabiliza.

Antes de ir embora, ele quis contar à minha chefe a verdade sobre nossa relação, mas eu o proibi. Odeio fofocas e, por mais que eu saiba que elas serão inevitáveis quando todo mundo ficar sabendo, prefiro adiar esse momento.

No mesmo dia em que embarca para a Alemanha, me liga umas vinte vezes. Precisa falar comigo e me lembra de pensar na sua proposta de eu me mudar para a Alemanha. Ele precisa de mim e precisa logo.

No dia da cirurgia, Sonia me liga para informar que tudo correu bem, mas que o humor de Eric está péssimo. Ele não é um bom doente. Os dias passam e comento com Sonia sobre a possibilidade de eu ir à Alemanha. Ela consulta Eric e sua resposta é não.

Eric rejeita a ideia. Não quer que eu o veja nesse estado. Tento convencê-la, mas ela me lembra que já me alertou que seu filho não é um bom doente e que, num momento assim, é melhor não contrariá-lo.

Desesperada, ligo para o meu pai e lhe conto o que está acontecendo.

Ele tenta me acalmar e me manda ir para a cama descansar. No dia seguinte, quando chego do trabalho, encontro meu pai e minha irmã me esperando em casa. Em meio a lágrimas e soluços, explico a eles o que está acontecendo com Eric.

Vejo a tristeza em seus olhos. Percebo como eles se entreolham sem saber o que me dizer. Mas, como sempre, não me deixam na mão. Tentam me colocar para cima e afirmam que Eric é um homem forte e que, independentemente do que acontecer, ele voltará para mim. Quero acreditar nisso. Preciso acreditar nisso.

De madrugada, eu e meu pai conversamos. Comento com ele a possibilidade de eu ir para a Alemanha morar com Eric e Flyn, e ele parece aceitar a ideia. Entende a situação e me incentiva a viver ao lado da pessoa que eu amo e que me ama. Papai é a pessoa mais compreensiva do mundo e, apesar da dor que sente por saber que vou ficar longe dele, acredita no amor e na necessidade de viver o momento.

Uma semana depois, meu pai volta a Jerez. Precisa tomar conta de sua oficina, mas minha irmã está sempre comigo. É maravilhosa. Gosto dela do fundo do meu coração e, apesar de às vezes me encher o saco, é a melhor irmã do mundo.

De: Eric Zimmerman
Data: 17 de outubro de 2012 20:38
Para: Judith Flores
Assunto: Estou com saudades
Odeio o tratamento e a minha irmã. Ela me deixa muito irritado. Quanto a Flyn, não sei o que fazer com ele.
Estou com saudades de você.
Te amo.
Eric

De: Judith Flores
Data: 17 de outubro de 2012 20:50
Para: Eric Zimmerman
Assunto: Re: Estou com saudades.
Você irritado?
Sério?
Não acredito... impossível!
Um homem como você não sabe o que é isso.
Sobre Flyn, dê tempo ao tempo. Ele ainda é muito novo.
Te amo... te amo... te amo...
Jud

De: Judith Flores
Data: 18 de outubro de 2012 23:12
Para: Eric Zimmerman
Assunto: Oieeeeeee
Oi, aqui é sua namorada!!!
Como você está hoje, meu querido?
Espero que um pouquinho melhor. Ah, vai, abre um sorriso, que tenho certeza de que você está com a cara fechada. E tá booooom, já entendi a indireta de que você não quer que eu vá te ver. Vou ter de me aguentar.

Aqui em Madri já está começando a fazer frio. Hoje no escritório foi um dia louco e só há pouquinho cheguei em casa. Estou com tanto trabalho que mal tenho tempo de respirar.

Espero que Flyn esteja mais fácil de lidar.

Beijos, querido, que passe uma boa noite. Te amo. Me responde amanhã?

Sua moreninha

De: Eric Zimmerman
Data: 19 de outubro de 2012 08:19
Para: Judith Flores
Assunto: Olá

Odeio que você trabalhe tanto.

Isso são horas de chegar em casa? Quando eu voltar a Madri, vou ter uma conversa muito séria com a idiota da sua chefe.

Te amo, moreninha.

Eric

De: Judith Flores
Data: 19 de outubro de 2012 20:21
Para: Eric Zimmerman
Assunto: Não se mete no meu trabalho

Como eu já escrevi na linha de assunto, não se mete no meu trabalho! O fato de eu ser sua namorada não te dá o direito de se envolver nas minhas questões de trabalho.

E a propósito... Eu te amo mais!

Judith

De: Eric Zimmerman
Data: 19 de outubro de 2012 22:16
Para: Judith Flores
Assunto: Sou seu chefe

Não volte a me dizer pra não me meter no seu trabalho. SOU SEU CHEFE. E, quanto a quem ama mais o outro, logo, logo eu vou te provar!

Eric

De: Judith Flores
Data: 19 de outubro de 2012 22:19
Para: Eric Zimmerman

Assunto: Hummmmmmm

E, vem cá, por que você não me liga em vez de me escrever? Não tem vontade de ouvir minha voz? Estou morrendo de vontade de te ouvir, nem que sejam seus resmungos. Anda... seja bonzinho e me liga, CHEFE.

E, sobre aquele assunto de quem ama mais... me prove!

Jud

Aperto "enviar" e espero... espero e espero e, como diz aquela música de antigamente "e eu desesperando"!

Não liga. Nem me escreve. Nada.

Às onze da noite, decido preparar alguma coisa para jantar. Não estou com muita fome, então faço uma omelete, mas acho que ficou tão sem graça no prato que resolvo acrescentar um ingrediente secreto que a Luz adora: confetes! Omelete com confetes!

Ótimo jantar!

Pego o prato e o levo até a mesinha junto com uma Coca. Ligo a tevê e, para variar, aparece um programa desses sobre a vida de celebridades. Assisto por alguns minutos e acabo trocando. Quando chego ao canal Divinity, vejo que está passando *Brothers & Sisters* e deixo ali, porque gosto muito dessa série. Abro a Coca, tomo um gole e a campainha toca.

Acho estranho e olho as horas. São 23h21. Me levanto, espio pelo olho mágico e logo grito "Eric!". Abro a porta e, sem dizer nada, me lanço em seus braços.

— Eiiiii, cuidadooooooooooo!

Mas que se dane o cuidado!

Eric está bem na minha frente. Não posso acreditar!

Eu o encho de beijos, e ele ri e me ergue em seus braços. Quando me põe no chão, estou sem ar e explodindo de tanta felicidade.

— Oi.

— Oi, querida.

Volta a me abraçar e eu fecho os olhos. Ainda não consigo acreditar que ele está aqui. Na minha casa. Na minha sala. Nos meus braços.

Quando consigo me separar um pouquinho dele e vejo sua cara cansada e seus olhos avermelhados, logo me arrependo da minha empolgação.

— Ai, querido...! Como eu sou bruta, desculpa!

Eric sorri e chega mais perto de mim.

— Não precisa pedir desculpas. É isso que eu precisava de você: sua naturalidade.

Seguro sua cabeça entre minhas mãos com ternura.

— Como você está?

— Bem... muito melhor agora que estou contigo.

— E Flyn?

Sua expressão se contrai.

— Está bem, eu o deixei bem. Vamos ver quanto tempo vai durar assim.

Sorrio. Não imagino Eric lidando com um menino de 9 anos.

— Por que você não me disse que vinha?

— Era surpresa. Além disso, você não me escreveu há alguns minutos, me pedindo pra te ligar nem que fosse pra você ouvir meus resmungos? Pois aqui estou eu, em carne e osso.

Nós dois rimos.

— Que tal me convidar pra entrar na sua casa?

Fecho a porta, retiro seu pesado sobretudo azul e o levo até o sofá. Ao me sentar na sua frente, reparo que ele está mais magro, mas sua aparência geral é boa. Sinto vontade de apertá-lo, mas me dou conta de que não é o momento de fazer isso. Não quero que se canse.

— Quer beber alguma coisa?

— Um pouco de água.

Rapidamente me levanto, encho uma jarra de água e vou até a mesa. Quando me sento a seu lado, ele me olha e aponta o prato.

— O que é isso?

— Meu jantar, quer?

— E o que tem aí exatamente?

Achando graça da forma como ele olha o prato, respondo:

— Omelete com confetes.

— Omelete com confetes?

Eu rio. Ele deve pensar que perdi o juízo.

— Quando tomo conta da minha sobrinha Luz, às vezes ela não quer jantar. E descobri há algum tempo que, se eu coloco confetes em vez de batatas fritas ou arroz, ela come a omelete. E hoje, como eu não estava muito a fim de cozinhar, decidi imitá-la. Fim da história.

— Meu Deus, menina — murmura, sorrindo —, eu estava morrendo de saudades de você!

— Eu também... eu também...

Eric me olha e eu não consigo deixar de olhá-lo também.

— Por que não me abraça?

— Não quero te apertar demais.
— Vem cá. Estou bem, sua boba... muito bem.
Me faz sentar no seu colo e começa a encher meu pescoço de beijos.
— Me aperta e me beija. Você é meu melhor remédio!

Minutos depois, nus sobre o sofá, Eric demonstra todo o desejo que sente por mim e o tanto que sentia minha falta. Com sua sofreguidão habitual, fazemos amor duas vezes.

58

De volta ao escritório, meu mundo recupera sua relativa normalidade.

A diferença é que agora Eric está ao meu lado: e seus mimos e carinhos me alegram. Continua hospedado no hotel, embora passe algumas noites lá em casa. Ter um lugar de referência para cada um é algo que consideramos necessário, apesar de gostarmos muito de ficar juntos. Cada vez sente mais vontade de contar para todo mundo que sou sua namorada, mas rejeito a ideia. Não sei por quê, mas não quero que ninguém fique sabendo. Temos conversado muito sobre a questão da mudança para a Alemanha. Percebo que ele precisa que eu dê uma resposta logo, mas ainda não sei o que fazer. Ele não me pressiona e eu fico agradecida por isso.

Vários dias se passaram desde que Eric voltou. Toda manhã lhe pergunto como está e sua resposta é sempre a mesma: "Bem." Não teve mais dor de cabeça e acho que também não sentiu enjoos, e isso me deixa mais tranquila.

Certo dia, quando estou na cantina com Miguel, vejo Eric entrar. Seu olhar me diz que ele não aprova o fato de eu estar tomando o café da manhã com meu amigo.

Senta-se ao fundo da cantina e pede um café. Eu continuo falando com Miguel, até que meu celular toca. Eric.

— Posso saber o que você está fazendo? — pergunta irritado.

Não olho para ele, já que eu acabaria rindo.

— Tomando o café da manhã.

— Por que você tem que tomar café todo dia com esse cara?

Sentado na minha frente, Miguel me olha e, por meio de gestos, me pergunta quem é.

— Meu pai — respondo, e murmuro dissimulada: — Fala, pai, estou tomando café, o que você quer?

— Seu pai? Como seu pai? — diz Eric, grunhindo.

Achando graça, sorrio enquanto ouço meu amor bufando de raiva do outro lado da linha.

— Ah, pai, não se preocupe, te garanto que estou comendo diretinho, ok?

— Jud... — murmura entredentes.

Nesse instante, Raul e Paco se juntam a nós. Como sempre, me dão um beijo na bochecha e se sentam na nossa mesa. A reação de Eric não demora.

— Beijos? Quem lhes deu permissão pra te beijar?

Não sei o que responder. Acabo rindo. Paco e Raul são um casal e, quando estou quase dizendo a primeira coisa que me passa pela cabeça, Miguel chega perto de mim, retira uma mecha de cabelo do meu rosto e coloca atrás da minha orelha.

— Que inferno — diz Eric, enfezado. — Por que esse cara está tocando em você?

— Pai, posso te ligar quando chegar em casa? — Antes que Eric responda qualquer coisa, eu digo e desligo: — Um beijinho, pai. Te amo.

Fecho o celular e deixo sobre a mesa. Com curiosidade lanço o olhar na direção de Eric e o vejo parado com o telefone ainda na orelha. Sua expressão diz tudo. Está muito... muito irritado. Não gosta que eu desligue o telefone e é isso que acabo de fazer. Imediatamente se levanta. Passa ao nosso lado, e Miguel, alheio ao que está acontecendo, toma tranquilamente seu café, enquanto eu, em compensação, sinto meu estômago se contrair.

Minha chefe entra acompanhada de Gerardo, o chefe do RH, e, pouco à vontade com a presença dela, saio da cantina dez minutos depois e vou para minha sala. Sei que Eric estará por ali. Me sento à mesa e meu telefone toca. É ele. Me manda ir até sua sala.

Quando entro, fecho a porta atrás de mim e ele me lança um olhar frio. Sorrio. Ele não. Sei que está com vontade de xingar e reclamar, mas se controla. Esse não é o lugar adequado para ele armar um barraco.

Me olha... me olha e me olha e finalmente se levanta com uns papéis na mão. Aproxima-se de mim.

— Papai?!

Encolho os ombros. Faço menção de responder, mas ele começa a resmungar:

— Estou chateado de verdade.

Tendo em mente onde estamos, murmuro:

— Mas você já sabe... uma faxina geral te relaxaria.

Minha resposta o enfurece ainda mais e rapidamente me arrependo de ter sido tão espontânea, embora meu lado masoquista tenha se alegrado ao perceber sua raiva... Gosto disso!

— Por que esses caras têm que te tocar e te beijar? Por quê?

Tento encontrar uma resposta que não o deixe ainda mais irritado, mas não me ocorre nenhuma. Tudo me parece terrivelmente absurdo.

— Ah, para com isso, por favooooor... Miguel só tirou o cabelo do meu rosto, e Paco e Raul me cumprimentaram com um beijinho no rosto.

— Não dei permissão pra eles te tocarem.

Suas palavras me deixam perplexa:

— Mas do que você está falando?

Iceman, em sua versão rabugenta, olha para mim. Me examina com seus olhos injetados e furiosos e, sem levantar a voz, sussurra:

— Não quero que te toquem nem te beijem de novo, escutou?

— Sim... escutei.

— Ótimo!

— Se vou obedecer ou não, aí são outros quinhentos. — Sinto a frustração em seu olhar. — Mas, vem cá, o que há contigo? Realmente está com ciúme pelo que viu e... e... e ao mesmo tempo você não se importa que... que... a gente jogue com outras pessoas e...?

— É diferente, Jud. Incrível você não entender isso.

— É que não dá pra entender — digo, respirando fundo.

— Chega! Vou sair agora mesmo e contar pra todo mundo que você é minha namorada. Que você é a namorada do chefe.

Seu comentário me deixa alarmada.

— Eric Zimmerman, se você ousar fazer isso, vai me pagar.

— Está me ameaçando?

— Com certeza.

— Por que você não quer que eu conte?

— Porque não.

— Essa resposta não vale. Por que não?

Olho para ele bufando de raiva.

— Bem... não quero que o pessoal fique fofocando e pense que sou uma golpista que se envolveu com o chefe. Se nossa história for adiante, haverá tempo de sobra pra contar. Por que devemos nos precipitar?

Nesse momento, a porta se abre e minha chefe aparece. Surpresa ao me ver, pergunta:

— O que houve?

Não sei o que responder. Me dá um branco. Mas Eric reage com rapidez.

— Eu estava pedindo à senhorita Flores que enviasse uns documentos por fax.

Me entrega os papéis que estava segurando.

— Quando você tiver os relatórios, mande-os para mim, por favor.

— Pode deixar, senhor.

Assim que saio da sala, respiro aliviada.

Discutir com Eric me deixa exausta. Nunca nos entendemos.

Pelo resto do dia, Eric não sai da sala. Continua pensativo. Na hora do almoço, saio e fico surpresa quando minha chefe me informa que Eric foi embora e disse que não voltaria mais hoje.

Não telefono nem envio mensagens. Não quero invadir seu espaço.

Vou para a academia. Preciso extravasar, e de novo eu topo com Marisa, que vem falar comigo com intimidade. Me apresenta duas amigas que estão com ela, Rebeca e Lorena. Nós quatro fazemos uma aula de aeróbica e, quando terminamos, suadas, vamos para os chuveiros.

— O que acham de irmos pra jacuzzi? — propõe Rebeca, e todas nós aceitamos.

Entramos na jacuzzi e começamos a conversar. Além de divertida, Marisa é uma mulher muito culta e logo começa a falar de sua última viagem à Índia. Sempre adorei viajar, apesar de ser um luxo que, com meu salário, mal posso me permitir.

Quando saímos da jacuzzi, em meio a risadas pelas histórias que Marisa nos contou, tomamos uma chuveirada e Rebeca vê minha tatuagem e faz um comentário. Eu não dou muita bola e mudo de assunto.

Ao sairmos da academia, vamos a um pub que fica ao lado e tomamos uma bebida geladinha. Trocamos telefone e combinamos de nos ligar e marcar de sair para jantar em casais. Depois, Lorena nos convence a acompanhá-la a uma loja para buscar umas roupas que ela encomendou. Ao chegar, vejo se trata de uma casa particular que vende lingerie. Enquanto esperamos, observo as peças ao meu redor, e a dona nos convence a provar algumas coisas. Aceito sem hesitar. Elas também. Provo dois conjuntos de calcinha e sutiã muito sensuais que tenho certeza de que Eric vai adorar.

— Ficou lindo — diz Rebeca, que entra no provador espaçoso.

— Você acha mesmo?

Ela faz que sim com a cabeça, aproxima-se por trás e deixa um conjunto de calcinha e sutiã sobre o banquinho.

— Leva. Tenho certeza de que seu namorado vai adorar.

— Sim, com certeza. — Sorrio ao imaginar a cara de Eric.

De repente, Rebeca pega minha mão.

— Que anel lindo.

Eu olho para ele, admirando.

— Ganhei de presente do meu namorado.

— Ele tem muito bom gosto.

— Obrigada.

Me olho no espelho enquanto ela se despe de novo para provar outro conjunto.

— Toma. Prova esse aqui — diz e me entrega um espartilho de couro preto.

Achando graça, tiro as peças que acabei de provar e fico nua como ela, no provador. Quando me agacho para tirar a calcinha, noto que ela se agacha também. Assim que me desfaço da minha calcinha, Rebeca fica bem diante da minha tatuagem. Não me mexo, apenas a encaro. Rebeca passa um dedo pela minha vagina e beija meu púbis. Me afasto depressa.

— O que você está fazendo?

Ela se levanta e diz:

— Marisa me disse que te viu brincando numa festinha em Zahara, é verdade?

Desconfortável, eu a encaro.

— Sim, mas eu só jogo na presença do meu namorado.

— É a regra de vocês dois?

— É.

Ela faz que sim e recua. Para de me tocar.

— Seu namorado não precisa ficar sabendo. Será um segredo nosso.

— Não — respondo com firmeza.

Rebeca abre a cortina do provador e eu vejo Marisa, Lorena e a dona da loja nuas em cima de um sofá, transando. Fico sem palavras. Rebeca se aproxima de mim por trás e segura meus seios.

— Elas estão se divertindo. Vamos, aproveite o momento.

Solto o espartilho e me desvencilho de suas mãos. Me afasto dela. Vou até minha roupa, me agacho para pegar a calça e começo a me vestir. Não quero olhar e quero sair desse lugar o quanto antes. De repente, me agarra pelos quadris, aproxima seu púbis do meu traseiro e se esfrega nele.

— Vamos, Judith... eu sei que você quer. Você quer abrir as pernas pra mim. Não adianta negar.

— Já disse que não. E me solta!

Minhas palavras fazem as outras mulheres nos olharem. Rebeca se afasta de mim. Não volta a me tocar, mas o olhar que me dirige não me agrada. Parece divertir-se com meu constrangimento. Quando termino de me vestir, saio correndo da loja sem dizer nada.

Ao chegar em casa, estou descontrolada. Como pude ser tão idiota? Tomo um banho, nervosa. Penso em Eric e sinto uma vontade enorme de falar com ele e contar o que aconteceu. Ligo para ele e escuto sua voz fria do outro lado da linha.

— Fala, Jud.
— Tudo bem?
— Tudo.
Com receio de que ele esteja se sentindo mal, pergunto:
— Está com dor de cabeça ou alguma coisa assim?
— Não.
— Está enjoado ou vomitou?
— Não.
— Então por que não voltou pro escritório hoje à tarde?
Não responde. Seu silêncio me incomoda.
— Bom... Se fisicamente você está bem, o que houve? Se está assim pelo que aconteceu no escritório, por favooooor, é uma bobagem!
— Pode ser uma bobagem pra você, mas não pra mim.
— Quero te lembrar que sou uma pessoa adulta, não uma criança, como seu sobrinho, em quem você pode dar bronca.
— Isso, me deixe ainda mais irritado — diz, grunhindo.
Sua desconfiança me entristece. E eu preciso contar a ele o que aconteceu comigo.
— Eric...
Mas ele está chateado e me corta.
— Você sabe que eu não vou com a cara desse Miguel, não sabe?
— Sei, mas...
— Não. Me escuta, Jud. O que você acharia se amanhã eu deixasse sua querida chefe tocar no meu cabelo enquanto eu estivesse tomando café da manhã com ela? Tenho certeza de que ela gostaria. Ah..., e talvez também adorasse me dar um beijinho, que tal?
Não... não... não.
Só de pensar eu já me sinto mal. Conheço minha chefe e sei que ela está ansiosa para que Eric lhe dê a chance de se aproximar e conseguir algo mais. Fecho os olhos e, com esse exemplo, passo a entender sua frustração.
— Ok... captei a mensagem.
— Que bom, Jud. Fico feliz em saber que você finalmente me entendeu. Uma coisa é você permitir que uma mulher toque em mim, outra muito diferente é que uma mulher que você sabe que me deseja toque em mim sem sua permissão. Compreende agora?
— Sim.
— Pensa nisso, porque não estou a fim de repetir nem mais uma vez — acrescenta após um silêncio sepulcral. — Não me importo que você tome café

da manhã com Miguel ou com quem você quiser, mas não aceito que ninguém, homem ou mulher, te toque ou te beije sem o meu consentimento. Boa noite, Jud. Amanhã te vejo no escritório.

Em seguida, desliga o telefone e fico desconcertada.

Como posso lhe contar o que aconteceu comigo sem despertar ainda mais desconfiança?

Aturdida, me sento no sofá com a sensação de que, sem querer, acabei de fazer uma coisa que, se Eric ficar sabendo, vai deixá-lo muito aborrecido. Coço o pescoço que começou a pinicar. Ninguém está por perto para me impedir.

59

Ao chegar ao escritório na manhã seguinte, não me surpreendo ao encontrar Eric trabalhando. Como se nem reparasse na presença dele, deixo minhas coisas na mesa e o telefone interno começa a tocar. Eric. Quer que eu vá à sala dele.

— Bom dia, senhorita Flores.

— Bom dia, senhor Zimmerman.

Logo vejo Julio Merino, um rapaz da empresa, sentado na mesinha redonda da sala de Eric, com uns papéis nas mãos.

— Senhor Merino — diz Eric, recostando-se na cadeira —, poderia me trazer um cafezinho?

O jovem se levanta.

— Sim, senhor Zimmerman... é pra já.

Quando passa ao meu lado, faz cara de impaciência e eu tento segurar o riso. Assim que eu e Eric ficamos a sós na sala, ele suaviza o tom:

— Dormiu bem?

— Muito mal... estava sentindo sua falta.

Noto seus lábios se encurvando.

— Com certeza não tanto quanto eu senti a sua.

— Até parece... tenho certeza de que eu senti tanto quanto você ou até mais.

Nos olhamos. Um duelo de olhares. Já aprendi a sustentar o seu olhar.

— Essa noite você vai dormir comigo no hotel.

— Ok.

Adorei a proposta. Fico louca só de pensar e já imagino que será um bom momento para contar a ele o que aconteceu ontem.

— O que acha de brincarmos com outras pessoas?

Meu estômago se contrai. Brincarmos acompanhados? Sei o que significa e já estou há muito tempo sem fazer isso. Engulo a avalanche de emoções que ficaram entaladas na minha garganta.

— Por mim tudo bem, se você quiser.

Sem levantar da cadeira, move a cabeça.

— Está excitada? — pergunta ao notar meu nervosismo.

Faço que sim. Eric sorri e se levanta.

— Por favor, senhorita Flores, entre no arquivo.

Sem pensar duas vezes, me dirijo ao arquivo e minha respiração fica entrecortada. Ali dentro, Eric chega perto de mim, meu traseiro esbarra nos arquivos e, apoiando seus quadris nos meus, sinto sua mão se enfiando por dentro da minha saia e tocando minha coxa direita.

— Há muito tempo que não te ofereço e não vejo a hora de fazer isso de novo.

— Eric...

— Continuo chateado contigo e você merece um castigo.

— Um castigo?

— É... minha pequena. E hoje à noite você vai saber qual é.

Voltamos a nos enfrentar num duelo de olhares.

— Gostaria de te lembrar — murmuro — que o castigo que você me deu em Barcelona foi me deixar excitada naquela casa de swing e depois me levar embora sem realizar nenhuma daquelas fantasias.

Ele sorri e passa o nariz pelo meu cabelo.

— Nunca se sabe, Jud... nunca se sabe.

Eric separa minhas pernas. Toca a tirinha da minha calcinha.

— Seu castigo está te esperando no meu hotel — sussurra ao meu ouvido. — Quando sair do escritório, pega o carro e vai direto pra lá.

Tira a mão de baixo da minha saia e se afasta.

— Muito bem, já pode voltar ao trabalho.

Excitada e irritada por esse tratamento tão frio, dou meia-volta para sair quando sinto uma palmada. Me viro para repreendê-lo e então Eric me puxa para si, me beija com paixão e murmura com um sorriso provocante:

— Te amo, pequena...

Essas palavras carinhosas produzem em mim o efeito Zimmerman. Minha irritação some e eu sorrio como uma pateta enquanto ele me abraça e me beija com voracidade.

Segundos depois, me solta.

— Senhorita Flores, poderia fazer a gentileza de parar de me provocar para que eu possa dirigir esta empresa?

Seu comentário me faz rir. Ajeito minha saia, me retiro do arquivo, depois saio da sala e, com um sorriso bobo estampado no rosto, volto à minha mesa. Hoje à noite estou decidida a contar a ele o que aconteceu.

Julio chega com o café e, quando passa ao meu lado, murmura:

— Pô... hoje o chefe está atacado!

Sorrio e tento me concentrar no trabalho.

Às seis da tarde saio nervosa do escritório e faço o que ele me pediu. Pego o carro e vou direto para o hotel. Tomás está esperando na porta e, ao me ver, acena com a mão. Freio, abaixo a janela e o ouço dizer:

— O senhor Zimmerman a espera na suíte. Pode deixar seu carro comigo.

Admirada com a regalia, desço, entro no hotel e vou ficando cada vez mais excitada. Desde Zahara de los Atunes que não jogo e estou ansiosa. O ascensorista sorri e me cumprimenta. Subimos em silêncio e, assim que as portas do elevador se abrem, eu me surpreendo ao encontrar Eric me esperando no hall.

— Oi, querida.

— Oi — respondo, radiante, enquanto passeio meus olhos por ele e reparo em como está gatíssimo com essa calça preta e a camisa azul-celeste. Sem rodeios, ele me beija, me pega pela cintura e me guia até a suíte. Ouço uma música na sala. Há alguém lá dentro, mas não consigo ver quem é. Eric me leva diretamente ao quarto e fecha a porta.

— Em cima da cama está o que quero que você use. Tome uma ducha e, quando estiver pronta, vá até a sala.

Dito isso, dá meia-volta e sai, me deixando sozinha.

Surpresa, caminho até a cama. Lençóis de seda pretos. Que excitante! Sobre os lençóis vejo uma fina e curta camisola de seda junto a sapatos pretos de salto bem alto. Não há calcinha, apenas uma cinta-liga lilás. Minha boca fica ressecada só de pensar. Sexo! Dois homens vão me possuir.

Sem conseguir tirar os olhos dessa peça de roupa, fico nua e entro no banheiro. Tomo uma chuveirada e me delicio ao sentir a água correndo pela minha pele. Me enxugo e visto o que Eric pediu.

Abro a porta do quarto. Eric me vê e faz sinal para eu me aproximar. Quando chego perto, vejo um casal. Ela está vestida como eu. Surpresa, olho para Eric em busca de uma explicação.

— Judith, esse é o Mario e essa é a mulher dele, Marisa. Uns amigos meus.

O homem vem e me dá dois beijinhos no rosto, e, quando a luz reflete na mulher, me dou conta de que é Marisa de la Rosa. Por que age como se não me conhecesse? Vem até mim e dá dois beijinhos também.

— Oi, Judith, que bom te ver.

343

— Digo o mesmo — respondo, confusa.

Não menciona nossos encontros na academia, nem o que aconteceu ontem. Eu também não falo nada. Me sinto estranha ao omitir isso, mas, sabe-se lá por quê, não consigo agir de outro modo.

Eric me pega pela cintura e me puxa para si.

— Eles estavam naquela festa à fantasia em Zahara. Desde então, Marisa não para de me mandar e-mails pedindo pra te conhecer.

Me viro para ela e a vejo sorrir.

— Estou louca pra provar você, Jud.

Não respondo. Não posso. Tudo o que consigo ver é a mulher me olhando de alto a baixo e se detendo nos meus seios. Parece o gato Frajola quando quer devorar o Piu-Piu.

A expressão de Eric é de malícia. Ele gosta do que está vendo. Isso o deixa excitado.

— Tenho uma namorada muito... muito atraente.

Eu o encaro e ele me beija sem se importar que os outros estejam olhando. Quando me solta, vejo de relance que Marisa e o marido cochicham, enquanto servem champanhe. Eric pega do sofá um lenço de seda comprido e o amarra na própria mão.

— Lembra disso?

— Lembro.

— Talvez eu te amarre na cama em algum momento pra te oferecer. Alguma objeção?

Excitada pelo que ele diz, murmuro:

— Confio em você.

Seus olhos faíscam. Estão brilhantes. Eric chega mais perto e diz:

— Marisa é uma mulher muito ativa e está louca pra brincar contigo. O que, claro, eu permito.

— Como assim?

Ele sorri e beija meu ombro.

— Esse é seu castigo hoje, querida.

— Eric, não — sussurro com a boca seca.

— Não?!

Balbucio em seu ouvido:

— Você sabe que não sou chegada em mulher.

Ele sorri.

— Por isso é seu castigo. Mas pode ficar tranquila, eu vou te oferecer pra eles brincarem contigo, você não precisa fazer nada, só relaxar e aproveitar.

Fico perplexa. Faço menção de responder, mas ele me impede.

— Vamos, senhorita Flores, satisfaça meus caprichos.

Com o estômago contraído, olho para a mulher e, só de pensar no que Eric está me pedindo, já sinto vontade de sair correndo.

Mario está sentado no sofá e Marisa nos observa. Estou supernervosa.

— Eric.

— Fala, Jud.

— Não quero fazer isso... não.

Eric me olha... me olha... me olha e por fim diz num tom calmo:

— Ok, Jud. Vai pro quarto e se veste. Tomás vai te levar pra casa.

Isso me desconcerta. Não quero ir embora. Quando estou dando meia-volta para sair, fecho os olhos.

— Eric.

— Fala, Jud.

— Se eu ficar, meus beijos vão ser só seus e os seus vão ser só meus.

Imperturbável, Eric balança a cabeça afirmativamente.

— Isso sempre, querida... sempre.

Eu o beijo ansiosa e ele aceita minha boca. Depois me viro para Marisa.

— Tudo bem, então.

Eric se senta ao lado de Mario.

Aquela mulher e eu ficamos de pé diante de nossos homens, vestidas apenas com nossas camisolas curtas, enquanto a música continua tocando. A excitação começa a crescer em mim quando sinto que ela se aproxima por trás e põe suas mãos na minha cintura.

Eric pega a garrafa de champanhe e serve uma taça. Em seguida deixa a garrafa no balde e nos olha, esparramando-se no sofá.

— Marisa, você finalmente tem minha namorada todinha pra você. Por onde quer começar?

Suas palavras me queimam por dentro. Eric acaba de dizer que sou toda dela. Toda! Mas, antes que eu consiga protestar, a mulher se antecipa:

— Por enquanto, quero tocá-la.

Dito isso, encosta seu nariz no meu pescoço e passa as mãos pelo meu corpo bem na frente dos homens. Toca meus quadris, seios, púbis, tudo isso por cima da camisola de seda preta supersensual. Escuto sua respiração excitada e não faço nada, apenas a deixo invadir meu corpo diante do olhar dos homens.

— Eric... me dá cinco minutos a sós com ela.

— Trinta segundos! — responde ele.

Faço menção de protestar, de recusar o que ela está propondo, mas logo sinto Marisa apertando o corpo junto ao meu.

— Vamos pra cama — sussurra em meu ouvido.

Me puxa pela mão. Eu olho para Eric, ele levanta a taça e sorri, ainda sentado no sofá. Caminho de mãos dadas com a mulher e chegamos ao quarto. Não posso acreditar que Eric não estará presente.

Marisa me faz deitar na cama e se coloca de quatro sobre mim.

— Escuta, Jud. Não se assusta. Não vou te machucar. Só vou te dar prazer e espero que você me dê também. Eric te ofereceu pra mim por causa de alguma coisa que aconteceu entre vocês dois. Isso não me interessa. O que quero é te saborear e desfrutar do seu corpo.

— Por que você não contou pra ele que a gente já se viu antes?

Ela sorri e me olha com luxúria.

— Porque a gente não precisa explicar tudo, né?

Quando vou protestar, ela abaixa as alças da minha camisola, põe meus seios para fora, e isso me deixa sem palavras. Meus mamilos ficam arrepiados e eu a vejo sorrir. Ela então os lambe e chupa. Eu me mexo, agitada. Não gostaria de admitir, mas a situação está me deixando excitada. Sua boca se fecha sobre meus seios e ela os chupa com avidez, até que me solta.

— Gostou? — pergunta.

Faço que sim com a cabeça. Não consigo falar.

— Na academia, toda vez que te vejo nua no vestiário, sinto vontade de te chupar assim. Aliás, Rebeca mandou lembranças.

Quando estou me preparando para dizer uns desaforos, ela abaixa as alças de sua camisola e deixa à mostra seus maravilhosos e firmes seios siliconados. Pega minhas mãos e coloca sobre eles, fazendo-me acariciá-los.

E continuo, mesmo quando ela solta minhas mãos. Toco os mamilos dela do jeito como eu gosto que toquem os meus, e aperto em seguida. Ela olha para mim, morde os lábios e solta um gemido. Aproxima seu rosto do meu. Não me mexo e, quando acho que ela vai me beijar e não tenho mais como recuar, Marisa murmura:

— Eric já me avisou que não posso provar esses lábios tão apetitosos que você tem, mas vou devorar seus outros lábios e o que eles escondem, exatamente como eu desejo cada vez que te vejo. Vou te morder e te chupar de um jeito que vai te levar a querer fazer o mesmo em mim.

— Não... eu não... — sussurro, tentando marcar um pouco meu território.

— Você não o quê?

Pronta para lhe dar um chute se ela for longe demais, explico:

— Eu nunca fiz isso numa mulher. Não é minha praia.

— Não quer fazer em mim?

— Não.

Mexe-se sobre mim. Dá um giro até sua vagina ficar bem na minha cara, e a minha ficar embaixo da sua boca. Não roça em mim, apenas a exibe e sussurra enquanto sinto seu cheiro:

— Faz só uma vez. Se não gostar, prometo que me retiro.

Nunca tinha visto uma vagina tão de perto. Está limpa, depilada como a minha, reluzente e tentadora. Concentrada, eu fico olhando para ela até que escuto Marisa respirar ofegante.

— Judith... põe sua língua uma vez... Só uma vez. Olha, assim...

Sinto sua língua passar lentamente sobre os lábios externos. Estremeço.

Enfeitiçada pelo momento e pela excitação que toma conta de mim, faço o que ela pede. Experimento.

— Isso, assim... — eu a ouço dizer.

A sensação me agrada e eu volto a passar minha língua ali. Ela faz o mesmo e quem respira ofegante agora sou eu.

— Vamos fazer uma coisa. Repita o que eu fizer em você.

Sem esperar mais, a mulher abre meus lábios externos e pousa sua boca quente bem ali. Solto um gemido... e em seguida faço o mesmo que ela. Abro minha boca e chupo seu interior. Por alguns segundos tento reproduzir o que ela faz, mas não consigo... Quero mover minha língua de outra forma e morder seus lábios internos.

Deixo de lado meus preconceitos e começo a dar mordidinhas. Noto que ela estremece. Ela se abre para mim, e eu vejo o clitóris. Curiosa, levo minha língua até lá e começo a roçá-la. Seu clitóris responde imediatamente, inchando-se, e eu fico excitada.

— Ai... Judith... você está me deixando louca... É sério que você nunca tinha feito isso?

— É.

Estimulada pela visão do clitóris, faço o que Eric costuma fazer comigo. Eu coloco a ponta da língua no clitóris, descrevendo círculos, e, quando fica inchado, prendo entre meus lábios e puxo.

Marisa se contrai e geme. Tenta se desvencilhar, mas seguro firme suas coxas e chupo seu clitóris para estimulá-lo mais e mais.

Pensei que eu teria nojo disso, mas não. Passeio minha boca por sua vagina perfeitamente depilada e dou mordidinhas em seu clitóris. Me sinto poderosa com isso. Marisa se esfrega em mim e eu a ouço gemer. Nesse momento eu desejo mais... muito mais, só que ela quer me possuir e me interrompe. Volta a ficar de quatro sobre mim.

— Agora que você já sabe o que eu quero de você, me deixa ter prazer com o seu corpo.

Agarra meus seios, junta os mamilos e enfia os dois na boca. Ela os deixa eriçados e brinca com eles. Quando escuta meus gemidos, Marisa os larga.

— Vou tirar sua camisola. Fecha os olhos e se entrega.

Faço que sim, excitada. Vejo Eric e Mario entrando no quarto. Cada um senta num lado da cama, e ambos nos observam.

Marisa tira minha roupa. Com suas mãos suaves, abaixa a camisola e a retira pelas minhas pernas. Me acaricia desde os tornozelos até chegar às minhas coxas. À minha cinta-liga. Com delicadeza, morde a parte interna das minhas coxas e sobe... sobe até dar mordidinhas nos meus seios.

— Gosto do que estou vendo... — sussurra Eric no meu ouvido.

Marisa continua sua festa e, quando meus mamilos estão absurdamente estimulados, ela desce até minha cintura e brinca com o umbigo. Estremeço.

Sua boca ardente chega ao meu púbis e se detém. Percorre minha tatuagem com a língua e diz em voz alta e provocante:

— Judith, essa tatuagem é muito sedutora. Tenho certeza que desperta paixões.

Olho para Eric. Ele sorri. Eu sei por que ela diz isso, mas fico quieta. Não abro a boca.

Marisa ergue o olhar por um instante, e uma torrente de emoções se apodera de mim quando sinto suas mãos brincando entre minhas pernas. Estou encharcada. Molhada. Receptiva. Ela me toca por cima e, sem esforço, enfia um dedo em mim enquanto roça meu clitóris com a palma da mão. Excitada, começo a me mover contra sua mão, buscando meu prazer.

— Vamos, rapazes... — eu a ouço dizer. — Venham participar da minha brincadeira.

Mario toca meu seio direito e Eric leva sua boca até o esquerdo. Cada um a seu modo, eles me estimulam e me sugam. Marisa abre minhas pernas e me chupa.

— Ah... — solto um gemido enquanto três pessoas me tocam e me chupam.

Ardente e escancarada aos desejos de Marisa, reajo imediatamente e me contorço cheia de tesão. Gosto do que estão fazendo comigo. Gosto de ser o brinquedinho deles. Sua língua habilidosa se move dentro e fora de mim e se detém no meu clitóris para fazer o que acabei de fazer com ela. Ela o chupa. Descreve círculos e o puxa. Me mexo extasiada.

Calor... calor... muito calor.

Eric abandona meu seio, procura minha boca e logo a encontra e me beija. Sua língua me domina, excitada e possessiva, enquanto Marisa me arranca gemidos que deixam Eric enlouquecido. Beijos... carícias... palavras sussurradas que desejo escutar.

— Assim, pequena... assim... se entrega e goza todinha pra mim.

— Só pra você — repito em meio a gemidos.

Durante um tempo que me parece uma eternidade, Marisa brinca entre minhas pernas enquanto Mario dá mordidinhas nos meus mamilos e Eric me beija. Até que sinto Mario segurar uma das minhas coxas, e Eric a outra. Me sentam na cama, me abrem para Marisa e me oferecem a ela.

A mulher, enlouquecida por ter conseguido o que estava querendo fazia tempo, chupa meu clitóris com habilidade. Eu me contorço. Me agarra pela bunda e me aperta sobre sua boca. Me saboreia de mil maneiras possíveis e sinto prazer com tudo isso. Ondas de prazer intenso e ardente percorrem meu corpo uma vez... depois outra.... e mais uma...

— Molhada e pronta pra mim — eu a ouço dizer.

Não sei a que se refere, mas seu marido me solta, se levanta e desaparece do quarto.

Eric não fala nada. Apenas me observa extremamente excitado ao mesmo tempo que me segura para Marisa. A mulher introduz dois dedos bem fundo em mim, move-os ali dentro e depois retira. Ergo meus quadris em busca de mais. Ela volta a enfiá-los e retira outra vez, e então percebo que a lubrificação dos seus dedos é minha própria lubrificação. Seu marido aparece, senta-se num lado da cama e nos mostra um vibrador preto de duas cabeças.

— Estou louco pra ver como vocês vão foder uma à outra.

Olho para Eric e ele aproveita e me beija. Morde meus lábios e sussurra palavras carinhosas. Os dedos de Marisa continuam me invadindo enquanto eu respiro ofegante e me delicio com o momento. Instantes depois, ela para o que estava fazendo e leva sua boca safada de novo ao centro do meu desejo. Me deixa mais e mais molhada. Eu solto uns gritos, até que ela põe o vibrador de duas cabeças entre nós duas e diz:

— Você está muito *caliente*... Vamos foder.

Eric fica atrás de mim. Não me abandona. Está o tempo todo atento a mim e ao que estou fazendo. Pega o vibrador e, após chupá-lo, vai metendo ele aos poucos me mim. Centímetro a centímetro, enquanto eu sinto aquele objeto me abrindo a carne, e solto um gemido.

— Sim... assim... — sussurra Eric no meu ouvido.

Quando Eric para, Marisa abre as pernas, pega a outra ponta do vibrador e se encaixa nele. Morde os lábios e geme enquanto o enfia em seu corpo e com isso se aproxima ainda mais de mim.

— Cuidado, pequena... — murmura Eric.

Me fixo em Marisa e em como, com seu olhar provocante, ela se move em busca do orgasmo. Mexe os quadris. O brinquedo entra em mim e nela, arrancando ondas de prazer em nós duas. Marisa faz um movimento com a pélvis, aproximando-se de mim, e eu grito, mas não me acovardo, e agora sou eu quem pressiona a pélvis contra o corpo dela. Esse jogo faz o vibrador entrar e sair de nós, proporcionando um prazer maravilhoso.

Sentadas uma diante da outra, Marisa me segura pelos braços e se move um pouco para a frente. Me olha, aperta os dentes e respira ofegante. Eu grito enlouquecida, mas, instantes depois, sou eu quem agarra seus braços e os aperta para ela gritar. Gritos... gemidos... tudo isso, somado às palavras de Eric em meu ouvido, faz nós duas gozarmos, sentadas na cama e unidas por um vibrador. Exaustas, nos deixamos cair para trás.

Fecho os olhos. O jogo me deixou esgotada. Ao sentir alguém retirando o vibrador de dentro de mim, abro os olhos e vejo que é Marisa. Sorrio e então ouço Mario dizer enquanto põe uma camisinha:

— Vamos, garotas... agora é nossa vez.

Olho na direção de Eric. Vejo que ele rasga a embalagem de um preservativo e o coloca. Em seguida pega minha mão.

— Vou te amarrar na cama e te oferecer a Mario pra ele te comer. Deita de bruços.

Sem hesitar, faço o que ele pede e vejo Marisa fazendo o mesmo. Mario e Eric amarram nossos pulsos com os lenços de seda na cabeceira da cama. Pouco depois, a cama balança um pouco e eu sinto um tapa no traseiro. Tão forte que chega a arder. Reconheço a mão de Eric me agarrando e me fazendo empinar a bunda.

— Abre as pernas pra ele poder meter em você e eu conseguir ver. Entendido, querida?

Faço que sim com a cabeça, e a excitação pelo que ele diz percorre meu corpo inteiro.

Instantes depois, duas mãos que não reconheço me seguram pelos quadris e me introduzem sua ereção aos poucos. O pênis é largo, mas não tão comprido como o de Eric. Não chega com profundidade. Eu quero mais. Quero que me penetre várias vezes e respiro ofegante de prazer a cada vez, enquanto escuto os gemidos de Marisa ao meu lado e sei que Eric me olha enquanto lhe dá muito... muito prazer.

Imaginar a cena me deixa mais excitada. Me estimula. Mexe comigo. Nós duas amarradas à cama com a bunda empinada e nossos homens nos comendo e exigindo mais.

Uma... duas... três... quatro... cinco... seis penetrações e seis gritos de prazer, na sétima escuto Eric soltar um gemido rouco, olho para ele e vejo que gozou. Mario me segura e me ergue, se movimenta mais algumas vezes dentro e fora de mim, me aperta de um jeito brusco e finalmente nós dois gozamos. Exausta, respiro com a boca em cima dos lençóis, até que sinto Eric me tocar e me desamarrar. Beija meus pulsos e diz:

— Vamos... querida. Você precisa de um banho de banheira.

Me pega entre seus braços e eu me aninho nele. Beija minha testa.

— Te amo.

Sorrio.

— Também te amo.

A experiência que acabo de ter me deixa exausta, mas suas palavras fazem meu coração bater mais forte. Vejo a jacuzzi preparada, Eric me leva até lá e diz:

— Abaixa e se segura na borda.

Faço tudo o que ele pede. Me agacho e a água chega até a cintura. Que delícia! Ouço-o abrir o chuveiro. Deve estar tomando banho. Quando fecha a torneira, Eric entra na jacuzzi e começar a me ensaboar. Lava meu cabelo, faz uma massagem na cabeça e a enxágua com delicadeza. Depois pede que eu me vire. Seus olhos cruzam com os meus. Continua ensaboando meu corpo e, enquanto o enxágua, me dá um beijo no ombro.

— Pronto, querida...

Eric está com uma bela ereção e todo ensopado. Sai da jacuzzi e me estende a mão. Saio também. Minhas pernas tremem e eu o faço sentar-se na tampa da privada. Em seguida monto nele. Pego seu pênis e enfio em mim, centímetro a centímetro.

— Meu Deus, Jud...

— Agora você... — sussurro ansiosa. — Agora você...

Fecho os olhos enquanto sinto que ele chega até meu útero. Jogo a cabeça para trás e contraio a pélvis. Eric respira ofegante e eu também. Suas mãos molhadas agarram minha cintura e me apertam contra seu corpo. Gosto disso. Ele me enlouquece quando faz assim. Sentir toda a sua enorme ereção entrando tão fundo me deixa mais excitada e eu volto a contrair a pélvis. Nós dois gememos.

— Assim, menina... me possui. Você é minha.

Suas ordens são música para meus ouvidos.

Me esfrego nele e me contraio de novo, prendendo-o, e quanto mais fundo ele vai, mais eu sinto que ele vai me rasgar por dentro. Essa sensação é nossa. Eu a busco. Preciso dela. Só ele me chega tão fundo e eu quero mais.

Me inclino para trás e Eric geme em resposta à tensão eletrizante que sentimos. Abro a boca em busca de ar. Cada tranco meu é um gemido dele. Cada gemido dele é um tranco meu. O movimento dos meus quadris fica mais insistente, mais delirante. Seu ritmo mais forte, e, quando sinto que estou prestes a gozar, eu olho para ele e sussurro:

— Meu. Você é só meu.

Um grito gutural sai da sua garganta e outro da minha quando Eric se enfia totalmente em mim, e sentimos nossos fluidos escorrendo pelas nossas pernas. Nos abraçamos e o ritmo desacelera enquanto ele beija meus cabelos. Por vários minutos não nos mexemos, apenas ficamos abraçados até que ele pega uma toalha seca e envolve meu corpo. Estremeço.

Eric começa a distribuir milhares de beijos carinhosos afastando o cabelo molhado de meu rosto. Continuo sentada em cima dele, e sua ereção diminui dentro de mim. Escuto gemidos e imagino que os outros dois estão brincando no quarto.

— Eric.
— Que foi, querida?
— Você está bem?

Sorri ao notar minha preocupação com ele.

— Estou ótimo, meu amor, e você?
— Extasiada.
— Meu castigo foi muito duro?

Abro um sorriso e beijo seu pescoço.

— Seus castigos me deixam louca.

Nós dois rimos e Eric me olha nos olhos.

— Espero que não tenham sido muito duros pra você.
— Eu diria até que foram bem gostosos.
— Mesmo com Marisa e Mario?

Balanço a cabeça afirmativamente como uma criança.

— Mesmo com eles.

Eric me dá um beijo na ponta do nariz e sussurra:

— Fico louco quando vejo que você está aproveitando, querida. Te oferecer é um prazer pra mim. Me dá um tesão que não consigo controlar e...

— Você está pedindo desculpas por isso?

Ele faz que sim e murmura:

— Jud... preciso fazer isso. Esses jogos não faziam parte da sua vida. Sei que você faz isso por mim e...

— ... e eu gosto — eu o interrompo. — Adoro que você me ofereça e fique assistindo. Isso, por mais que você não acredite, me dá o mesmo prazer que pra você. E, se te deixa louco que Björn, Marisa ou quem a gente escolher se enfie entre minhas pernas e brinque comigo, eu aceito. Aceito com prazer, porque aproveito tanto que um dia vou explodir.

— Tem certeza, querida?

Eu o encaro. Aproximo meu nariz do seu e sinto necessidade de perguntar:

— Na Alemanha a gente vai continuar com esses joguinhos?

Isso o pega de surpresa. Minha pergunta confirma a Eric o que ele desejava escutar e ele me abraça com alegria, antes de devorar minha boca.

— Na Alemanha eu te prometo tudo o que você quiser.

60

Na manhã seguinte, eu e Eric chegamos separados ao escritório. Ele está emocionado pela minha decisão de ir com ele para a Alemanha; e eu também estou. Por sorte tenho algumas roupas em seu hotel e me troco para não ir com a mesma da véspera. Não comentei com ele o episódio com aquelas mulheres, e decido ficar quieta. No fundo não aconteceu nada, e, se eu contar, ele vai ficar aborrecido comigo.

Como todo dia, Miguel vem me buscar e vamos tomar café antes de começarmos a trabalhar.

Me sento em frente à porta. Sei que Eric entrará de uma hora para outra e vai me procurar com o olhar. Ele não falha. Dez minutos depois, o homem por quem estou completamente apaixonada passa pela porta e, depois que me localiza, acomoda-se bem diante de mim.

Miguel e eu continuamos conversando, e observo discretamente Eric tomando café da manhã. Fico concentrada no seu jeito elegante de passar a manteiga no croissant. Em alguns momentos nossos olhares se cruzam, sei que ele está feliz porque vou morar com ele na Alemanha e preciso me segurar para não ficar rindo como uma boba.

Quando terminamos o café, Miguel e eu nos levantamos e Eric faz o mesmo. Eu o vejo sair e, ao chegarmos ao elevador, ele está esperando com as mãos enfiadas nos bolsos, com a sua expressão séria e impenetrável. Assim que repara na nossa presença, olha para nós dois.

— Bom dia, senhorita Flores. Senhor Morán.

— Bom dia, senhor Zimmerman — dizemos em coro.

As portas do elevador se abrem e nós três entramos. Vamos para o 17º andar, mas o elevador vai parando e pegando outras pessoas. De repente, sinto Eric roçando os nós dos meus dedos nos seus, e eu sorrio. Cada vez é mais difícil estarmos juntos sem nos tocarmos.

Quando a porta se abre no nosso andar, nós três saímos, mas Eric toma um caminho diferente do nosso.

— Será que o Iceman sorri alguma vez? — cochicha Miguel ao vê-lo se afastando.

— Pssss... não sei.

— Esse cara precisa é de uma boa trepada. Você ia ver só como ele ia sorrir rapidinho.

Seu comentário me faz soltar uma gargalhada. Se Miguel soubesse o que eu sei, ficaria bem surpreso, mas prefiro fazer de conta que concordo e pronto.

Então minha chefe aparece, olha para nós dois e com sua voz irritante me avisa num tom ríspido:

— Judith, deixei várias pastas na sua mesa. Preciso que você xeroque o que está dentro delas e depois leve à minha sala. Miguel, acho que estão te procurando no seu departamento. Vamos, ao trabalho!

Sigo meu caminho até a sala. Ali dentro, vejo as pastas e me dirijo à máquina de xerox. Depois respondo vários e-mails das sucursais. Lá pelas onze, entro no arquivo. Preciso de vários papéis que os representantes me pediram. Me concentro neles, até que ouço uma voz às minhas costas:

— Hummmm... confesso que te encontrar no arquivo me dá mil ideias pervertidas.

Sorrio. É Eric, que me observa da porta.

— Senhor Zimmerman, deseja algo?

Seus olhos passeiam pelo meu corpo.

— Pode dar uma voltinha? Você fica ótima com essa calça.

Fico toda boba com seu elogio e faço o que ele pede. Dou uma voltinha e pergunto:

— Satisfeito?

— Sim... mas eu ficaria ainda mais satisfeito se você tirasse sua roupa e...

— Eric!

Com as mãos nos bolsos, sorri.

— Menina... — murmura sem se aproximar. — Se é você que me provoca...

— Seu cara de pau! — Eu rio e, ao vê-lo chegar mais perto, levanto a mão e digo: — Stop!

Eric para.

— Fora do meu arquivo. Estou trabalhando e não quero ser demitida por fazer coisas proibidas no ambiente de trabalho, entendido?

Eric dá outro passo na minha direção.

— Hummmm... você fica tão linda trabalhando. Vem cá e me dá um beijo.

— Não.

— Vem... você está querendo tanto quanto eu.
— Eric, alguém pode ver a gente...
Faz cara de bonzinho e um gesto com a mão.
— Um bejinho só?
Solto um suspiro fundo... mas acabo cedendo e lhe dou um beijo nos lábios. Imediatamente, Eric me pega pela cintura, me apoia contra os arquivos e enfia sua língua na minha boca. Me devora e eu correspondo.
— Meu Deus... pequena. O que vou fazer contigo?
— Por enquanto, me soltar — eu digo. — A maçaneta do arquivo está entrando na minha bunda.
Me solta rapidamente.
— Está doendo? — pergunta, preocupado. — Te machuquei?
— Nãããããão. — Rio. — Só falei pra você me soltar.
De novo percebo a zombaria em seus olhos. Passa a língua nos lábios e dá um passo para trás. Me olha, ergue um dedo e diz:
— Que seja a última vez, senhorita Flores, que você me leva a fazer algo que não quero. Vá trabalhar e pare de ficar se insinuando.
Ele sai do arquivo e abro um sorriso. A felicidade que sinto com Eric não se compara a nada no mundo. Saio e o vejo falando ao telefone. Depois passa ao meu lado e, apesar de não me encarar diretamente, sei que me olhou. Nós dois voltamos às nossas salas.
À uma da tarde me ligam da recepção. Um entregador traz um buquê de rosas. Quando ele aparece e avisa que o lindo buquê de rosas vermelhas é para mim, fico sem palavras. Assim que ele vai embora, tiro o cartãozinho e leio: "Como diz nossa música: penso em você desesperadamente."
Fico admirada e feliz olhando para o cartão com o buquê nas mãos. Eric é muito romântico, e eu adoraria que todo mundo soubesse disso. Minha chefe, que nesse momento passa ao meu lado, fica reparando nas flores.
— Que maravilha. Quem me mandou esse presente lindo?
— É pra mim.
Ela fecha a cara ao escutar isso, dá meia-volta e se afasta. Não gostou nada de saber que eu posso receber flores tão bonitas. Empolgada, pego um dos jarros que guardo, encho de água e coloco sobre a mesa.
Eric aparece na sala, olha para mim e, sem mudar sua expressão séria, diz:
— Bonitas flores.
— Obrigada, senhor Zimmerman.
— Algum admirador secreto?

Sorrio como uma boba.

— Meu namorado, senhor.

Eric faz que sim com a cabeça, vira-se e volta para sua sala. Nesse dia, quando chego em casa no fim da tarde, ele aparece 15 minutos depois e transamos apaixonadamente.

61

Na sexta-feira, Eric me convida para jantar num restaurante maravilhoso. Marcamos a data de nossa mudança e decidimos que será em meados de janeiro. Meu apartamentinho é próprio. Quando me mudei para Madri, meu pai me ajudou a comprá-lo e, depois de conversarmos, decido não vender nem alugar. É um apartamento que sempre terei quando quiser visitar Madri.

Nessa noite, apesar da felicidade que noto em Eric, percebo que ele está com dor de cabeça. Eu o vi tomar dois comprimidos. Mas não quer falar disso. Ele se recusa. Só quer conversar sobre nós dois e nosso futuro na Alemanha.

Após o jantar, ao sairmos do restaurante, encontramos na rua uns amigos dele. Um casal. Nós os cumprimentamos e, um tempo depois, Eric me pergunta:

— O que acha de eu chamar Víctor pro hotel pra brincarmos nós três?

Meu coração bate com força e faço que sim com a cabeça. Eric sorri.

— Vou falar com ele. Tenho certeza de que vai aceitar.

Eric e Víctor se afastam um pouco de mim e da garota que está com ele. Chama-se Loli e é muito simpática. Nós duas conversamos, enquanto observo os dois homens. De repente o celular de Eric toca, ele atende e logo para de sorrir. Em seguida diz:

— Vamos.

Víctor e Loli ficam onde estavam e eu os vejo entrarem no restaurante. O que será que houve?

No caminho de volta, Eric está mais calado que o normal. Tento puxar conversa, fazer alguma piada, mas ele não quer saber de nada. Decido não insistir. Quando ele fica assim, é melhor deixar pra lá.

Já no hotel, Eric pede que nos tragam uma garrafa de champanhe. Tiro os sapatos e me sento na beira da cama. Estou com vontade de participar dos seus joguinhos. A proposta de Eric me deixou muito excitada.

Eric tira o blazer, pendura no cabideiro e olha para mim. Alguém bate na porta e meu coração dispara. Mas a ansiedade diminui quando vejo entrar o garçom com duas taças e a garrafa de champanhe.

Assim que ficamos a sós, Eric abre a garrafa, serve a bebida, me dá uma das taças e murmura num tom frio e distante:

— Minha proposta te deixou ansiosa, né?

Penso numa resposta. Poderia mentir, mas não quero.

— Deixou.

Eric balança a cabeça num gesto afirmativo, toma um gole e pergunta:

— Você gosta muito que eu te ofereça a outros homens, né?

— Eric!

— Responde, Jud.

Respiro fundo e digo:

— Sim, gosto.

Senta-se ao meu lado e toca meu joelho com delicadeza.

— Também gosto muito disso e espero te oferecer a outros.

— Outros?

— É... outros. Faço muitos jogos e tenho certeza de que você vai querer continuar jogando, né?

Calor... calor... e mais calor... já começo a sentir calor!

Eric repõe o champanhe na taça e me desperta da minha fantasia.

— Você gostaria de brincar com uma mulher outra vez?

Surpresa, encolho os ombros.

— Não.

— Tem certeza? — insiste.

Sua insistência me inquieta. Quando vou dizer algo, ele me segura pelo braço e me olha nos olhos.

— Por que não me contou que você e Marisa se conheciam?

Isso me pega totalmente de surpresa.

— O quê?!

— Quero saber quando você costuma encontrar Marisa.

— Não costumo encontrá-la.

Com o olhar encoberto pela fúria, Eric murmura:

— Não mente pra mim, droga.

— Não estou mentindo. Ela frequenta minha academia e já nos vimos ali duas vezes. Só isso.

Nesse instante, sinto que devo lhe contar o que estou omitindo há tanto tempo, mas antes que eu diga qualquer coisa Eric explode.

— Porra, Judith! Não suporto mentira. Por que você não me disse que já se conheciam quando ela veio outro dia ao hotel?

— Não... não sei... eu...

Fora de controle, Eric se afasta.

— É melhor você ir embora, Judith. Estou bastante chateado e não quero falar mais.

— Mas eu quero falar contigo e não quero deixar as coisas pela metade, como a gente sempre faz quando você fica chateado.

— Jud... — ele diz, grunhindo.

— Eric, a gente tem que conversar! Não adianta nada deixar as coisas desse jeito. Você não percebe?

Ele segura a cabeça. Esse gesto me faz ver que não está bem. Eric abre a nécessaire e toma outros dois comprimidos. Fico preocupada. Não quero vê-lo sofrer. Sai do quarto e me deixa sozinha. Me sento na cama, calço os sapatos e, sem dizer mais nada, saio também. Ele está na varanda, olhando o horizonte. Vou até ele.

— Está com dor de cabeça?

— Estou.

— Você quer mesmo que eu vá embora?

— Quero.

— Eric, querido, não sei o que te contaram, mas é uma bobagem, acredita em mim.

— Vou pedir pro Tomás te levar pra casa.

— Não.

— Sim. Ele vai te levar. Tchau, Jud. Até amanhã.

Não olha para mim. Não se move e, no fim das contas, eu me dou por vencida. Me viro e vou embora, com o coração apertado.

62

Escuto um barulho. Tenho um sobressalto. É o telefone.

Pulo da cama. Olho as horas. Cinco e vinte e oito.

Assustada, corro para atender. Se alguém está ligando a essa hora, não deve ser nada bom.

— Alô.

— Fofinha... sou eu.

Minha irmã?

Vou matá-la... Matá-la! Mas me assusto ao escutá-la chorando.

— O que houve? O que você tem?

— Estou mal... muito mal. Discuti com José, ele saiu de casa às nove da noite e olha só que horas são e ele ainda não voltou...

Chora... e chora e chora e eu tento acalmá-la.

— Onde a Luz está?

— Dormindo na casa de uma amiguinha. Por favor, preciso que você venha pra cá.

— Tá bom... estou indo.

Desligo e solto o ar bufando. Minha irmã e seus ataques histéricos... Pelo menos é sábado e não tenho que trabalhar. Penso em Eric. Devo ligar para ele? Talvez esteja acordado, mas no fim decido não incomodar. Do jeito que ele é, ainda deve estar chateado pelo que aconteceu ontem. Escovo os dentes depressa, lavo o rosto, visto uma calça jeans, uma camiseta e um casaco. Está friozinho.

Desço para a rua e pego o carro. Minha irmã não mora longe, mas a essa hora não quero ir caminhando. Ligo o rádio e vou cantarolando enquanto dirijo. Vejo uma vaga para estacionar bem em frente ao portão da minha irmã. Paro, dou marcha à ré e, quando olho pelo retrovisor, fico sem ar ao ver que um carro se aproxima em alta velocidade e termina batendo no meu.

Burburinho... burburinho... ouço um burburinho.

Não consigo abrir os olhos. Estão pesados. Não sei onde estou nem o que está acontecendo. Então me lembro de um carro se chocando contra o meu e me dou conta de que sofri um acidente. Sirenes. O ruído das sirenes me faz abrir os olhos de repente e me vejo numa ambulância com dois homens me olhando, com gazes ensanguentadas nas mãos.

— A senhorita está bem?

— Sim... não... não sei.

— Como se chama?

— Judith.

— Bem, Judith, não se assuste. Uns garotos bêbados bateram no seu carro. Vamos levá-la ao hospital pra ver se está tudo bem.

— Esse sangue é meu?

Um dos jovens enfermeiros confirma:

— Não se assuste, mas é.

— Mas é sangue? De onde?

— Do lábio e do nariz. O airbag do seu carro não funcionou e você foi imprensada contra o volante, mas não se preocupe, não é nada grave.

De repente, escuto uns gritos que identifico de imediato. Minha irmã! Tento me levantar para que ela me veja e saiba que estou bem, mas não consigo. Meu pescoço dói horrores.

— Por favor, é minha irmã que está gritando. Vocês podem deixar ela me ver pra ficar mais calma?

O rapaz diz que sim e sorri.

— Claro. Se a senhora quiser, ela pode ir na ambulância.

Segundos depois, vejo minha irmã aparecer com seu roupão azul de algodão. Está pálida. Ao me ver, seus gritos se transformam em gemidos de terror.

— Ai, meu Deus...! Ai, meu Deus! Fofinha... o que foi que houve? Você está bem? Tudo por minha culpa, minha culpa! Eu te pedi pra vir aqui em casa. Ai, meu Deus! Meu Deus! Quando escutei as sirenes e vi o carro... Ai, Deus! Se acontece alguma coisa contigo, eu me mato, juro que me mato!

Um dos enfermeiros, ao ver seu estado histérico, se vira para ela e diz:

— Se não se acalmar, vamos ter que atender a senhora. Sua irmã está bem. Pode ficar calma.

— Raquel — balbucio cheia de dor. — Fica calma, tá?

Faz um gesto com a cabeça, enquanto lágrimas pesadas rolam por suas bochechas. Pega minha mão e a ambulância arranca. Quando chegamos à emergência do hospital, olho para ela e digo:

— Fica com a minha bolsa e não liga pro papai. Não quero assustá-lo, ok?

Ainda aos prantos, ele faz que sim e os enfermeiros me levam para dentro. Tiram várias radiografias do pescoço e do ombro porque eu disse que estava doendo, e fazem outros exames. Estou cansada, cheia de dor, e quero ir para casa. Mas ali tudo demora... demora muito.

Três horas depois, quando saio com um colar ortopédico, um galo na testa e os lábios inchados, me surpreendo ao ver minha irmã, meu cunhado e Eric.

O primeiro a correr até mim é Eric. Pela sua expressão, sei que levou o maior susto com o que aconteceu. Me abraça com cuidado e não diz nada. Seu jeito de me abraçar e a tensão que noto em seu corpo falam por si sós. O abraço é interminável, até que finalmente tenho que sussurrar:

— Eric, estou bem, querido, de verdade.

Minha irmã nos observa e, quando Eric me solta, eu a vejo chorar de novo.

— Anda, vem cá e para de chorar, que não houve nada.

Raquel me abraça e chora copiosamente, e meu cunhado me pergunta:

— Está tudo bem?

Sorrio o máximo que consigo.

— Estou, e por favor... parem de brigar. Numa dessas vocês me matam.

— Desculpa. Foi tudo culpa minha — diz José.

Me solto da minha irmã e seguro meu cunhado pelo braço.

— Não fala bobagem. Essas coisas acontecem. E agora já passou. Aliás, vocês não ligaram pro papai não, né?

Minha irmã nega com a cabeça e fico aliviada.

Quando saímos do hospital, minha irmã e meu cunhado insistem em me levar para a casa deles. Já Eric tenta me convencer a ir com ele ao hotel. No fim, bato o pé.

— Quero ir pra minha casa, por favor, entendam!

Eric olha para minha irmã.

— Vou levá-la pra casa e ficar com ela.

Raquel aceita, mas, antes de ir embora, diz:

— Descansa. Depois do almoço vou passar na sua casa pra te ver e ligaremos pro papai.

Quando minha irmã e o marido vão embora, vejo surgir o carro de Eric. Ao perceber meu estado, Tomás desce rapidamente.

— A senhorita está bem?

— Estou, não se preocupe, Tomás. Não é tão grave quanto parece.

Já no carro, fecho os olhos e me recosto no banco. Estou cansada e cheia de dor. Eric se aproxima e dá um beijo na minha testa. Olho então para ele.

— Está melhor da dor de cabeça?

— Estou sim, querida. Não se preocupa com isso, nem com nada. Agora só o que importa é você. Só você.

Suas palavras e o jeito carinhoso de falar me indicam que a discussão já foi esquecida. Sorrio e acaricio seu rosto com ternura.

— Foi minha irmã que te ligou?

Pega minha mão e beija.

— Te mandei uma mensagem e ela me ligou. — Encosta sua testa na minha e murmura: — Nunca na minha vida eu tinha ficado tão desesperado, querida. Quando sua irmã me ligou, chorando... e eu ouvia os soluços dela e só entendia... Judith... ambulância... acidente... quase morri.

— Exagerado.

— Não, exagerado não. Te amo e não quero que aconteça nada de ruim contigo. Os momentos que passei até te ver foram horríveis. Um pavor. Não desejo isso nem ao meu pior inimigo. Me sinto culpado. Se eu não tivesse te mandado ir embora naquela hora, nada disso teria acontecido.

— Eric, você não tem culpa de nada.

— Não concordo. Me sinto péssimo. — Ao ver o suspiro que dou, me dá um beijo delicado no canto dos lábios. — Você está bem?

— Estou... — E, tentando fazê-lo sorrir, acrescento: — Como você pode ver, não foi dessa vez que você se livrou de mim!

Seus lábios se curvam, mas ele continua tenso.

— Daqui pra frente, vou cuidar de você.

Descanso a manhã inteira, e à tarde minha irmã e meu cunhado aparecem em casa com minha sobrinha e uma tonelada de comida. Raquel coloca tudo na geladeira e dá instruções a Eric, que apenas concorda com um gesto de cabeça, apesar de eu saber que ele não está registrando nada.

Ao ligar para o meu pai e contar o que aconteceu, relaxo. Apesar do susto inicial, sei que ele ficou mais tranquilo depois de falar comigo, com minha irmã e com Eric. Minha irmã e José estão conversando na cozinha. Precisam mesmo ter uma boa conversa. Eric está assistindo a um jogo de basquete na tevê, o que me surpreende, já que não sabia que ele gostava do esporte. Minha sobrinha, que está sentada perto de nós dois, pergunta:

— Você é o namorado da minha tia?

Ao escutar a pergunta, Eric olha para ela.

— Sou.

— E você vai casar com ela?

— Ainda não falamos sobre isso — responde surpreso.

— E por que não falaram?
— Porque não.
— E por que não?
— Algum dia.
— Você não quer casar com ela?

Eric crava seu olhar nela.

— Tá bom, Luz... vou falar com ela.
— Quando?
— Não sei. Talvez quando ela ficar boa, o que acha?
— Legal! Você quer ser meu tio?
— Quero.
— E por quê?

Eric começa a se desesperar. Minha sobrinha consegue ser insuportável às vezes, então decido sair em defesa dele.

— Luz, quer ir pro meu quarto e ver desenhos?

A expressão da menina muda. Sorri e corre desenfreada para lá. Eric me olha nos olhos e abre um sorriso.

— Obrigado, querida.
— De nada. — Curiosa, pergunto: — Flyn não é assim?
— Não. É completamente diferente. Você vai ver.

Nessa noite, quando eu e Eric ficamos a sós em casa, ele se dedica a cuidar de mim. Num caderno anota os remédios que preciso tomar e os horários, e fico admirada em ver como ele é eficiente atendendo uma pessoa doente. Isso me faz lembrar que ele está acostumado a se virar sozinho há muito tempo. Não menciona nossa discussão e eu sou grata por isso. Quando deitamos para dormir, ele me dá um beijo nos lábios.

— Descansa, querida. Eu vou cuidar de tudo.

Na segunda-feira, Eric vai trabalhar e minha irmã vem substituí-lo. Às onze, chega uma mensagem no meu celular. É Miguel, que diz: "Acabo de saber que você é a namorada de Eric Zimmerman. Que safadinha, com esse segredo esse tempo todo! Vai me contar tudo, hein? Um beijinho e melhoras."

Quando deixo o celular em cima da mesa, não sei se rio ou se choro. Oficialmente, já sou a namorada dele.

63

Fico de molho por três semanas, de licença médica, e aproveito para fazer uma última faxina na casa e começar a encaixotar as coisas que pretendo levar para a Alemanha. Eric quer me dar um carro mais seguro e resistente, mas não aceito. Adoro meu Seat León. Meu seguro o conserta num tempo recorde e imagino que foi Eric quem os pressionou para resolverem tudo depressa. Está como novo.

Eric cuida de mim com carinho e me ajuda com as caixas. Não vou levar muita coisa, só roupa, fotos, livros e minhas músicas. O resto vou levando aos poucos.

No dia em que apareço no escritório, todos ficam me olhando. Me observam com curiosidade. Sabem que sou a namorada do chefão e fazem o que eu tanto odeio: ficam cochichando!

Miguel vem falar comigo assim que me vê.

— Agora que você é a namorada do chefe, tomaria café da manhã comigo? — pergunta em tom de brincadeira.

Me divirto com seu comentário.

— Vamos, seu chato.

No caminho, demonstra preocupação com meu estado de saúde. Conto o acidente e ele me ouve horrorizado. Na cafeteria, quando estou indo pagar, os funcionários não me deixam. Têm ordem do senhor Zimmerman de não cobrarem nada do que eu consumir. Tudo vai para a conta dele.

Quando volto à minha sala, minha chefe vem me cumprimentar. Seu tom de voz agora é suave e ela tenta ser simpática. Aquela vaca desgraçada. Agora que sabe que sou a namorada de Eric, me trata com a maior delicadeza.

Dez minutos depois de eu chegar, vejo uma moça entrar na sala e sentar na mesa que era de Miguel. Me olha e pergunta:

— Você é Judith?

Confirmo e ela se apresenta:

— Sou Claudia, a nova secretária do senhor Zimmerman enquanto ele estiver aqui na Espanha.

Surpresa, olho para ela. Eric não comentou nada nos meus dias de licença, mas isso não é de espantar. Ele não quis tocar em assunto de trabalho durante minha recuperação. Até queria que o médico estendesse a licença, mas não permiti. Isso o deixou irritado, mas não me importa. Minha licença terminou e tenho que voltar ao trabalho.

Eric entra e olha na minha direção. Retribuo o olhar.

— Bom dia, senhor Zimmerman.

Coloca a maleta em cima da minha mesa, vem até mim e me dá um beijo na boca que deixa minha chefe e a nova secretária completamente paralisadas. Depois desse beijo mais que bem-vindo, murmura:

— Bom dia, Jud. Você está bem?

Aturdida pela forma como ele me recebeu, não sei para onde olhar e ao mesmo tempo vejo que Eric se segura para não rir. Acabo sorrindo.

— Bom dia, Eric. Estou bem e pronta para o trabalho.

Minha chefe, que se acha o máximo, diz:

— Mas que bonito casalzinho vocês dois.

Falsa! Eu a conheço e percebo a falsidade no jeito de me observar.

— Obrigado — responde Eric.

Minha chefe me olha de cima a baixo. Continua sem acreditar no que vê.

— Oh, mas que anel mais lindo você está usando! É o que estou imaginando?

Eric pega minha mão, beija os nós dos meus dedos e acrescenta com paixão:

— Um diamante pro meu diamante precioso.

Suas palavras me deixam superfeliz, principalmente ao ver como essas duas mulheres me olham. Por fim, após um silêncio constrangedor, minha chefe se vira para mim.

— Judith, essa é a nova secretária de Eric. O nome dela é Claudia Sánchez e é minha irmã mais nova. Vai ocupar seu cargo quando você se mudar pra Alemanha.

Fico perplexa... Por que ela não me falou quando veio se apresentar? E, principalmente, por que já estão fazendo planos sem falar comigo antes?

— Uma secretária muito eficiente, por sinal — acrescenta Eric.

Esse elogio me incomoda, mas consigo disfarçar.

— Obrigada, senhor Zimmerman — responde a moça, encantada. — Pra mim é um prazer ouvir o senhor dizer isso. Fico feliz que esteja satisfeito com meu trabalho.

Conheço esse risinho de safada. É igualzinho ao da irmã e sei que isso não promete nada de bom. Disfarçadamente, observo como ela molha os lábios ao olhar para Eric, e esse gesto me irrita.

— Claudia é superinteligente, além de muito solícita e um amor de pessoa — diz minha chefe. — Aliás, Claudia, diz pra Judith as línguas que você fala.

A jovem hesita e mexe no cabelo.

— Alemão, francês, inglês, russo e um pouco de chinês.

— Impressionante — comenta Eric.

Chega! A mulher é um fenômeno... mas, se continuar passando a língua nos lábios, vou meter a mão na cara dela.

Por um tempo conversam na minha frente, enquanto observo a nova secretária sorrindo. Em seus olhos posso ver que está enfeitiçada pelo chefe e, de certo modo, até entendo. Quem não gosta de Eric? Por fim, ele dá a conversa por encerrada e se enfia em sua sala. Mas, quando o telefone de Claudia toca e ela entra na sala também, pela primeira vez me sinto insegura.

Tento me concentrar apenas no meu computador. Me limito a olhar discretamente na direção da sala de Eric. Dois minutos depois, Claudia sai.

— Vou pegar um café pro meu chefe.

Assim que ela vai embora, me levanto e entro furiosa na sala do meu namorado. Ele me olha e eu, com cara de ciúme, pergunto:

— Que história é essa de oferecer meu cargo a outra pessoa sem falar comigo? — Ao ver que ele não responde, insisto: — Quando você ia me contar que tem uma nova secretária?

Eric larga a caneta.

— Algum problema, Jud?

— Não... não tenho nenhum problema, mas pelo que vejo você, sim, teve algum problema, porque não me contou nada.

Achando graça, Eric franze os olhos.

— Está com ciúme da Claudia?

— Não.

— Então o que foi?

Mal-humorada, afasto o cabelo do rosto.

— Para de me olhar com esse risinho idiota ou juro que quebro sua cabeça com o vaso.

Eric solta uma gargalhada que ecoa pela sala inteira. Levanta, contorna sua mesa e cochicha sem me tocar:

— Hummmm.... você sabe que esse teu temperamento espanhol me deixa louco.

Ao vê-lo tão próximo, levanto o queixo e fecho os olhos rapidamente.

— Meu Deeeeeeeeus...! Por que não me disse nada? Que eu saiba esse é meu trabalho e você já deu pra outra pessoa.

— Querida. Ela vai se encarregar dos meus assuntos durante o período em que eu ficar na Espanha e ao mesmo tempo vai tomando pé no que você faz. Assim, quando você não estiver mais aqui, tudo funcionará exatamente como tem sido até agora. Preciso pensar no bom funcionamento da empresa.

Sem prestar atenção ao que ele diz, respondo irritada:

— Mas você viu como ela te olha? Em cinco minutos já deu pra perceber que ela gosta de você e...

— Mas eu gosto é de você... fofinha — me interrompe. — E o resto das mulheres, incluindo Claudia, não significa nada pra mim. Só você. Mete isso nessa cabecinha linda, ok? E se eu não te disse nada antes foi pra evitar preocupações, e sabe por quê? Porque na Alemanha quero que você descanse dessa coisa de horários e viva como uma rainha. Quero que você seja feliz fazendo o que gosta e satisfaça todas as vontades que tiver. Mas, se você quiser trabalhar, não se preocupa. Te prometo que haverá trabalho pra você lá.

De repente me dou conta do quão ridícula eu devo parecer.

— Aaaaaaiiii, que vergonha! O que estou fazendo?

Eric sorri, mas, quando vai responder, a porta se abre e Claudia aparece com o café. O telefone toca, ela atende e, após dizer que é uma ligação da Alemanha, eu saio e cada um segue com seu trabalho.

À uma, Eric sai do escritório. Tem um almoço e eu decido ir comer no Vips. Na volta, ao passar por uma floricultura, tenho uma ideia. Sorrio e me deixo levar pelo impulso. Encomendo um lindo buquê de rosas para Eric que custa uma fortuna, e no cartão escrevo:

Não sei falar francês, nem russo, nem chinês.
Você vai renovar meu contrato?
Te amo. Fofinha.

Duas horas depois, quando estou digitando no computador, ouço tocar o telefone da minha nova colega. Ela desliga, se levanta e eu vejo entrar um garoto com um lindo buquê de rosas. Claudia se surpreende e o leva a Eric. Disfarçadamente, observo-a entregando as flores e saindo da sala. Ele, surpreso, olha para o buquê. Rosas para ele? Mas, quando abre o cartãozinho e eu o vejo sorrir e olhar para mim, não consigo me segurar e também abro um sorriso. Instantes depois, meu celular apita. Uma mensagem de Eric: "Seu contrato está renovado para sempre no meu coração. Te amo."

64

No início de dezembro, a mãe de Eric aparece em Madri para ver com os próprios olhos como está o filho. Ela me conta que Flyn viria com ela, mas aprontou das suas e ela o proibiu de vir, deixando-o com a babá. Sua felicidade ao ver Eric tão feliz é total, ainda mais quando falamos da nossa mudança para a Alemanha.

Sonia se emociona. Saber que seu filho vai voltar para casa a enche de alegria e dá para ver isso em seu olhar.

Nessa noite, quando chego ao restaurante e vejo meu pai e minha irmã com meu cunhado José esperando a gente, fico radiante. Eric organizou tudo sem me dizer nada. Quer que nossas famílias se conheçam e que nossa relação seja totalmente oficial. Fico feliz com a surpresa, ainda mais quando meu pai me dá um beijo e murmura:

— Você vale muito, moreninha, e ele sabe disso.

A alegria que sinto ao escutar meu pai e ver sua cara de orgulho é indescritível. Ele quer o melhor para mim e sabe que Eric é minha felicidade. Andrés e Frida também chegam para o jantar e, quando acho que não vai chegar mais ninguém, Marta aparece com um amigo.

Todos brindam a nós dois, e eu e Eric nos entreolhamos feito bobos. Mal posso acreditar que tudo isso está acontecendo comigo. Encontrei o amor quando menos procurava e com a pessoa que menos esperava. Eric é meu mundo e minha vida e nada, absolutamente nada, pode atrapalhar minha felicidade e minha alegria.

Meu namorado maravilhoso está lindo com seu terno escuro e sua camisa azul. Veste-se de um jeito tão elegante que às vezes fico preocupada em não estar à altura. Seu olhar me deixa louca. Sei o que ele está pensando. Sei o que deseja. Me aproximo e murmuro:

— Quero ir logo pro hotel.

— Hummmm, você está ficando mesmo depravada, querida — cochicha e me dá um beijo no ombro.

Sorrio, enquanto todo mundo janta tranquilamente ao nosso redor.

— Tão depravada quanto você. Não penso em mais nada além de...

— Sexo?

Faço que sim e ele sorri.

— O que acha de brincarmos um pouco essa noite?

Seus incríveis olhos claros me encaram.

— Você quer que a gente brinque hoje à noite?

Arregalo os olhos e sorrio mais uma vez.

— Quero.

Eric enfia um pedaço de carne na boca e, após mastigar, me pergunta no ouvido:

— Algum joguinho em especial?

Coço a bochecha e dou de ombros.

— Alguma coisa que seja para os dois.

Eric concorda com um gesto de cabeça.

— Ok. Vou fazer uma ligação.

Saber disso mexe com meus nervos, e a cara que estou fazendo deve ser tão ridícula que ele murmura em meio a risinhos:

— Muda essa cara, sua safadinha.

Nós dois sorrimos e já não consigo parar de pensar no que nos espera no hotel.

Quando o jantar acaba, minha irmã e meu cunhado levam meu pai para a casa deles e Sonia volta ao hotel. Frida e Andrés também se despedem, Glen está com um pouco de febre e ela está preocupada. Peço a Eric para que a gente volte ao hotel, mas ele, animado, me convence a sair para beber com a irmã dele e o amigo dela. Aceito de má vontade. Mas, para provocá-lo, não paro de sussurrar em seu ouvido que estou pronta para o que ele quiser. E atinjo meu objetivo. Dá para perceber pelo jeito que me olha, mas ele decide me fazer sofrer um pouquinho mais.

Como sou eu quem vive em Madri e conhece os lugares mais descolados, eu os levo ao Toopsie, longe de onde eu poderia encontrar meus amigos. Se vissem Eric, ficariam boquiabertos. De terno escuro, não tem nada a ver com as tatuagens e os piercings dos meus amigos. Isso me diverte. E acho que, de certo modo, é exatamente isso, além de sua personalidade forte, o que fez com que eu me apaixonasse por ele.

No Toopsie, eu e Marta dançamos empolgadas. Marta é tão doidinha como eu, e logo percebo que nos damos muito bem. Por algumas horas, nós quatro nos divertimos à beça e, quando colocam música lenta e começa a tocar *Blanco y negro*, Eric olha para mim e diz:

— Senhorita Flores, me daria a honra dessa dança?

— Claro, senhor Zimmerman.

Na pista de dança, Eric me abraça e pela primeira vez eu danço com ele. Nunca fiz isso, e me sentir aninhada a ele enquanto nossa música toca é uma das coisas mais especiais que já fiz na vida.

Não falamos nada. Apenas dançamos abraçados enquanto a voz de Malú canta:

Te regalo mi amor, te regalo mi vida,
Te regalaré el sol siempre que me lo pidas.
No somos perfectos, sólo polos opuestos.
Mientras sea junto a ti, siempre lo intentaría.
¿Y que no daría?

Eric me olha e diz baixinho quando a música termina:
— Acho que chegou a hora de te levar pro hotel.
— Finalmente! — sussurro, fazendo-o rir.
Minha felicidade é tão completa que acho que vou explodir de uma hora para outra. Eric me leva até onde estão sua irmã e o amigo, e nós nos despedimos. Eles riem ao perceber nossa pressa para ir embora.

Assim que saímos da boate, Tomás aparece. Dentro do carro, Eric aciona o vidro que nos separa do motorista e diz, enquanto desabotoa a calça e deixa à mostra sua ereção enorme:
— Jud... monta em mim. Agora!
Surpresa com essa urgência, sorrio e faço o que ele pede.
— Ai, menina... vou explodir.
Eu rio e sinto suas mãos subindo pelas minhas coxas até chegar à minha linda calcinha fio-dental. É nova. Mas com um só movimento ele a arranca.
— Eric!
— Vou te comprar centenas de calcinhas... Não se preocupa com isso. Agora abre as pernas pra mim.
— Certo, senhor Zimmerman — sussurro, enquanto ele põe na minha frente a calcinha rasgada. — Agora que já rasgou minha calcinha, só espero que o senhor se comporte e me coma da forma como o senhor sabe.
— Ah, claro... pequena, não tenha dúvida.
Minhas palavras o estimulam e ele entra em mim de uma vez só. Minha boca se abre, respiro ofegante e ouço seu gemido gutural. Sim... sua voracidade me deixa mais excitada. Ele me aperta contra si e eu solto um gemido também.
— Assim... você gosta?
A sensação que me provoca me faz gemer com mais intensidade, enquanto ele mete cada vez mais em mim.

— Vamos, senhorita Flores — diz em meu ouvido. — Responda.

— Gosto... siiiiim... continua.

Respiro ofegante. Meu corpo, eletrizado e tomado por ele, reage a um movimento mais profundo. Mais implacável. Ele gosta da minha resposta, segura com força meus quadris e mete várias vezes até eu gritar. Agarrada a seus ombros, sinto Eric entrando e saindo de mim sem parar. Uma... duas... três vezes... e me aperta forte em sua ereção e eu grito de novo. Uma... duas... três... até que nossos movimentos nos fazem gozar juntos.

Continuo montada nele por alguns segundos. Sinto seus beijos no meu pescoço, e ele murmura:

— Essa noite você vai ser toda minha. Toda.

— Estou morrendo de vontade.

Sorri. Sua expressão e seu gesto deixam claro o quanto está feliz.

— Levanta com cuidado esse teu corpo lindo, mas não se afasta.

Achando graça, faço o que ele pede. Aperta um botãozinho da limusine e surgem lenços de papel. Pega um e coloca entre minhas pernas, me limpando. Isso me excita ainda mais e, quando vejo que sua glande volta a latejar, sorrio e ele diz:

— Senhorita Flores... relaxe e espere chegar ao hotel, onde continuaremos nossa brincadeira.

Limpa-se, fecha a calça, e eu balbucio, sentando-me em cima dele de novo:

— Eu quero você... quero sexo selvagem... quero que me compartilhe com outros... quero o que você quiser.

— Hummm... — Sorri e pergunta: — Alguma brincadeira em especial?

— Você tem carta branca. Escolhe você. Só quero ser totalmente sua.

Ele ri e me beija. Dois minutos depois, o carro para. Desço sem calcinha e sigo Eric até o elevador. Quando entramos na suíte, ficamos na sala, onde há um balde de gelo com champanhe nos esperando. Ele sabe o que quero e eu sei o que ele quer. Me olha de cima a baixo.

— Deslumbrante.

Dou uma voltinha para ele me ver. Estou com um vestido preto que bate nos joelhos, com um imenso decote na frente e outro nas costas.

— Obrigada — agradeço, rindo, enquanto olho ao redor e reparo que não há mais ninguém.

Abre uma garrafa de champanhe rosé, me estende uma taça e toma um gole da sua.

— Vem... me acompanha.

Passamos ao quarto e, ao entrar, vejo diversos brinquedinhos em cima da cama. Estou com calor. Meus mamilos ficam arrepiados e minha vagina se contrai.

Eric aumenta a música, depois me abraça e beija meus lábios.

— Pronta pra brincar?

Faço que sim com a cabeça e retribuo seu beijo ardente.

Me agarra pela cintura, me ergue para eu ficar da sua altura e me beija de novo.

— Lindo vestido... mas pode tirar.

Me solta no chão e senta na cama, esperando que eu obedeça à sua ordem. Sem pensar duas vezes, tiro o cinto largo que marca os quadris e depois solto os colchetes que ficam embaixo do peito. O vestido cai aos meus pés e eu fico apenas com um sutiã preto. Ele já tinha arrancado a calcinha no carro.

Nesse momento, a porta do quarto se abre e vejo entrar uma mulher ruiva. Não a conheço. Não sei quem é, mas sei por que veio.

Caminha na nossa direção e Eric me informa:

— Ela se chama Helga. É uma colega de Björn que está de passagem pela Espanha e por coincidência está hospedada aqui no hotel.

Helga e eu nos cumprimentamos, e Eric acrescenta:

— Primeiro, quero observar vocês duas. Pode ser, querida?

Sei o quanto ele gosta de assistir e abro um sorriso.

Eric se despe e senta na beira da cama. A ruiva passa as mãos por todo o meu corpo. Seus dedos param no meu traseiro e ela aperta. Eric sorri e faço uma careta.

De repente tenho uma ideia.

— E se for eu que te ofereço?

Eric me olha surpreso. Levanto as sobrancelhas e ando até a cama. Pego uma camisinha da caixa, entrego a ele e beijo sua boca.

— Coloca.

Volto ao lugar onde eu estava, e Helga me toca outra vez enquanto Eric abre o preservativo e em seguida o coloca. Então pego Helga pelas mãos e sussurro em seu ouvido diante do olhar enlouquecido de Eric:

— Monta nele e come ele pra eu ver.

Helga senta em cima de Eric, pega seu pênis e pouco a pouco se encaixa nele. Sua cara diz tudo. Ela está adorando. Subo na cama, fico atrás de Eric e peço em seu ouvido ao mesmo tempo que acaricio seu pescoço.

— ... chupa os mamilos dela.

Sem sentir nem uma pontinha de ciúme, vejo o homem que me deixa louca fazendo o que peço. Ele lambe os mamilos dela, enfia na boca e chupa enquanto a mulher mexe os quadris e o faz estremecer.

A respiração de Eric se acelera e ele a agarra pela cintura para chegar mais fundo. Isso me deixa mais excitada ainda. Ver Eric em ação me estimula e sinto vontade de ocupar o lugar de Helga.

Gemidos... calor...

Helga geme, se inclina para trás e seus seios voltam à boca de Eric, enquanto ele mete nela. Força. Tesão. Gosto de senti-lo assim. Minha vagina se contrai e eu encho seus ombros de beijos.

— Aproveita, querido... — murmuro de novo em seu ouvido. — Agora sou eu que estou assistindo.

Eric joga a cabeça para trás, para eu beijá-lo, e eu o devoro com a boca, enquanto a dança sexual deles dois continua por vários minutos. Ao fim, Helga se contorce e grita. Eric goza enquanto me beija. Abre a boca para soltar um gemido rouco e mordo seus lábios.

Ao contrário do que faz quando sou eu quem está em seus braços, Eric sai de cima de Helga assim que termina. Sem dizer nada, a jovem vai ao banheiro e eu escuto o barulho da água. A respiração de Eric começa a ficar mais tranquila, ele desaba na cama e eu deito ao seu lado.

— Nunca uma mulher tinha me oferecido.

— Fico feliz em ser a primeira e te garanto que não vai ser a última.

Eric cochicha:

— A senhorita é muito perigosa, senhorita Flores. Não para de me surpreender.

— Gosto de ser assim e de fazer isso, senhor Zimmerman.

Eu o beijo e ele retribui com ardor.

Me abraça e, quando Helga sai do banheiro, me solta.

— Vou tomar um banho, querida.

Eric desaparece e Helga vem até mim e acaricia minha cintura.

— Agora eu quero você.

Excitada, chego mais perto. Ela toca meus seios e, com delicadeza, se agacha para enfiá-los na boca. Acaricia minha cintura e fecho os olhos enquanto me deixo levar pelo prazer da luxúria.

Volto a ficar parada bem no meio do quarto, e ela se coloca atrás de mim. Segue seu percurso e sobe lentamente pela minha coluna. Até que, de repente, sinto-a abrindo meu sutiã. Um colchete... depois outro... e outro... e por fim o pano fino cai aos meus pés. Os dedos hábeis de Helga passeiam agora pelas minhas costelas, descrevem pequenos círculos e, quando encostam nos meus seios, eu respiro ofegante ao senti-la apertando meus mamilos.

Eric sai do banheiro, senta na cama ainda molhado e nos observa. Helga me faz andar até ele e, segurando meus seios, oferece a ele. Cheio de tesão, ele aceita. Primeiro chupa um. Depois o outro. E, quando os mamilos eriçados estão duros como pedras, ele dá mordidinhas do jeito que sabe que eu gosto.

Calor... calor... muito calor.

As mãos de Helga voltam à minha bunda, e Eric, ao ver isso, me agarra pelos quadris e me atrai para si. Põe os lábios em meu púbis e o beija com ternura.

— Ah... — eu solto.

Eric sorri, senta ao fundo da cama e move a cabeça. Helga segura minha mão e me faz subir na cama. Me leva até onde está Eric e me faz ficar de bruços. Me coloco entre as pernas de Eric e ela senta no meu bumbum. Remexe os quadris sobre mim e eu sinto sua lubrificação bem no momento em que seu hálito está no meu pescoço. Passeia suas mãos pela minha cabeça e envolve seus dedos no meu cabelo.

Me puxa e me faz erguer a cabeça. A ereção de Eric fica bem diante de mim. Enfia na minha boca e eu chupo e me delicio. Luxúria. Ter seu membro enorme na minha boca é algo que me enlouquece. Eu o encaro e vejo seus olhos brilhantes. Excitados. Helga rebola outra vez sobre mim e usa a mão livre para separar minhas pernas e me tocar os lábios externos.

Mais calor... muito...

Solta meu cabelo e desliza as mãos pelas minhas costas. Eric tira o pênis da minha boca.

— Tudo bem, pequena... temos tempo.

Helga me faz ficar de quatro na cama. Morde meu bumbum e enfia um dedo em mim. Curvo as costas em busca de mais.

Mete outro dedo e começa a mexê-los dentro de mim. Inconscientemente, solto um gemido enquanto Eric murmura:

— Assim... se entrega.

Por vários minutos, a mulher toca meu corpo enquanto Eric me beija na boca. Não sei quanto tempo passa até que Eric me pega pelas axilas e me vira. Me apoia contra seu peito, segura minhas pernas e me abre para Helga.

Sua boca me invade enquanto Eric me oferece a ela e me sussurra palavras carinhosas. Helga brinca com meu corpo. Me lambe com voracidade... me chupa. Lambe meu clitóris de um jeito delicado. Ela o faz inchar, endurecer.

Degusta-o como se fosse um bombom em sua boca habilidosa. Respiro ofegante e me abro para ela.

De repente, ela passa uma perna por baixo do meu corpo. Eric se inclina para o lado e eu sinto a vagina de Helga encostando na minha. Seu calor me faz gemer e eu sinto uma espécie de corrente elétrica quando ela me aperta contra si. Seu clitóris e o meu se encontram. Os dois estão ardentes e molhados. Inchados e loucos de tesão. Mil sensações atravessam meu corpo enquanto Helga se mexe e se esfrega em mim. Quero que ela continue. Não pode parar. E, quando solto um grito e sinto a lubrificação entre nós duas, ela se separa de mim, fica de joelhos e pega um vibrador vermelho. Passa lubrificante nele e enfia devagar em mim.

Calor... gemidos... calor. Sussurrando em meu ouvido, Eric me pede:
— Goza, vai... goza.

De repente o vibrador começa a tremer dentro de mim. Eu grito e me contorço. Helga sorri, e percebo que está adorando. Em seguida ela murmura:
— Agora vou meter no seu bumbunzinho apertado.

O vibrador continua dentro da minha vagina dando voltas, depois ela pega outro menor e em formato de chupeta. Passa lubrificante, leva ao meu ânus e, incentivada por Eric, começa a introduzi-lo pouco a pouco. Até entrar totalmente.
— Assim... querida... assim... quero sua bunda... preciso.

Eric solta minhas pernas de repente, e na sequência ele junta uma à outra.
— Não se mexe. Não separa as pernas. Não quero que saia nada de você além de gemidos e suspiros.

O vibrador continua girando dentro de mim, e ondas de prazer percorrem meu corpo. Eric e Helga me observam, ao mesmo tempo que cada um deles chupa um mamilo, e os vibradores continuam funcionando dentro de mim. Arqueio as costas e abro a boca. Grito de prazer. Faço menção de abrir as pernas, mas Helga senta sobre elas e eu não consigo me mover.

Eric fica de pé sobre a cama e enfia sua inchada ereção na boca de Helga. Segura a cabeça dela e começa a entrar e sair dela com rapidez, enquanto Helga agarra a bunda dele para facilitar seu movimento. Extasiada, olho para os dois e ao mesmo tempo Helga se move sobre mim pelos trancos de Eric e faz com que os vibradores se choquem no meu interior.

Me excita ver essa cena. Me excita ver a cara de Eric enquanto fode Helga pela boca e me excita que Helga se mexa em cima de mim. Estou ardendo de tesão... grito e solto um gemido quando sinto que vou gozar. Calor... muito calor. Eric me olha e goza na boca de Helga ao mesmo tempo que um orgasmo incrível toma conta de mim.

Mas Helga quer mais. Muito mais.

E, depois que limpa a boca e sai de cima de mim, abre minhas pernas e tira primeiro o vibrador da vagina e em seguida o do ânus. Surpresa, noto que ela veste algo, e Eric murmura:

— É um cinto com um virbrador de 16 centímetros. Helga vai te comer.

Olho espantada para ela. Nunca tinha visto esse objeto ao vivo e em cores. Ela termina de ajustar o cinto e Eric me faz deitar na cama. Helga sobe em mim e enfia a ponta do brinquedo na minha boca. Me faz chupá-lo enquanto movimenta os quadris dentro e fora da minha boca.

Excitada, me mexo e Eric fala:

— Agora sou eu que vou te oferecer a ela. Helga vai te comer, querida, e depois nós dois vamos te comer ao mesmo tempo.

Estou com tesão. Muito tesão.

Helga deita em cima de mim. Chupa meus seios e eu sinto o objeto entre nós duas. Minha vagina se contrai. Ela move o vibrador e esfrega na parte interna das minhas coxas, e eu solto um gemido.

— Abre as pernas pra recebê-la, Jud — sussurra Eric.

Centímetro a centímetro, Helga enfia em mim e, quando está totalmente dentro, ela o retira. Delicia-se com seus movimentos. Entra... sai... entra... sai e mete outra vez.

Me agarra pela cintura e me come como se fosse um homem. Meu Deus, isso é muito bom! Me dá uma palmada na bunda e volta a me penetrar. Uma... duas... três... quatro... cinco... até seis vezes seguidas. E eu grito. Me contorço enlouquecida e Eric me beija.

Chego ao orgasmo quando ela levanta minhas pernas, segura minha bunda e me aperta contra o cinto. Louca de prazer, tenho mil espasmos. Helga para e deixa o vibrador dentro de mim enquanto eu vou relaxando.

Fecho os olhos e minha respiração se normaliza aos poucos.

Helga sai de cima de mim e Eric me beija com paixão. Saboreia meus lábios.

— Você é linda... perfeita...

Sorrio. Ainda estou extasiada e Eric, ao ver meus lábios secos, levanta-se e enche várias taças de champanhe. Dá uma a Helga e me oferece a outra.

— Bebe.... vai te refrescar.

Sedenta, me sento na cama, bebo a taça inteira e minha garganta agradece o frescor. Largo a taça e vou ao banheiro. Preciso de uma chuveirada. Eric me segue, entra comigo na enorme ducha e murmura enquanto a água cai sobre nós:

— Agora nós dois vamos te comer ao mesmo tempo.
— Os dois?

Me observa de cima com seu olhar provocante.

— Sim.
— Eric...
— Não se preocupa... pequena... sua bundinha está preparada. Helga vai colocar um cinto com um vibrador menor e vai dilatando aos poucos seu traseiro lindo. O consolo aumenta à medida que vai entrando. Ela vai preparar o caminho pra mim. Não vai doer e eu logo vou assumir o lugar dela.
— Eric...
— Está com medo?
— Estou...
— Confia em mim?

A água escorre pelos nossos corpos, e eu balbucio:

— Sempre, você sabe.

Sorri e me dá um beijo doce nos lábios.

— Fico feliz em saber.

Um espasmo percorre meu corpo. Eric fecha a torneira e me enxuga com a toalha.

— Tudo vai correr bem. Te prometo que você vai adorar quando a gente comer você.

Balanço a cabeça num gesto afirmativo e voltamos ao quarto. Vejo Helga sentada numa cadeira com uma taça de champanhe nas mãos. Olho para seu cinto. Desta vez é vermelho e o vibrador pendurado ali é muito mais fino e menor. Não se aproxima. Apenas nos observa.

Assim que chegamos até a cama, Eric sobe nela e senta bem no meio, pisca para mim, me faz sorrir e diz enquanto me orienta a sentar no seu colo e de frente para ele:

— Vamos, senhorita Flores. Me satisfaça. Monte em mim.

Excitada, faço o que ele pede. Em frações de segundo, ele gira na cama e fica em cima de mim. Me beija. Me acaricia. Me fala doces e maravilhosas palavras de amor e se dedica a realizar todos os meus desejos. Dá milhares de beijos no meu pescoço, lambe meus seios, chupa meu umbigo e, quando chega ao meu púbis, ele o beija e sussurra:

— Peça-me o que quiser.

Sua voz. Essa sua voz profunda lendo a tatuagem me deixa louca. Abro as pernas e ele sabe o que quero. Me chupa, esfrega o queixo na minha vagina e em seguida abre meus lábios internos e procura o clitóris. Descreve pequenos círculos com a língua, estimulando-o, e o chupa com sua boca maravilhosa. Meus gemidos não demoram a chegar, e me deixo levar por mil sensações.

— Eric...

Suas mãos enormes percorrem meu corpo e, enquanto sua boca brinca entre minhas pernas, provocando-me ondas de prazer, seus dedos apertam meus mamilos. Ele os apalpa e os deixa maiores e mais arrepiados. Enlouquecida, apoio minhas pernas em seus ombros e me aperto contra ele. Eric segura minhas coxas e pressiona minha vagina em sua boca. Sua voracidade é total. Magnífica. Única.

Saciado, ele volta à minha boca. Seu sabor, que é meu sabor, é doce. Sua língua viva e inquieta percorre meus lábios. Ao mesmo tempo, sinto sua ereção entre minhas pernas. Eu a desejo e, antes mesmo que eu peça, Eric se aproxima ainda mais e se enfia todo bem dentro de mim, do jeito que gosto. Meu grito de prazer o faz sorrir.

— Olha pra mim — exijo.

Uma... duas... três... quatro vezes entra em mim e eu, enfeitiçada, me abro para ele. Eric é tão grande, ocupa tanto espaço dentro de mim, que me faz ofegar e gemer. De repente, me agarra pelos quadris e me coloca sentada no seu colo e de frente para ele. Agora sou eu que marco o ritmo. Sou eu que rebolo sobre ele, enquanto Eric me observa com os olhos repletos de amor.

A cama balança, olho para trás e vejo Helga. Eric me pega pelo queixo e, sem sair de dentro de mim, sussurra:

— Deita em cima de mim, pequena... e relaxa.

Faço o que ele manda e sinto Helga esfregando algo úmido e quente no meu ânus. Lubrificante. Eric me separa as nádegas para facilitar e, ao ver minha cara de susto, mexe os quadris, me penetra e murmura:

— Toda minha... hoje você vai ser toda minha.

Sinto Helga encostando o consolo no meu ânus e fazendo rotações com ele. Uma vez, depois outra... e outra... até que me dou conta de que está começando a entrar em mim. Eric me beija. Morde meus lábios, meu queixo, enquanto um "Ah!" me escapa ao sentir como Helga mete em mim.

Isso faz com que eu me mexa, excitando Eric, que continua dentro de mim. Move-se devagar e com cuidado enquanto Helga vai se enfiando aos poucos. De repente, um movimento brusco da parte dela me faz gritar. Está doendo... mas a dor desaparece com os movimentos de Eric, e eu o ouço dizer:

— Calma... já passou, querida.... assim... se entrega... relaxa e se abra pra me receber.

Nesse instante, sinto o corpo de Helga totalmente colado ao meu traseiro. Ela me dá um tapa na bunda e murmura:

— Já está tudo dentro, Judith. Se mexe.

Arregalo tanto os olhos que Eric sorri.

— Querida... não me assusta. Você está bem?

Balanço a cabeça e respondo:

— Sim... mas estou com tanto medo de me rasgar por dentro que não consigo me mexer.

Eric então se move por mim. E eu respiro ofegante.

É alucinante a sensação que tenho nesse instante, com os dois me tomando por completo ao mesmo tempo. Diante dos movimentos de Eric, Helga entra e sai. Logo me sinto mais e mais preenchida, à medida que o vibrador cresce com esse ritmo dela. Estou tão molhada, que ouço o barulho do lubrificante enquanto a mulher agarrada à minha cintura me come várias vezes.

Eric se mexe. Não consegue continuar parado.

Quatro mãos me pegam pela cintura e manuseiam meu corpo a seu bel-prazer. Na frente... atrás... forte... fraco... suave... selvagem. Vejo a cara de Eric e sinto que ele vai explodir. Mas de repente os dois saem de mim. Eric se levanta, me mantém de bruços e me penetra lentamente pelo mesmo lugar de onde Helga acaba de sair. De quatro, eu grito. A ereção de Eric não tem nada a ver com o brinquedo, mas o que de início me fez gritar agora se acopla ao meu interior e eu respiro ofegante enquanto ouço Eric murmurar na minha orelha:

— Agora sim você é toda minha... toda minha...

— Sim...

— Ah, menina... você está tão apertada...

Pressiona de novo seus quadris contra mim e eu estou ofegando de prazer. Meu Deus... adoro o que ele faz, o que ele diz. Fico desconcertada por ele penetrar meu ânus e enlouqueço ao perceber que estremece. Ele se segura. Sei que controla a vontade de me dar uns tapinhas. Sinto minha dilatação quando seu pênis inteiro entra e sai. Mexo os quadris e encaro Eric. Ouço-o apertar os dentes e peço:

— Forte... me come forte.

— Não... não quero te machucar.

Mas o tesão é tamanho que eu mesma lanço a bunda para trás e grito ao sentir totalmente sua ereção. Fico parada. Não consigo me mexer. Dor. Suspiro e ele sussurra:

— Cuidado, querida... assim você vai se machucar.

Sem sair de dentro de mim, Eric desliza as mãos, abre minha vagina e aperta o clitóris. Eu me mexo... solto gemidos... e Eric entra e sai com mais facilidade, cada vez mais fundo. É o que quero. Seu dedo volta a pressionar o clitóris e grito outra vez. Os minutos passam e nós dois continuamos unidos pelo meu ânus. Não quero que acabe. Quero que ele continue metendo em mim e que esse prazer seja infinito. Mas ao fim acelera o ritmo e, mesmo não sendo tão forte nem tão profundo como o que ele já me deu pela vagina, um orgasmo selvagem me faz gritar enquanto me aperto contra ele. Eric goza também, sai de mim e tomba para o lado. Me abraça e, enquanto continuo tendo espasmos por tudo o que fizemos, ele diz:

— Te amo, Jud, te amo como nunca pensei que poderia amar alguém.

65

Quando acordo na manhã seguinte, estou sozinha e nua na cama imensa.

Jogado de qualquer jeito numa cadeira, vejo o terno que Eric usava na noite anterior e, não muito longe, meu vestido. Sorrio e suspiro. Por um momento repasso mentalmente os últimos meses com ele e sinto que estou numa montanha-russa que me agrada muito e não quero que essa viagem acabe nunca.

Meu celular apita. Uma mensagem. É meu pai, dizendo que está indo embora para Jerez. Ligo para me despedir e sorrio ao me lembrar da sua alegria na noite anterior. Eric e ele se dão muito bem e para mim isso é muito importante. Combinamos de nos ver no Natal. Então me despeço dele e em breve embarcarei para a Alemanha junto com meu amor.

Deixo o celular na mesinha de cabeceira e reparo no pote de lubrificante — fecho os olhos. Ainda não consigo acreditar nas coisas que tenho feito. Nunca na vida imaginei que pudesse experimentar o sexo selvagem que faço com Eric. Cada vez entendo mais o que um dia Eric me explicou sobre o tesão. O tesão pode te fazer alcançar limites inimagináveis. Ah, se pode...! Eu que o diga!

Nos últimos meses tenho feito sexo em todos os sentidos da palavra, e Eric me compartilhou com homens e mulheres. Pensar nisso me faz sorrir e desejar mais. Se há um ano alguém tivesse me dito que eu faria tudo isso, eu pensaria que essa pessoa estava doida. Mas não. Aqui estou eu, nua na cama de Eric e disposta a realizar minhas fantasias e as dele.

Me levanto e, ao sentar na cama, faço uma careta ao perceber que minha bunda está doendo. Com cuidado, ergo o corpo novamente e me sinto estranha ao caminhar. Vou direto para o chuveiro e, quando saio, vejo Eric sentado na cama. Ligou o rádio e, assim que me vê, sorri.

— O que houve?

— Minha bunda está doendo.

Sua expressão se contrai e ele murmura:

— Querida... eu te falei pra ter cuidado.

— Ai, Eric... acho que vou ter que sentar em cima de uma boia.

Eric ri, mas em seguida percebe que estou com a cara séria.

— Desculpa... desculpa.

Com cuidado, me sento na cama e, antes que ele diga qualquer coisa, levanto um dedo e digo:

— Nada de me sacanear sobre isso, tá?

— Tá — responde.

De repente, começa a tocar uma música que faz nós dois rirmos. Eric me deita na cama e, achando graça, comenta:

— Como diz a música, estou louco pra te beijar.

E me beija. Aceito com prazer seu beijo e quando sua mão desce pela minha cintura, o telefone toca. Eric me solta e vai atender. Após desligar, diz:

— Era minha mãe. Marquei com ela meio-dia e meia no restaurante do hotel.

— Pra almoçar?

— É.

— Esse horário gringo de vocês me mata — respondo, bufando. — Eu tomaria é o café da manhã.

Eric sorri e explica:

— Eu sei, querida, mas ela vai voltar a Munique hoje à tarde e quer almoçar com a gente.

— Tá bom — digo. — Você tem um analgésico ou algo do gênero?

— Tenho... na nécessaire.

Eric vai pegá-lo, mas se detém e diz, segurando o riso:

— Não se preocupa, querida, as cadeiras do restaurante são macias.

Essa gracinha me faz bufar. Sinto vontade de lhe dizer umas poucas e boas, mas, ao ver seus olhos brincalhões, me seguro e abro um sorriso. Sua felicidade é minha felicidade, e a música que me faz ficar louca para beijá-lo continua tocando.

Dolorida, me levanto e abro o armário. Ali dentro vejo uma calça jeans e uma blusa rosa, mas, como não encontro o que estou procurando, reclamo desesperada:

— Que droga, não tenho nem uma calcinha!

— Não fale palavrões, querida — Eric me repreende ao mesmo tempo que me abraça.

— Desculpa, mas tenho que dizer. Você arrebentou todas as minhas calcinhas, e agora não tenho nenhuma aqui pra vestir. E claro... você não acha que vou sair sem calcinha pra almoçar com sua mãe, né?

Achando graça, ele sorri, me entrega o analgésico e responde:

— Ela nem vai saber. Qual é o problema?

Pego uma cueca boxer da Calvin Klein e coloco. Surpreso, Eric me olha.

— Nossa! Até de cueca você me deixa excitado, fofinha. Vem cá.

— Nem pensar.

— Vem cá.

— Não... sua mãe está esperando a gente pra almoçar.

— Vamos, amor. Temos tempo ainda!

Nesse instante o notebook de Eric apita. Chegou uma mensagem. Eu aviso, mas ele sabe bem o que quer. E o que ele quer sou eu.

Corro pelo quarto, subo na cama e ele se pendura em mim. Me puxa e eu fico rindo. Me beija com voracidade e ao mesmo tempo ri também e tira a cueca que estou vestindo. Desabotoa sua calça e, sem tirar sua própria cueca, entra em mim. Nos olhamos nos olhos e, enquanto ele entra várias vezes dentro de mim, me sussurra centenas de palavras carinhosas que me deixam louca.

Após essa rapidinha, nos vestimos. Coloco a cueca outra vez, a calça jeans e a blusa rosa, em meio a risadas e beijinhos. Quando pego meu celular, ouço novamente o barulho das mensagens do notebook de Eric. Depois de um beijo delicioso nos lábios, ele vai até o computador, e o sorriso que antes me alegrava desaparece pouco a pouco, dando lugar à máscara de Iceman em sua versão mais assustadora. Seus olhos perdem o brilho e ele xinga. Vejo-o mexer no mouse. Me olha e diz, tenso:

— Nunca esperaria isso de você.

Fecha com força a tela do computador e sai do quarto furioso. Sem pensar duas vezes, vou até o computador, abro a tela e leio uma mensagem:

De: Rebeca Hernández
Data: 8 de dezembro de 2012 08:24
Para: Eric Zimmerman
Assunto: Sua namorada

Fico feliz em saber que continuamos compartilhando os mesmos gostos.

Mando umas fotos. Sei que você adora olhar. Aproveite.

Horrorizada, abro as fotos e fico sem palavras. São fotos minhas com Rebeca, tomando uma bebida e rindo. Marisa e Lorena não aparecem. Onde estão? Abro outro arquivo e grito. Vejo Rebeca tocando meus seios, e eu nua. Em outra imagem estou de pé e ela agachada diante do meu púbis com as mãos entre minhas pernas. Sinto falta de ar... não entendo. Como podem ter tirado essas fotos? E, principalmente, como essas fotos podem ter chegado até Eric?

Estremeço. Não sei por que Rebeca enviou essas imagens e saio à procura de Eric. Eu o encontro na sala de estar da suíte, dando voltas como um louco. Com as mãos trêmulas, me aproximo. Deixo meu celular em cima da mesa e não sei o que dizer. Não sei como justificar essas fotos.

— Pode me dizer o que significa isso? — grita descontrolado.

— Não... não sei. Eu...

Enlouquecido, olha para mim e grita:

— Pelo amor de Deus, Jud. Que merda você foi fazer com Betta?

— Betta?!

— Não se faz de idiota — esbraveja irritado. — Você sabe muito bem que Betta é Rebeca.

Escutar esse nome me deixa paralisada. Betta é Rebeca? A mulher que traiu Eric com o pai dele é a mesma com quem saí nas fotos? Minhas pernas tremem e eu preciso sentar. Busco uma explicação para tudo isso. Estou totalmente convencida de que me enganaram com o objetivo claro de prejudicar nosso relacionamento.

— Eric... escuta.

Furioso, chega mais perto de mim e, sem me tocar, berra na minha cara:

— Desde quando você a conhece?

— Eric, não fala besteira. Eu nem sei quem é essa mulher. Ela e...

— Não acredito em você — grita. — Como você foi capaz? Como?

Nervosa, me levanto do sofá e tento me aproximar dele, mas Eric está fora de si e não para de andar e gritar pelo quarto. É tão grande que tentar pará-lo seria como me chocar contra um trem em alta velocidade.

— Por favor, Eric, me escuta. Sei que pode parecer outra coisa, mas juro que eu não sabia que essa mulher era Betta, e não fiz nada do que parece que faço nas fotos. Pelo amor de Deus, você tem que acreditar em mim...

Meu celular toca. Está em cima da mesa.

Eric olha para ele e eu também. Quase fico sem ar quando vejo no visor do aparelho o nome "Rebeca". Furioso, Eric o pega e, após confirmar que é ela e trocar umas palavras bem desagradáveis com sua ex, atira-o no chão. Fecha os olhos. Sua expressão se contrai por alguns segundos. Sua cara é assustadora. Ameaçadora. Quando abre os olhos, me olha por alguns instantes e depois diz em alto e bom som:

— A brincadeira acabou, senhorita Flores. Pega suas coisas e vai embora.

Meu estômago se revira. Mal consigo respirar.

— Eric... querido, você precisa me escutar. Isso tudo é um engano, eu...

— É um erro imperdoável e você sabe tão bem quanto eu. Vai embora!

— Eric, não!...

Com um desprezo total estampado em seu rosto, olha para mim e diz:

— Primeiro foi com Marisa, agora com Betta. O que mais você está escondendo?

— Nada... se você deixar, eu...

— Você ia morar comigo na Alemanha. Pretendia continuar mentindo?

— Meu Deus, Eric, quer me escutar e...?!

— Sabe — me interrompe —, mulheres como você, eu tenho todas que eu quiser.

O Eric prepotente está de volta.

— Não me diga! Mulheres como eu? — grito fora de mim.

— É. Mentirosas. Mentirosas sem escrúpulos e dispostas a magoar quem quer que seja — responde. — Meu erro foi achar que você era especial.

— Não fala bobagem, Eric, e me escuta, que estou ficando angustiada.

Com expressão cínica, o homem que amo olha para mim e sorri.

— Se você fica angustiada por achar que Björn ou qualquer um dos homens e mulheres a quem eu te ofereci não vão mais te chamar, não se preocupa. Eu vou dar seu telefone. Tenho certeza de que eles vão me agradecer.

— Como você pode dizer isso? Como pode ser tão cruel? — Me olha com uma expressão dura, e eu grito desconcertada: — Nem pense em dar meu telefone a ninguém!

Eric me encara de um jeito desafiador, com os olhos injetados de raiva.

— Tem razão, pra quê? Você sozinha se sai muito bem.

Sem alterar sua expressão, ele se vira e abre a porta da suíte.

— Quando eu voltar do almoço com minha mãe, não quero te encontrar aqui.

Não posso deixá-lo ir embora. Não posso deixar nossa relação terminar. Tento segurá-lo por todos os meios, mas acabo gritando:

— Se você sair sem falar comigo, sem me dar uma chance de eu me explicar, vai ter que assumir as consequências.

Meu grito o detém, ele se vira de novo e me encara.

— Consequências? Você acha pouco saber que minha suposta namorada e minha ex são mais que amiguinhas?

— Isso é mentira!

— Mentira. As fotos já dizem tudo.

Sem me dar tempo de dizer ou fazer qualquer coisa, ele vai embora, fecha a porta. Sofrendo e sem respirar direito, vejo o homem que amo e adoro me enxotando sem querer me ouvir. Quero correr na direção dele, mas sei que não vou conseguir nada. Se há uma coisa que sei sobre Eric é que, quando ele se zanga desse jeito, não raciocina. É pior que eu.

Me sento no sofá. Estou tão paralisada que nem sei o que fazer.

Choro e me desespero. Por que ele não quer acreditar em mim? Por que não me escuta? Mil perguntas sem resposta ficam dando voltas na minha cabeça, enquanto tento buscar uma saída, uma solução. Quando consigo parar de chorar, me levanto e ando até o quarto. Ver a cama revirada me angustia e eu me jogo em cima dela. O cheiro de Eric, de sexo e de bons momentos vividos horas atrás me faz gritar furiosa.

Olho a tela do computador e observo com frieza a foto em que apareço junto com a agora conhecida como Betta. Como pude ser tão idiota?

Me levanto, pego uma caneta em cima da mesa e, com todo o sangue-frio de que sou capaz, anoto seu e-mail. Essa mulher vai me pagar. Coloco o papel na calça jeans. Dou uma olhada ao redor e guardo na minha bolsa o vestido da noite anterior. Saio do quarto em seguida, mas, ao passar pela sala, vejo meu celular destruído no chão. Me abaixo, recolho as peças, vou embora da suíte aos prantos e, com a pouca dignidade que me resta, saio do hotel.

66

Na segunda-feira, quando chego ao trabalho, fico sabendo que Eric, meu suposto namorado, voltou para a Alemanha. Foi embora e não me avisou. Claudia, sua secretária, está empolgada porque ele pediu para ela se encontrar com ele na quarta-feira nos escritórios de Munique. Isso me tira do sério. Saber que ele foi embora por não querer me ver nem falar comigo me deixa arrasada. E, cada vez que olho para as caixas embaladas, me dá um nó na garganta.

Os dias vão passando dentro do possível. Não ligo para ele. Não mando e-mails. Resumindo, não vivo. Eu lhe disse que, se fosse embora, teria de assumir as consequências, e sou uma mulher de palavra. Mas tenho que falar com ele. Preciso disso.

Escrevo um e-mail para a tal de Betta ou Rebeca, mas ela não responde. Compro um celular e coloco o chip do telefone em que tenho o número dessa sem-vergonha, mas ela não atende. Ligo para Marisa, e ela também não atende. Estou de mãos e pés atados e não sei o que fazer. Nem como provar a Eric que o que ele pensa de mim é mentira.

Minha chefe tem sido simpática comigo esses dias. Continuo sendo a namorada do chefão e percebo que ela não me enche de trabalho como fazia há alguns meses. Agora até fico entediada.

Na semana seguinte, quando chego ao escritório na segunda-feira, me surpreendo ao ver Eric na sala dele. Meu coração dispara. Minhas mãos começam a suar e acho que vou ter um troço. Caminho pelo departamento para que ele me veja. Sei que me viu. Mas, como ele não me liga nem faz nada para falar comigo, resolvo tomar a iniciativa.

Quando abro a porta da sua sala, Eric me olha de um jeito duro.

— O que deseja, senhorita Flores?

Fecho a porta. Meu coração está a mil. Vou até sua mesa e murmuro:

— Fico feliz em saber que você voltou.

Me olha... me olha... me olha e finalmente repete com uma expressão neutra:

— O que deseja, senhorita Flores?

— Eric, a gente precisa conversar. Por favor, você tem que me escutar.

Com um olhar implacável, ele se recosta na poltrona.

— Já deixei muito claro que eu e a senhorita não temos mais nada a falar. E agora, por gentileza, volte à sua sala antes que eu perca a paciência e a coloque no olho da rua, como está merecendo.

Meu corpo acusa o golpe. Ah, não... isso não vai ficar assim.

Quero gritar. Quero dar um chute nele e não aceito que me trate com tanta frieza. Mas, como preciso que ele me escute, faço um esforço para engolir o orgulho.

— Senhor Zimmerman, gostaria que o senhor ouvisse o que tenho a dizer.

— Saia da minha sala — diz sem alterar sua expressão — e atenha-se à sua tarefa, que é trabalhar para mim e para minha empresa.

A porta é aberta, e Claudia entra com um café. Ela nos observa e, quando faz menção de nos deixar a sós, Eric diz:

— Claudia, fica aqui pra gente terminar o que estava fazendo. A senhorita Flores está de saída.

Me revolto e insisto:

— Pelo amor de Deus, Eric, quer fazer o favor de me dar um minuto?

Ele se levanta. Está superelegante com esse terno preto. Apoia-se na mesa e diz, olhando nos meus olhos:

— Saia da minha sala imediatamente.

— Não.

— Quer ser demitida?

Claudia faz uma cara cerimoniosa toda sem jeito. Olho para ela e digo furiosa:

— Por favor, sai da sala. Já!

Ela obedece sem hesitar. Eric solta um palavrão e, quando ficamos a sós, eu tomo coragem, ponho para fora o gênio que meu pai diz que é idêntico ao da minha mãe, e digo:

— Você pode me expulsar, pode me demitir, mas não pode me calar.

— Não quero te ouvir. Já disse que...

Dou um soco na mesa que quase quebra minha mão e o interrompo furiosa:

— Você vai me ouvir, droga, mesmo que seja a última coisa que eu faça na vida.

Eric fica em silêncio. Continua furioso, mas pelo menos me olha com curiosidade.

— Essa tal de Betta, junto com Marisa e uma tal de Lorena, apareceu na academia que eu frequento. Marisa me apresentou a elas e em momento algum me contou que aquela era sua ex. Só me disse que se chamava Rebeca. Como vou saber que Betta é Rebeca? Quando saímos da academia, fomos tomar Coca-cola num bar. Trocamos telefone para marcar de jantar junto com nossos namorados. Depois Lorena sugeriu que a gente fosse à casa de uma conhecida dela pra buscar umas roupas que ela tinha encomendado, e na verdade era uma loja de lingerie. Provei algumas peças pensando em você. Por isso eu estava nua! E foi ali que a tal Rebeca tentou algo comigo, mas não conseguiu. Me recusei! Agora sei que foi tudo armado por ela e que a única coisa que essa idiota queria era provocar essa reação em você.

Eric me encara. Seus olhos me fulminam e sigo:

— Por que você acredita nela e não em mim? Por acaso ela é mais confiável do que eu?

Respiro agitada. Mas o alívio que sinto após lhe contar a verdade é enorme.

— E por que eu deveria acreditar em você?

Uma revolta grande cresce dentro de mim. Sua expressão não é nada boa e eu respondo:

— Porque você conhece nós duas e sabe perfeitamente que eu não sou mentirosa. Posso ter mil defeitos, mas nunca menti pra você. E, antes que você me expulse da sua sala, quero que saiba que estou magoada, furiosa, irritada e morrendo de raiva por não ter percebido a armação dessas bruxas. Mas o ódio que estou sentindo delas nem se compara com o que sinto agora por você. Eu ia abandonar minha vida, minha família, meu trabalho e minha cidade pra ir embora contigo, e acaba que você, o homem que eu imaginava que cuidaria de mim e me daria carinho, desconfia de mim na primeira oportunidade. Isso me dói, você partiu meu coração e quero que saiba que desta vez a culpa é sua. Sua e só sua.

Eric olha para mim. Eu olho de volta e nenhum de nós diz nada.

Preciso que ele fale, que me entenda, que diga algo. Mas as palavras ou o gesto de que preciso não chegam. Eric segue impassível atrás da mesa, me fulmina com o olhar mas não reage. Minha mão está doendo por causa do soco que dei na mesa e, ao tocá-la, noto o anel que Eric me deu de presente. Fecho os olhos. Não quero fazer o que tenho que fazer, mas não me resta alternativa. Por fim tiro o anel, deixo em cima da mesa e murmuro diante do seu semblante rígido:

— Ok, senhor Zimmerman, o que havia entre nós acabou. Fique feliz por Rebeca. Ela venceu.

Dou meia-volta e saio. Não quero olhar para ele. Não quero nada dele.

Estou tão chateada que sou capaz de qualquer coisa. Logo que saio, Claudia entra na sala de Eric. Não sei o que estão falando, mas realmente não me importo. Minhas mãos estão tremendo. Quando chego à minha mesa e me sento, minha chefe sai da sala e diz:

— Judith, por favor, me localiza o representante de Sevilha. Preciso falar com ele.

Como um robô, faço o que ela pede. Não quero pensar. Não posso. Nesse instante, Claudia sai da sala de Eric, olha para mim e entra na sala da minha chefe. Assim que consigo o telefone do representante de Sevilha, entro na sala da minha chefe e Claudia sai, mas, quando faço menção de ir embora, ouço a voz da imbecil da minha chefe dizendo:

— Acabo de ficar sabendo que você devolveu o anel a Eric Zimmerman.

Não respondo. Me recuso a dar satisfação da minha vida a essa idiota.

— O amor de vocês já acabou?

Esse comentário faz meu sangue ferver. Faz com que eu me sinta viva, e então respondo:

— Se não se importa, é um assunto particular do qual prefiro não falar.

Mas a prepotente da minha chefe não consegue ficar quieta.

— Então não vai mais pra Alemanha? — Ao ver que não respondo, volta à carga: — Você realmente acreditava que um homem como ele poderia querer alguma coisa séria contigo?

Não digo nada. Tenho vontade de partir para cima dela. Puxá-la pelos cabelos. Mas ela insiste. Parece estar curtindo a situação.

— É bom você se preparar pro que vem pela frente, Judith. Você vai ser motivo de piada durante todo o tempo em que ficar na Müller. Você passou de namorada intocável do chefão a uma mulher rejeitada e digna de chacota na empresa. E, sinceramente, não sinto pena. Você tem se achado o máximo ultimamente e precisa se pôr no seu devido lugar.

Meu sangue ferve... ferve... ferve e sei que não há mais como voltar atrás.

Se tem uma coisa que sempre fui nessa maldita empresa, é discreta e trabalhadora. E, se havia alguém que não queria sair espalhando por aí minha relação com Eric, esse alguém era eu, justamente para evitar as fofocas. Por isso, e consciente de que o que vou fazer é motivo de demissão, dou um tapa no notebook da minha chefe, fecho a tela bruscamente e contesto com força:

— Prefiro ser a rejeitada pelo chefe a ser uma coroa tarada e oferecida que dá em cima de todos os garotinhos que aparecem na sua frente. — Ela abre a boca e eu continuo: — Isso mesmo... Ou você acha que não sei o que você faz de vez em quando nessa sala?

— Não te autorizo a...

— Não me autoriza, é? — eu a interrompo e levanto a voz. — Olha aqui, sua ridícula, tenho sido uma boa secretária. Te acobertei, te defendi, e não contei a ninguém o que vi. E, mesmo assim, você me trata desse jeito pelo que houve entre mim e o senhor Zimmerman. Pois bem, cansei de ser boazinha! E a partir de agora, como imagino que já não faço parte da empresa e estamos falando de igual pra igual, quero que saiba que, se você me insultar, eu te insulto de volta. Se você me deixar na mão, eu faço o mesmo. E, se me procurar, vai me encontrar. Porque olha só, ô rainha da cocada preta, sejamos sinceras, aqui todo mundo é alvo de alguma fofoca... eu vou ser a ex do chefe, mas você é e continuará sendo a galinha da empresa que adora que tirem sua calcinha em cima da mesa e joguem em qualquer lugar.

— Pelo amor de Deus, quer parar de gritar?!

Eu rio. Mas meu riso é de nervoso. Me conheço e sei que, após o riso nervoso e a raiva, vão vir a tristeza e por fim o choro. Então, antes disso, tiro o telefone do gancho e jogo em cima da mesa.

— E agora, sua idiota, pode ligar pro RH e dizer pra prepararem minha demissão. Eu mesma vou até lá assinar. Fiquei tão feliz com o que acabei de te dizer, que não estou nem aí pro que vier depois.

Dito isso, dou meia-volta e desapareço da sala.

Uau, como me sinto bem!

Ao sair, topo com Claudia e Eric. Devem ter escutado os gritos. A moça entra na sala e eu a ouço falar com minha chefe, que pede aos berros minha demissão imediata ao RH.

Eric me observa. Não se move. Está paralisado. Ele não esperava que eu reagisse assim. Sem olhar para ele, vou até minha mesa e começo a juntar minhas coisas.

— Entra na minha sala, Jud.

— Não. Sem chance. E lembre-se, senhor: agora sou a "senhorita Flores", entendido?

— Entra na minha sala — repete com fúria.

— Já disse que não — respondo.

Noto que Eric se mexe nervoso ao meu lado. É o chefe da empresa e tem que manter a compostura. Se agarrar meu braço e me obrigar a entrar, sabe que vou reagir e que todo mundo vai ver. Por isso, ele se agacha para ficar da minha altura e murmura:

— Jud, querida, sou um idiota, um babaca, por favor, dá um pulo na minha sala. Você tem razão. Precisamos conversar.

Ao escutar isso, abro um sorriso. Mas é um sorriso frio e impessoal. Olho para Eric. E, do mesmo jeito que ele próprio costuma fazer, reflito alguns segundos antes de dar a resposta, contraio o rosto e digo:

— Sabe, senhor Zimmerman? Agora quem não quer saber nada do senhor sou eu. Acabou a Müller e acabaram muitas outras coisas. Não aguento mais. Vá procurar outra para enlouquecer com suas mudanças de comportamento e suas desconfianças, porque eu me cansei.

Verifico gaveta por gaveta. Não encontro nada dentro, mas faço isso mecanicamente, por via das dúvidas. Fecho-as com força, pego minha bolsa e ando até a porta.

— Aonde você vai, Jud?

Com toda minha petulância madrilenha, jerezana e catalã, eu o olho de cima a baixo e sorrio com frieza.

— Ao RH. A partir de agora, não faço mais parte da "sua" empresa, senhor Zimmerman.

Enquanto caminho até o elevador, sinto os olhares de todos os meus colegas e, em especial, do meu ex. Eles não sabem o que está acontecendo, mas, conhecendo-os como eu conheço, logo vão tirar suas próprias conclusões. Serei o assunto preferido deles nos próximos dias, mas estou pouco me importando. Não estarei aqui para aguentar suas fofocas idiotas.

Quando entro no RH, todos olham na minha direção. Como as notícias correm! Mas é Miguel quem vem até mim e, pegando-me pelo braço, me leva até sua mesa e murmura:

— O que você fez? Sua chefe...

— Ex-chefe — esclareço.

— Ok. Sua ex-chefe está furiosa, telefonou pra cá pra te demitirem.

Minha cabeça fica concordando. Sorrio e dou de ombros.

— Acabei de provocar minha demissão. Falei pra essa bruxa horrorosa tudo o que penso dela. Ai, Miguel, você não imagina meu alívio! Foi um dos melhores momentos da minha vida.

Nesse instante, Gerardo, chefe do RH, aparece.

— Miguel, a senhorita Flores precisa esperar um segundo. Por enquanto, não é pra assinar a carta de demissão que eu te entreguei.

Surpreso, Miguel se vira pra mim e, quando Gerardo se afasta, ele cochicha:

— Depois do telefonema da sua chefe, Iceman também ligou. Está uma fera.

Nesse momento, não estou nem aí para o mau humor de Eric. Me sento e Miguel pergunta:

— Mas... o que houve?

— Eu e Iceman terminamos e a babaca da minha ex-chefe teve a cara de pau de rir de mim e dos meus sentimentos.

— Você e Iceman terminaram?

— Sim.

— Sinto muito, linda. E você sabe que digo isso de coração.

— Sei. — Sorrio com tristeza. — Mas você tinha razão. Ficar com o chefe é uma furada. Porque, mais cedo ou mais tarde, a pessoa acaba pagando por isso.

Minha aparente frieza começa a se dissipar. Falar de Eric e da minha nova realidade é algo que me dói. Alguns minutos depois, o chefe do RH sai e se vira para mim.

— Vem na minha sala.

Obedeço e faço Miguel me acompanhar. Gerardo nos olha e por fim diz:

— Judith, o senhor Zimmerman quer que você vá à sala dele agora mesmo.

Sua insistência me surpreende e respondo:

— Não. Não vou. Quero assinar minha demissão.

Miguel e Gerardo se olham surpresos. Gerardo insiste:

— Judith, não sei o que houve, mas o senhor Zimmerman disse que...

— A partir de agora, o que o senhor Zimmerman diz entra por um ouvido e sai pelo outro. Então, Gerardo, se você quiser, pode falar com ele e dizer que estou mandando ele à merda, ou eu mesma faço isso diretamente. Mas não pretendo ir à sala dele nem a qualquer outra. Só quero assinar minha carta de demissão.

O cara não sabe o que fazer. A situação saiu do seu controle. Por fim, me pede um segundo, pega o telefone que está fora do gancho e fala alguma coisa. Imagino que Eric tenha escutado, mas estou pouco ligando. É até melhor. Assim ele vai se dar conta de que, quando digo alguma coisa, eu cumpro. Que ele assuma as consequências, então.

Miguel, nervoso com o que está acontecendo, me afasta da mesa de Gerardo.

— Que coragem a tua, hein, menina! Fiquei até tonto. Mas é melhor ser realista e pensar no que você própria me disse quando não iam renovar meu contrato. Há muito desemprego lá fora, muita crise, e você precisa trabalhar. Não seja boba, Judith.

E, quando vou responder, Gerardo ergue os olhos na nossa direção.

— O senhor Zimmerman está me pedindo pra você não assinar nenhuma carta de demissão. Pra você sair de férias e...

— Férias?

— Sim, foi o que ele disse.

Solto uns palavrões. Vejo que o telefone continua fora do gancho. Saio correndo da sala, pego o papel que Miguel tinha deixado pronto para mim quando entrei, volto a entrar na sala e o assino sem ler. Em seguida entrego a Gerardo e, sabendo que Eric escutará, acrescento:

— Toma, entrega minha demissão assinada pro senhor Zimmerman, com todo o meu amor.

Estarrecido, Gerardo pega o papel e eu saio da sala. Miguel vai atrás de mim. Já do lado de fora, me viro para meu amigo incrédulo e desconcertado, dou um beijo na sua bochecha, faço um carinho no seu cabelo e digo:

— Me liga e a gente marca de tomar alguma coisa qualquer dia.

Logo depois, dou meia-volta e vou embora. Abandono correndo a empresa. Assim que entro no carro e saio da garagem, não sei para onde ir nem o que fazer. Acabo de cometer a maior loucura da minha vida e de repente me dou conta de que nada mais faz diferença para mim.

Continua...

Leia as primeiras páginas do volume 2 da trilogia
Peça-me o que quiser:
Peça-me o que quiser, agora e sempre

Depois de sair do escritório chego em casa me sentindo como se tivesse levado uma surra. Olho as caixas embaladas e fico com o coração partido. Tudo foi à merda. Minha viagem à Alemanha foi cancelada e minha vida, por ora, também. Meto quatro coisas numa mochila e desapareço antes que Eric me encontre. Meu telefone toca, e toca, e toca. É ele, mas me nego a atender. Não quero falar com Eric.

Disposta a sumir de casa, vou a uma cafeteria e ligo para minha irmã. Preciso falar com ela. Faço-a prometer que não dirá a ninguém onde estou e marco um encontro com ela.

Minha irmã vem me socorrer e, depois de me abraçar como sabe que preciso, me escuta. Conto a ela parte da história, apenas uma parte, senão deixaria ela sem palavras. Não menciono o assunto do sexo e tal, mas Raquel é Raquel!, e quando as coisas não lhe batem bem começa com esse negócio de "Tá louca!", "Você tem um parafuso a menos!", "Eric é um bom partido!" ou "Como pôde fazer isso?". Afinal me despeço dela e, apesar de sua insistência, não revelo aonde vou. Eu a conheço, contará a Eric assim que ele ligar.

Quando consigo me livrar de minha irmã, ligo para meu pai. Depois de uma conversa rápida com ele e de fazê-lo entender que daqui a uns dias irei a Jerez e explicarei tudo o que está acontecendo, pego o carro e vou para Valência. Ali me hospedo num albergue e durante três dias passeio pela praia, durmo e choro. Não tenho nada melhor para fazer. Não atendo as ligações de Eric. Não, não quero.

No quarto dia, um pouco mais relaxada, vou dirigindo a Jerez, onde papai me recebe com os braços abertos e me dá todo seu amor e carinho. Conto que minha relação com Eric acabou para sempre, e ele não quer acreditar. Eric ligou para ele várias vezes, preocupado — segundo meu pai, esse homem me ama demais para me deixar escapar. Pobrezinho. Meu pai é um romântico incorrigível.

No dia seguinte, quando me levanto, Eric já está na casa de papai. Papai ligou para ele.

Eric tenta falar comigo, mas me recuso. Fico uma fúria: grito, grito e grito, e falo tudo o que tenho sufocado antes de lhe bater a porta na cara e me trancar no quarto. Por fim, ouço que meu pai pede que ele vá embora, e por ora me deixa respirar. Papai sabe que agora sou incapaz de pensar e que, em vez de solucionar as coisas, posso complicar ainda mais.

Eric se aproxima da porta do meu quarto e, com a voz carregada de tensão e raiva, me diz que está indo, então. Mas que vai embora para a Alemanha. Tem que resolver uns assuntos lá. Insiste mais uma vez para que eu saia, mas, diante da minha negativa, finalmente se vai.

Passam dois dias, e minha angústia é constante.

Esquecer Eric é impossível, ainda mais quando ele me liga toda hora. Não atendo. Mas, como sou mesmo uma masoquista, escuto várias vezes nossas canções e me entrego a essa tortura. A parte boa dessa história é que sei que Eric está muito longe e, além do mais, tenho minha moto para me distrair e saltar pelos campos enlameados de Jerez.

Dali a uns dias...

1ª EDIÇÃO [2013] 23 reimpressões

ESTA OBRA FOI COMPOSTA EM ADOBE GARAMOND PELA ABREU'S SYSTEM
E IMPRESSA EM OFSETE PELA LIS GRÁFICA SOBRE PAPEL PÓLEN DA
SUZANO S.A. PARA A EDITORA SCHWARCZ EM MAIO DE 2025

A marca FSC® é a garantia de que a madeira utilizada na fabricação do papel deste livro provém de florestas que foram gerenciadas de maneira ambientalmente correta, socialmente justa e economicamente viável, além de outras fontes de origem controlada.